李达全集

汪信砚 主编

第六卷

人民出版社

国家社会科学基金重大招标项目
"李达全集整理与研究"（批准号：10ZD&062）最终成果

国家出版基金项目
"《李达全集》（1—20卷）的整理、编纂与出版"最终成果

目　　录

民族问题（1929.9）

农业问题之理论(1930.1)

经济学入门(1930.4)

上篇　实际之部

下篇　理论之部

民族问题[*]

（1929.9）

* 《民族问题》于 1929 年 9 月 30 日由上海南强书局作为《新社会科学丛书》第二编出版，署名李达编，曾被收入人民出版社 1980 年 7 月出版的《李达文集》第一卷。——编者注

小　引

　　民族问题,是世界革命的根本问题之一,也是中国革命的根本问题之一,要了解世界革命和中国革命的理论和策略,就必得研究民族问题。这本小册子的内容,都是根据一般大实践者的指导原理写下来的,我自己并没有参加什么意见,虽然为篇幅所限,不能详细发挥,而民族问题的轮廓总算是粗具了,虽然只就一般的民族问题立论,而中国民族问题的大体也可说是包括在内了。在巨著的民族问题书籍还没有介绍出来的今日中国,这本小册子或许可以供研究者的参考的。至于书中的错误处,我很希望读者加以指正。

编　者

第一章　民　族

第一节　氏族、种族、民族的区别

人类是社会的动物。人类社会在其与自然的斗争过程中,是适应其技术与经济状态而发生变化,因此,人类社会的组织形态,是与各种经济发展阶段一致的。技术愈低,则生存于其社会的人类愈少,在狩猎时代,只可容二十至五十人的地方,在牧畜时代,可容二三百人,在农业与牧畜混合时代,可容一万五千人,现在居住六百万人口的纽约,在狩猎时代的当时,不过数千的印度人而已。

生产发展的历史,同时是一切人类统一的历史。在狩猎时代的氏族组织,为着要保持自己经济活动的地域,拥护自己的经济利益,与其他的氏族,经过激烈的斗争,彼此互相隔离对立,形成一种封锁状态。但是经过相当的时期以后,人对于自然的斗争手段发生变化,技术日益进步,经济利益日益发展的时候,社会组织也自然跟着发生变化,原始农业及牧畜遂发生于氏族组织破坏之中,氏族的规定、习惯,与封锁主义,遂归于消灭,氏族制度的上层构造,以及从属部分、组织部分,也终于扫除了。在氏族时代,只许在一氏族中结婚,现在成为反对的规定,从前氏族之神,现在不能不让位于一种新的神了。所谓种族组织,遂于此时发生。现在各国之中,还有这种组织,有的是在巩固的状态,有的是在发生或崩坏的阶段。在苏俄联邦内,例如北"喀富喀斯"后进国民之中,有"巴尔喀尔"种族(约四万人)及"喀拉齐夫"种族(约五万人)。在他们的生活中,还残留着氏族组织,例如氏族个别的生活、氏族墓地、氏族的结婚仪式等。这种事实很可证明种族组织的起源。

社会的分业日益发展,遂产生交换关系,但是这种交换关系,被种族的封锁主义所束缚,自不能不冲破种族组织的狭隘范围,以求发展;同时,因商业资本的发生,种族组织与新的经济又发生冲突。于是各种族中,遂发生一种统一运动,新的生活的认识,新社会组织的概念,对于种族的封锁主义等斗争之结果,民族组织,遂应运而生。往昔的犹太人,在其商业资本时代,有回教徒十二种族的统一运动。六七世纪之时,亚刺伯种族中与现在苏俄联邦内的"其尔基斯"种族中的统一运动,也是属于此例。民族无论其发生于何时何地,此种统一的新形态,是生长于资本主义所产生的新经济的相互关系之上。

如上所述,氏族、种族、民族的区别,可概括如下:

一、氏族、种族、民族是与人类各种经济发展阶段相适应的人类社会的各种形态。

二、植物的收集、渔猎、某种植物的耕作及动物的牧畜,是氏族经济的基础。

三、封锁的自然的牧畜经济、农业经济,或两者的混合经济,是种族经济的基础。

四、在商品经济基础上发达的交换及其以后的资本主义经济,是民族经济的基础。

第二节　民族的特性

一、常住的共同体

民族是一定人们的共同体。所谓常住的共同体,不是人种共同体,也不是种族共同体。现在的意大利民族,是由罗马族、日尔曼族、爱多拉斯罕族、博里斯族、亚刺伯族等所构成;法兰西民族是由罗马族、哥尔族、布里多族、日尔曼族等所构成;英吉利民族、德意志民族、亚美利加民族,也由各种人种及民族所构成。因此,所谓民族,不是人种的,也不是种族的,而是历史构成的常住的人们共同体。

不待说,古代西拉斯王国,亚历山大王国,虽由于历史的不同的人种所构成,但因其是一时偶然的结合,故不得称为民族。所谓民族,是历史的常住的人们共同体,不是一时偶然的结合。

二、言语的共同体

常住的共同体,不限定常常是民族。国家虽是常住的共同体,但不能说是民族的共同体,例如德意志、日本,虽是常住的共同体,但不是民族。民族共同体与国家共同体的区别,在什么地方呢？国家共同体,没有共同的言语,是可以存在的,但是民族共同体,没有共同的言语,是没有存在的可能。例如日本的朝鲜民族、世界战争以前的奥地利亚的捷克民族、俄罗斯的波兰民族,虽各有其独自的言语,然对于日本、旧奥、旧俄的存在,毫无妨碍。不待说,此处所谓言语,是指民族日常所用的言语,不是指国家所用的标准语。因此,言语的共同体,是民族的第二个特性。

三、地域的共同体

不同的民族,有不同的言语,同一的民族,有同一的言语,那是不待言的,但是同一言语的两个或两个以上的共同体,可以存在于不同的地域。例如英吉利人与北亚美利加人,虽有同一的言语,然其居住地域不同。挪威人与丹麦人,爱尔兰人与英吉利人,其言语虽同,其居住地域各异。这些民族,何以不能形成同一的民族呢？这是由于他们的言语虽同,而居住地域各异的缘故。民族的形成,要有长期间的共同组织与共同生活,然没有共同的地域,长期间的共同组织与共同生活,是不可能。英吉利人与北亚美利加人,从前同住的时候,虽形成一种民族,以后因资本主义的勃兴,亚美利加的发现,英吉利人的一部,移住于新大陆,遂形成与英吉利民族不同的一种新民族。因此,民族的第三个特性,是地域的共同体。

四、经济的结合

几多的异种族,互相独立,彼此没有内部联系,或其联系亦很薄弱的时候,是不能形成一种民族的。彼此发生关系,互相融洽,是形成民族必要的条件,然何以能使彼此发生关系,互相融洽呢？那一定要有一种经济的结合。英吉利与北亚美利加因为缺乏经济的结合,所以不能形成同一的民族。假如北亚美利加,不因商品生产、分业、交通机关的发达,与各地方结合为经济的单一体,亦断不能形成同一的民族。地域、言语的共同体,亦一定要有商品生产、分业、交通机关的发达,就是说要有经济的结合,才有可能。

封建制度的时代,是自给自足的经济,当时各种族互相独立,分为多数诸侯。以后商品生产的发展,特别是资本主义的商品生产之发展,自给自足的封锁经济,遂因此而破坏,封建诸侯的孤立状态,亦因此而崩溃,新的单一的经济组织,至此才成立起来,真正意义的民族,至此才发生起来。因此经济的结合,是民族的第四个特性。

五、心理的共通性

以经济的结合为基础所形成的地域、言语、常住的共同体,必然的形成心理的共通性。这种心理的共通性,是表现于民族文化之中,但是这种心理,决不是神圣不可侵犯的,是因生产关系的发展,不断变化的。这种心理的共通性,对于民族的发展,有很大的影响。因此,表现于文化的心理共通性,是民族的第五个特性。

如上所述,民族的特性,可以概括如次。

所谓民族,是历史所形成的常住的人们共同体,并且是因共同的言语、共同的居住地域、共同的经济生活及表现于文化的共同心理而结合的人们共同体。

第三节　民族的发生与发展

民族的端绪,开始于资本主义的最初阶段商业资本主义时代,推进种族到民族的原动力,是在种族中发展的生产力。这种生产力,产生商品生产,商品生产经过的地方,破坏种族的封锁主义,唤起民族的统一运动。例如六七世纪之时,回教宗教统一运动的基础,是建筑在当时亚剌伯各种族间发展的商业资本上面。这种商业资本发展的结果,自然促进民族统一运动,废除种族之神,创造民族之神,这是它最显著的表现。这种运动的推动力,是当时小商业的资产阶级,谟哈默德成为这种运动的指导者,支配往来于麦加与麦齐那间经营队商商业的企业者,决不是偶然的现象。

但是在商业资本主义时代,商品生产关系,还没有成为主要的生产关系,等到介在交换过程的资本,把握了生产过程,由商业资本转变为产业资本的时候,商品生产才成为资本主义的商品生产,真正的资本主义时代,才产生出来。

一般的商品生产,特别是资本主义的商品生产,破坏从来封建的封锁经济,排除种族的分裂状态,废除各地方言的差异,创造统一的民族言语,建设民族的共同心理,提高民族的文化程度,在客观上,是一种进步的现象。

于此,可知资本主义发展的过程,同时是民族发展的过程。民族不仅是一般历史的范畴,而且是某一定时代之历史的范畴,即是资本主义时代的范畴。

第四节　民族统一运动与民族国家的形成

近代资本主义的勃兴,促进民族统一运动与民族国家的形成。新兴的资产阶级,为着要建立资本家的生产关系,不仅要废除种族时代的生产手段、财产及人口的分散状态,并且要集中人口,集中生产手段,集中财产于少数人之手,集中政治的力量,建设一民族,一政府,一民族的阶级利益,一关税境界。

新兴的资产阶级对于封建主义胜利的时代,世界到处进行民族统一运动。这运种动,绝不是由于自由的理想,是由于"资本蓄积"的发展。商品经济,要想得到完全的胜利,不能不首先征服国内市场。并在同一言语的人口之领土内,排除一切的障碍,使言语能够统一及其顺利的发达,因为言语的统一及其顺利的发达,是近代资本主义商品流通最重要的条件,是人民自由的结合与买卖的接近不可缺乏的要素。然资本主义要想满足这种要求,一定要形成民族国家,这种民族国家的形成,是一切民族运动的倾向,这种深刻的经济要素,是促进民族国家的形成,在西欧各国,都是经过这种过程。英吉利人、法兰西人、德意志人、意大利人等,在某个时期,都是与征服封建阶级的资产阶级相适应,形成一种民族。这种民族的形成,同时,就是独立的民族国家的形成。例如英吉利、法兰西等各民族,同时,就是英吉利、法兰西等各国家。爱尔兰的情形,要算是例外,不能变更一般的局面。

东欧的情形稍异,东欧各国,是由多数民族构成的,如奥地利亚、匈牙利、俄罗斯,是其一例。奥地利亚的德意志人,在政治上占有优越的势力,统一奥地利亚各民族,形成一国家。匈牙利的马查尔人,是匈牙利各民族中的精锐,有组织国家的能力,遂统一匈牙利。在俄罗斯,大俄罗斯人进行民族统一运动,建筑自己的基础,组织贵族的官僚政治。这种多数民族国家的形成,是由于封建制度尚未完全肃清的缘故。

当时资本主义,在东方各国,亦开始发达,商业及交通机关的发展,大都市的勃兴,各民族的经济,发生了很大的变动。资本主义侵入到被压迫民族,破坏他们的平稳生活,使他们奋起为民族运动,同时,新闻杂志的发达,议会、国会的行动,更足以促进民族感情的高涨。一般智识阶级,也醉心于民族思想,向着这方面前进,但是可惜自觉被压迫民族,到了此时,遭受压迫民族种种压迫与反对,早已不能形成为独立民族国家。

如上所述,可知民族的结合,即是民族的统一运动与民族国家的形成。其发生与发展,是与资本主义发生与发展的时期及地点一致的。其阶级的原动力,是资产阶级。

第五节 民族是进步的现象呢,还是退步的现象?

关于这个问题,可以分做两方面说明。

在资本主义发生的时代,资产阶级为着自己阶级的利益,与封建农奴的组织、封锁的自然经济、政治的排他主义、分治割据主义等,做继续不断的斗争。在这个时候,民族在客观上,是负担了历史的任务,表现了进步的现象。其所创设的新民族社会,助成国民经济生产力的发展,使广大的群众,参加社会的斗争,适应技术的新形态,提高一般国民的新文化。

但是资本主义发达的结果,由资产阶级所创设的新社会,与新经济形态的利害关系,便发生矛盾。一国的资产阶级,为着追求自己的利益,把自己的活动范围,扩大到他国或其他的世界,金融资本,冲破资产阶级以前所创设的国家范围,于是产生世界经济的各种要素,民族的社会,遂成为新的世界经济发达的障碍物。铁路的发达、船舶的辐辏,把世界一切的国家,都紧紧的联系起来了。例如英国的工厂,加工于印度所产生的木棉。北海沿岸各国,使用俄罗斯的材木,制造船舶。美国制造的汽车,驰聘于亚非利加与亚细亚的大陆。总而言之,技术进步经济发达的结果,把现在的国家或民族所划分的区域,都联系到世界经济组织之中。

到了世界经济发达的时代,民族由革命的要素,变为反动的要素。由助长人类生产力发展的要素,变为束缚其生产力发展的要素。

第六节 民族存在之历史的限界

如上所述,我们可以知道民族是商品经济的产物,特别是资本主义时代的产物,于此,我们就可以看到民族存在之历史的限界。因为资本主义自身也不过是一种暂时的历史的社会形态,那么,民族更不用说了。同时,世界经济,是发生于资本主义社会的根底,是要求人类之世界的社会的组织,与分成民族的人类,采取对立的形态。因此,以世界经济为目标的斗争,以被压迫阶级的国际社会为目标的斗争,不能不在资本主义构造的根底中发生、发展并组织起来。

世界经济,虽有这样的发展,但是国家的限界与民族的限界,依然存在。各国的资产阶级,除以帝国主义武力合并以外,绝对没有排除国家的民族的限界的思想,与以前封建诸侯的割据、关税境界的划分、阻止社会生产力的发展一样,现在社会的生产力,亦为帝国主义国家与民族的限界所阻止。不仅如此,地方资本主义的生产关系,有统一民族的倾向;同时,在民族自身之中,亦形成两个对立的阶级。所谓"各民族之中,互相对立抗争",就是支配的剥削的民族部分与被支配被剥削的民族部分,就是资产阶级与无产阶级两大营垒。

不待说,资产阶级不仅是支配剥削其所属的民族,并且要与他民族的资产阶级斗争,以图支配剥削他民族,才能继续维持他的存在。被压迫阶级则不然,如果不打倒一切的支配阶级,不克服自民族与他民族的资产阶级,是不能得到解放的。资产阶级为追求利润与剥削,努力于民族统一与民族国家的树立,更进而征服合并其他的民族,以掠夺更广大的领土。世界经济的发展,不是他们意识的企图。被压迫阶级是以社会主义经济为目标,把社会主义经济的基础,建设在世界经济上面。因此,无产阶级是世界经济发展的担当者,并且是其意识的担当者。

被压迫阶级联合起来的这个口号,是粉碎在各民族之间,在各民族被压迫阶级之间所建设的障壁之武器,是打倒阻止生产力向世界经济方面发展的障碍之武器,是被压迫阶级与压迫阶级斗争的武器。被压迫民族与被压迫阶级的联合,是世界帝国主义制度的发展,世界资本之平均利润率的实现,世界工人阶级劳动条件的平均化等所引起的一种必然的结果。

被压迫阶级胜利的结果,民族国家主义,必随而消灭,未来的新社会,必随而建立于世界经济基础之上,单一的世界人类,必随而出现于世界人类的历史。

第七节　拥护帝国主义的人们对于民族的解释

拥护帝国主义的人们,对于民族的解释,是主张民族带有永久性,与私有财产、国家、资本主义的带有永久性一样,他们否认民族是历史的现象,不承认民族是商品生产时代的产物,更不承认民族是资本主义时代的产物,他们对于这种事实,或故意的暧昧含糊,闪烁其词,以隐蔽事实的真相。

在他们看来,以为民族性是永久不变动的,是神圣不可侵犯的。在他们看来,以为他们自己所属的民族,是高尚的德性之所有者。例如在日本资产阶级的学者看来,以为大和民族,是有仁义勇武的德性,中国民族是有利己心、残忍性与不洁性。在俄皇时代的御用学者看来,斯拉夫民族是信仰很深的民族。在德意志资产阶级的学者看来,德意志民族是富有创造力的国民,是为世界各民族之冠。在西欧帝国主义各国的资产阶级的学者看来,只有西欧的各种民族,是受过基督教的洗礼的洁白而高尚的民族,是受了上帝的付托,有支配东方及亚非利加的野蛮蒙昧的民族而"善导"之的使命。在东方各国新兴的资产阶级的学者,其主张恰恰相反,以为西欧及北美的各种民族,是中了物质文明之毒的机械的唯物的民族,只有东方各种民族,才有负有普及"精神文明"于世界的使命的理想主义的民族。

同时,他们主张民族是不内包社会矛盾的集团,不承认在各民族之中,有支配剥削的民族部分与被支配被剥削的民族部分,不承认资本家地主与工人农民的对抗。就退一步说,他们是承认这种阶级对抗的事实,但是他们以为这种事实,是别的民族压迫的结果,不是民族固有的现象。例如日本资产阶级的学者,以为日本阶级斗争的激烈化,是由于人口过剩,而人口过剩的原因,是由于大帝国主义各民族排斥日本民族的结果。

民族与人种的区别,原来是很明显的。人种是受了气候,空气的润湿,居住地带之物质的构造,以及原始人所居住的自然条件的影响等所形成的人们的外观的特征之总计;民族是出现于社会生产力发展的一定阶段的人们联合体。生产力发展,各人种接触与混合的结果,人种的区别,遂次第发生变化而至于消失。但是拥护帝国主义人们,却有意的或无意的把民族与人种混合起来,以为民族的运命,是由其本来的性质所预定,是有永久不变的特征。例如日本资产阶级的学者说:"中国苦力的抵抗力是非常之强,可以负日本人二倍之重";又说:"满洲苦力的工资,每日是二角至三角,他们还要贮蓄一半。以一角至一角半,维持生活,就是过猪豕生活,也毫不介意"。这些资产阶级的学者,却把日本帝国主义侵略的根据,求之于中国民族固有的性质之中,想从理论方面,拥护这种侵略政策。但是中国的苦力,负过重的货物,过猪豕的生活,却很明显的是帝国主义长期间侵略剥削的结果。

总而言之,拥护帝国主义的人们,把民族的历史性与过渡性,埋葬于若有若无之中,暗暗里承认民族的永久性,这是与他们的阶级利害一致的,是要拥护帝国主义的侵略战略,是要分裂无产阶级的营垒,以确保帝国主义者永远的统治的。

第八节　民族问题的发展阶段

如上所述,很明显的,民族是存在于资本主义社会之社会组织中,民族之发生与发展,是与资本主义之发生与发展一致的。在资本主义的发生时期,新兴的资产阶级,为资本蓄积的要求所驱使,为民族统一运动与民族国家建设运动的担当者,出现于历史舞台之上,与阻止其发展的封建阶级相斗争。但是资本主义发展的结果,民族由生产力的发展形态,一变而为阻止其发展的桎梏。

资本主义发展最后的阶段,是帝国主义时代。帝国主义,在其胎内,已准备了世界经济之社会主义的发展,加紧了被压迫民族阶级的解放运动,加强了少数的压迫阶级与大多数的被压迫阶级两营垒的对立。被压迫民族与被压迫阶级的革命运动,对于资产阶级的民族政策,发生了反作用,而获得变革的力量。同时,被压迫民族解放运动,亦发生重大的质的变化,在其与资产阶级斗争的过程中,排除民族的区别,成为被压迫阶级的革命有力的同盟军,成为形成社会主义的单一世界人种的要素。

民族问题的发展阶段,可以分为三个主要时代。

(一)新兴的资本主义时代,民族统一运动与民族国家形成。

(二)帝国主义时代,世界经济与民族的区别矛盾的发展。

(三)被压迫阶级世界革命的胜利,民族的区别与压迫的消灭。

在各个时代,我们可以看到民族问题,有各种的意义,在资本主义社会进行斗争的主要力量,有各种相互关系,因此,我们想研究资产阶级与无产阶级的民族问题及其政策,有从各个时代加以观察的必要。

第二章　帝国主义前期的民族问题

第一节　帝国主义前期的民族问题有两个时期

这个时代,是包含资本主义的最后阶段——帝国主义时代——以前的资本主义之发生与发展的全历史。在这个时代,资产阶级经过两个内容不同的时期,因而他们所采取的民族政策,也有所不同。

第一时期,是在封建主义支配下勃兴的资产阶级,对于封建贵族进行阶级斗争的时期。资产阶级因为资本之蓄积,自然要求广大的商品贩卖市场、原料品市场、劳动力市场,其必然的结果,自然要排除隘狭的种族限界、诸侯的割据状态、政治的分权、关税境界等。可是妨碍资产阶级这种要求的障碍物,是封建势力的支配,因此,革命的资产阶级,不得不领导农民,都市小资产阶级、幼稚的无产阶级,对这种封建支配阶级,进行阶级的斗争。在这时期,资产阶级的民族政策,是在于建设单一的民族,以对抗封建的诸侯制度,为动员广大的群众参加这种斗争,就创造民族的科学、民族的文化、民族的艺术;同时,对于其他新兴的民族,却努力保护自己的市场活动范围。

第二期则不然,资本蓄积的过程,同时是资本的反对物无产阶级生长增大的过程。在这时期,无产阶级出现于阶级斗争的舞台,民族分裂为支配剥削的部分与被支配被剥削的部分。资本蓄积的过程,不仅是国内生产关系资本主义化的过程;同时是国外市场征服的过程,是资本主义侵入外国特别是后进国的过程。对于封建主义进行阶级斗争的资产阶级,他们确立自己阶级的支配,掌握政权以后,就抛弃他们的口号——"民族的自由"、"民族的问题"——压迫属于同一民族的无产阶级,同时,蹂躏他民族的自由,开始进行其侵略政策。例如德意志建设统一的国家以后,以武力夺取丹麦的西勒期卫希;法兰西大革命以后,拿破仑征服西班牙、意大利、德意志、奥地利亚等各民族;意大利的资产阶级建设统一的民族国家以后,袭取地中海沿岸的弱小民族。于此,我们可以看到在第一时期的单一民族国家,到了第二时期,转变为内包民族的矛盾、压迫、对立的多民族国家。

在第二时期,阶级的相互关系发生变化,资产阶级对于民族政策,亦完全丧失其进步的革命的态度,资产阶级对于无产阶级的斗争,反利用民族政策,以为支配压迫无产阶级的武器,资产阶级散布"民族"、"祖国"的口号于无产阶级群众之间,使其发生内部好像没有矛盾的民族与祖国的幻想,以麻醉无产阶级的阶级斗争,同时,使其对于他民族的侵略主义正当化。

资产阶级又挑拨他民族间的恶感,援助一民族,以压迫他民族,使许多的弱小民族,分离破碎,以便自己乘机建筑自己的支配权于其上;同时,挑拨压迫民族的无产阶级,对于被压迫民族的无产阶级,发生一种轻视侮蔑的观念,以实现其分裂各民族与国家的无产阶级的政策。

资本主义在第一时期所设立的民族国家的范围,到了第二时期,又由同一的资本主义冲破了,于此,就发生所谓"殖民政策"。所谓殖民地政策,是资产阶级向着自己的民族及国家的境界以外,实现其阶级利益的新形态。

资产阶级在帝国主义前期的民族问题,大概如上所述,以下,我们更加以详细的分析。

第二节　何谓国家主义?

国家主义是资产阶级为要使一民族与他民族分裂,彼此发生敌对关系时对于国民群众所施行的一种政策,这种政策具体的表现,或强制他民族,使用自己的国语、自己的文化、自己的风俗;或依自己的支配机关及教育机关(学校、新闻、书籍、戏院等),使国民群众对于祖国的爱慕与民族的夸张,对于他民族的敌视与憎恶;或与他民族为争市场、原料、劳动及投资而斗争。这种国家主义,因两民族间的资产阶级竞争的尖锐化,遂变成一种爱国主义。此外,又有所谓同化政策,资产阶级想获得他民族所构成的市场,而该民族的资产级,没有力量为敌对的行动,又没有其他强有力的竞争者,于是采用一种同化政策。所谓同化政策,是消灭他民族所有民族的特质,而使其同化于自民族的言语与文化的政策。例如旧俄罗斯的资产阶级,想扩大自己的势力于东方,对于撷巴西人及齐冷人,施行一种同化政策,因为这两种民族的资产阶级,没有何等敌对的行动,同时,又没有侵入其市场的强有力的竞争者。因此,旧俄罗斯的资产阶级,得以"平和的"同化的方法,进行国家主义政策,其具体的表现,是基督教正教的传播和俄罗斯的学校、书籍、语言等。但是我们在这里应当注意的,就是资产阶级对于采取侵略政策的地方,在其政治的征服以后,无论如何,是不能以一贯的武力政策镇压到底的,为要巩固其势力与指导权,以兼并被征服的民族,非得采用同化政策不可。

两个相斗争的民族资产阶级,因其相互的实力关系不同,他们的国家主义,亦有守势与攻势之区别。攻势的国家主义,常常与在经济方面采取攻势的资产阶级的利害一致的,或制定特别的立法,以制限民族的权利,以达到资产阶级经济进攻的目的,或努力于爱国主义的煽动与强制的同化,或准备侵略的战争。守势的国家主义,或因其过于微弱,或经济与政治都受压迫,对于攻势的国家主义,既没有对抗的经济力,又没有对抗的适当的国家机关,努力于保持自己之"民族的精神"、自己的宗教、自己的风俗,以与世界隔离断绝。例如亚尔麦尼亚人与鞑靼人之间,在其竞争激烈之际,两方都采取攻势的国家主义,彼此不许有何等的接近,甚至于直接诉诸武力。但是旧俄罗斯的资产阶级,以雄厚的资本与强大的武力进攻的时候,亚尔麦尼亚的资产阶级与鞑靼的资产阶级,都采取防御的国家主义,旧俄罗斯的资本、资产阶级、店员、军队等,侵入土耳其斯坦的时候,新兴的乌阻伯克资产阶级,亦采取防御的国家主义,以保持自己民族的学校、风俗、服装等,以为抵制进攻的俄罗斯资本唯一的手段。但是旧俄罗斯的资产阶级,一方面,统治地位的强夺,与地方统治机关的斗争,大俄罗斯住民居住的都市与乡村的建设、宣教师的派遣、与地方学校的斗争,采用许多攻势的国家主义的直接行动;他方面,利用地方商业高利贷的资产阶级,使他们为旧俄罗斯的资本与乌阻伯克的农村,其尔基斯的游牧民团之间的媒介机关。为要达到这种经济的胜利,就制造适合于民族的嗜好与需要的商品如莫斯科的纺绩业,制造土耳其斯坦绘画所用的材料,某铁工厂制造土耳其斯坦特有的茶具之类。

同一的民族资产阶级,有同时采用两种国家主义的形态,对于一民族,进行经济的攻击,对于他民族,实行经济的保守,例如新兴的鞑靼资本主义,与强大的旧俄罗斯冲突之际,在统一言语、文化等基础上,维持与自国民的关系,采取锁国政策。但是对于较弱的乌阻伯克的资本,采取攻势的态度,在他们活动之中,可以看到许多积极进攻的政策,例如鞑靼的高等法官,教师、书籍的输入等。

民族资产阶级的科学所制造的民族特性,是直接反映资产阶级之阶级的利害。例如旧俄罗斯的民族学,关于鞑靼人的特质,是胆怯、虚伪、诡诈;可是在乌阻伯克人或其尔基斯人的乡村,关于鞑靼人的特质,是胆大、傲慢、压迫者。于此,我们很可以看到旧俄罗斯对鞑靼是采取攻势的国家主义,鞑靼对于乌阻伯克等,亦是采取攻势的国家主义。

同一民族之中,因其阶级的利害与其在斗争中相互的实力关系发生变化,可以表现两个相矛盾的民族特质。例如波兰的资产阶级,当旧俄罗斯以非常强大的资本进攻的时候,表示猛烈的敌对行动,甚至于暴动,以求建设统一独立的民族国家。但是旧俄罗斯的资本,改变方针,使波兰的资产阶级为经济的隶属,使其利用俄罗斯的市场,特别是使其利用俄罗斯的地方(西伯利亚、罗精工厂)。势力的相互关系,发生变化的时候,波兰的资产阶级,就采取守势的国家主义与顺应主义。

守势的国家主义,在其斗争过程中,资产阶级意气沮丧陷于绝望的时候,亦有完全抛弃自己民族的特质、发生守势的同化的倾向。例如犹太的资产阶级,为旧俄罗斯与波兰的资产阶级所压迫,不徒不排斥旧俄罗斯的文化,反而尽可能地与之同化,信仰正教,抛弃自己民族的特质,最后与旧俄罗斯的资本完全结合,采用反犹太主义。这种同化倾向的反面,又有空想的民主主义的形态,"西阿主义"是这种空想主义最典型的形态。所谓"西阿主义",是犹太人想在他们的"故乡"(两千年以前的)巴勒斯坦,建设犹太人国家的计划,这种倾向,在其阶级的基础上,是资产阶级的认识,是想以自己的劳动力、以自己的原料为基础,建设自己的产业。这种认识是反映犹太人的资产阶级因受旧俄罗斯、波兰、亚美利加的资本之压迫而一切的或主要的经济都陷于绝望。

如上所述,国家主义的种类,是很复杂的。资产阶级在其与自己的竞争者的斗争,虽是适应实力的相互关系,采取某种的国家主义形态,但是一切的国家主义(攻势的国家主义,守势的国家主义,积极的或消极的同化作用,国家主义的空想主义),总不外是反映资产阶级想建筑自己的市场,依国家主义的宣传,隐蔽阶级的矛盾,麻醉无产阶级的阶级意识,以拥护其阶级的利益。

第三节　资产阶级在其对外政策上
怎样利用民族问题呢?

"政治是经济之集中的表现"。资产阶级一切对外政策的基础,不外是资本家的扩大再生产之集中的表现。资本家因为要扩大再生产,必要有更加扩大的商品贩卖市场、原料品市场、劳动力市场,因此,资产阶级国家的对外政策,是以拥护资产阶级原来获得的市场与掠夺新的市场为目标。

资产阶级怎样才能达到这个目标呢? 他们因为要对抗那与他们自己为敌的资产阶级,一定要团结同一民族或相似的各种民族于自己的周围,所谓泛斯拉夫主义、泛日耳曼主义、泛意斯拉姆主义、泛亚细亚主义以及门罗主义等,都是为这个目标而利用的。俄罗斯的资产阶级与地主阶级,在革命以前,提倡泛斯拉夫主义,他们说:"一切斯拉夫人,都是同胞,一切信仰基督正教的斯拉夫人,都是上帝的选民。"俄罗斯的农民,为泛斯拉夫主义,与土耳其战斗,不知牺牲多少人于枪林弹雨之中。属于斯拉夫民族的保加利亚与塞尔维亚,从谟罕默特解放出来,成为俄罗斯工业资本家的市场。德意志的资产阶级,在中欧各国德意志人之中,提倡泛日耳曼主义,因为德意志资本主义的发展,一方面要大量的生产商品,他方面,要获得贩卖市场于德意志帝国主义旗帜之下,因此,非驱逐英吉利资本主义于中欧日耳曼民族之外,并麻醉无产阶级的意识不可。提倡泛日耳曼主义的目标,就在这一点。土耳其提倡泛意拉斯姆主义,主张凡是土耳其人,都要统一于一个国民,这种运动的目的,特别要团结被压迫民族的阿富汗与土耳其斯坦于土耳其资产阶级阵容之下。这个主义,在"凡是谟罕默特教徒,都是同胞"这个口号之下,有长足的发展,扩大到广大的地域,拥抱中央亚细亚、印度等处的谟罕默特教徒,为土耳其资产阶级的利益,形成很巩固的市场。亚美利加的资产阶级，也有他们的口号，他们说："亚美利加是亚美利加人的亚美利加，外人不能干与"。这种泛亚美利加主义，其现实的社会意义，是北美合众国对于全亚美利加大陆之资本化与独占化，以与欧洲在南美的资本相竞争。日本的资产阶级虽属后进，主张排斥西欧白色民族的"物质文明"，发扬东洋民族的"精神文明"，也提倡"东洋人归东洋人"的口号，以排斥在中国、朝鲜、蒙古等处的日本资本的竞争者，使日本的资产阶级，得以独占其所谓"特殊利益"。其实，"东洋归东洋人"这个口号的内容，就是"东洋归日本资产阶级"的代名词；物质文明的排斥，就是西欧北美资本主义文明的排斥；精神文明的发扬，就是日本资产阶级文明的发扬。因此，对于欧美资产阶级要求撤废人种差别的日本资产阶级，仍对朝鲜人、中国人极端施行人种差别的政策。总而言之，这些主义，都是资产阶级对外政策的武器，他们利用这种主义，以压迫剥削国外他民族的劳苦群众，以麻醉国内自民族的革命精神。

泛斯拉夫主义与希腊正教相结合，泛意斯拉姆主义与谟罕默特相结合，这些泛民族主义与宗教宣传的结合，对于资产阶级的民族政策，特别有重大的意义。为"民众的鸦片"之宗教，在经济的侵略与政治的支配前后，一定要有精神上的麻醉。例如俄皇政府时代，对于亚剌伯宣教师学校的组织，投下巨额的费用。在亚美利加资本主义的前后，美国的宗教师，手持《圣经》，侵入到未开化的民族之中，建设麻醉的教会学校与欺骗的慈善事业。在西班牙、葡萄牙的商业资本主义支配的时代，有天主教的宣传队。在日本资产阶级的海外发展时代，有"本愿寺"的布教师，最后通牒《二十一条款》中所载的"有布教自由"的一条，谁都能够记忆。宗教的宣传，在主观上，或许有善意的，但是在客观上，差不多没有例外，都是资产阶级剥削政策的手段，这一点，在民族问题方面，特别明显。

资产阶级对于自己的竞争者，固然用尽一切的手段与方法，与之对抗，同时，他们又嗾使被压迫民族，对于压迫国，发生叛乱，以削弱自己的竞争者的力量。德意志帝国主义者，援助波斯资产阶级的反英运动，供给波斯革命民主党的武器，即其一例。这种事情，很明显的，是资产阶级利用各种民族的对立，以巩固其政治的支配与经济的势力。

第四节　资产阶级在其对内政策上
怎样利用民族问题呢？

　　资产阶级的对内政策，与对外政策一样，因为要确立与继续其剥削与支配，亦利用民族问题。资产阶级对于自民族，赋予政治的经济的特权，使自民族的劳苦群众，分担民族的压迫之责任，以分裂自民族与他民族的劳苦群众，特别是两民族间的无产阶级的团结。但是资产阶级对于自民族赋予政治的经济的特权，不仅是因为要对于他民族实行压迫，并且是使自民族的劳苦群众隶属于资产阶级的一种手段。

　　在俄皇主义时代，官吏差不多都是大俄罗斯人、波兰人及其他的民族，不能在俄罗斯的国家机关供职。奥匈两国在 1907 年所颁布的新宪法，虽规定普通选举，但是实际上，多数的议员，是由特权民族中选出来的，议会的代表 516 名之中，德意志占 233 名，捷克人占 107 名，鲁西那人占 33 名。日本对于朝鲜、台湾，现在还没有颁布普选制度，朝鲜虽有中枢院的机关，台湾虽有总督府评议会，也不过是一个空空洞洞的谘议机关。

　　以上所述，是资产阶级对于自民族赋予政治的特权之实例，他们在民族问题的经济政策，亦有同样的性质，即是对于自民族，赋予经济上的特权，或稍减轻其剥削的程度，以分裂他民族与自民族的团结。现在就农民问题的领域来讲，支配阶级的地主，往往没收弱小民族农民群众的土地，例如在俄皇时代，地主从克里米、土耳其斯坦、西比利亚、阿富汗的鞑靼人及巴西其尔人，夺取广大的土地，以特权的条件，贷予自民族的农民，使几百万土著的弱小民族，都因此而陷于贫穷与饥饿的苦境。同时，又从其尔基斯人、乌阻伯克人、北阿富汗人，没收广大的土地，实行移民政策，以图解决本国的农民问题。资产阶级对于他民族的劳苦群众，比较自民族的劳苦群众，常与以很难忍受的劳动条件：例如在满洲的日本工人，比较在好的劳动条件之下从事于劳动，中国的工人，在苦力的名义之下，无论工作场所或劳动条件，都相差很远，一日的工资，至多不过二三角，其生活的恶劣，可想而知。日本资产阶级的御用学者，却以为这是由于我国人的"体质"与遗传不同，毫不言及这种"体质"与遗传，是日本资产阶级剥削的结果。

以创造特权民族为目的,资产阶级所采用的手段,非常复杂,但是压迫民族对于他民族的轻视、傲慢、威胁的感情,到处都是一样。在印度的英吉利人,对于在他旁边经过的印度人,只要是他踏了英人地上的影子,即可以随意鞭挞。在俄皇时代,马车之中,分为两部分,一是俄罗斯人坐的,一是土著民坐的。在上海租界内公园,有"犬与华人不许入内"的揭示。

资产阶级利用民族政策,以图获得本民族的农民群众,特别是富农的拥护。小土地所有者很容易接受资产阶级的国家主义的宣传,资产阶级对于他们,不仅要使他们对于他国之敌,成为自己的防卫组织,并且更进而剥削他们的保守性与落后性。资产阶级又可以利用这种民族问题,破坏工人与农民间的同盟,使小土地所有者向无产阶级进攻。例如波兰的资产阶级,因为要防卫自己的阶级之阵营,利用民族问题,又因为要镇压无产阶级的革命,亦利用民族问题。

总而言之,资产阶级对于自民族的特权赋予,对于他民族的权利剥夺,一方面是使无产阶级及劳苦群众感觉资产阶级的民族压迫政策的利益,成为资产阶级支配的支柱;他方面,使被压迫民族与劳苦群众,脱离国际的阶级战线,消灭两者的阶级意识。

第五节　何谓殖民地政策?

非资本主义各国,因商业资本主义的发展,对于资本主义各国,提供广大的"本原的蓄积"的领域。因此,已经发展到资本家的生产方法的各国,都侵入到阿非利加、亚细亚、亚美利加、澳大利亚等处,占领各地。采用资本主义的生产方法,因为要继续发展下去,占领非资本主义各国的统治各国,叫作"本国";被资本主义国家征服的先资本主义各国,叫作"殖民地"。殖民地不一定要是本国民移住的领域。从经济方面说来,殖民地是本国商品贩卖市场,同时,是供给本国产业所要的原料与低廉而无组织的劳动力之来源。本国对于殖民地,怎样去完成这种任务,是决定一切殖民地政策的主要本质。关于殖民地政策的意义,在下面略加说明。

（一）本国的资产阶级，极力阻止殖民地产业的发展，使其不至于工业化，以保障本国商品的贩卖市场，借以获得巨大的"超越利润"。例如三面环海的印度，虽有天然的好港湾，但是印度的造船材料，却被输入到英吉利，在泰姆士河畔，投下巨大的费用，建筑造船所。保护俄罗斯的纺绩业者的俄皇政府，不许在土耳其斯坦建设纺绩企业，而土耳其斯坦所产生的棉花，却被运到中央俄罗斯，制成棉纱，再运到相隔几千俄里的土耳其斯坦、布哈拉、希巴及北部波斯去发卖。

（二）本国的资产阶级，产生商品必要的原料，是仰给于殖民地，因此，在其租税政策上，常使用许多手段，使全殖民地，变为本国所需的原料生产地。例如埃及、印度变为单一栽培制（主要的是一种的栽培）的国家。使用这种方法的结果，本国的资产阶级，原料得到保证，使全体的住民，完全隶属于本国的产业，完全陷于极端的穷困。例如印度的饥馑，比最近两世纪间世界中所有的战争，还要牺牲好几倍的生命，都是由于这种政策的结果。

（三）独占的支配殖民地的市场，是使本国的资产阶级，对于殖民地贩卖的商品，以及购买的原料，有单独的决定价格的可能。在殖民地商品贩卖的价格，比在本国商品贩卖的价格，非常昂贵，因为在本国有顾虑其他的竞争者的价格之必要。反之，在殖民地购买原料的价格，非常低廉，因为本国是唯一的购买者。本国的资产阶级，采用这种独占的方法，比较投资于本国的企业所得的利润，可以获得过分的利润，这就是所谓"超越利润"。

（四）这种"超越利润"，能使本国资产阶级在和他国资产阶级竞争时，利用以为补助的手段。例如对于在欧罗巴市场竞争的商品，可以减低其利润率，有减少恐慌力的可能性，又可以弥补由恐慌所发生的损害。本国的资产阶级，又由殖民地所得的"超越利润"，支付较高的工资，造成贵族工人。这种贵族工人，依附于这种资本家，指导工人阶级。在无产阶级革命之时，资产阶级借他们的力量，以阻止革命的发展。英吉利的资产阶级，以从殖民地所得的"超越利润"，收买工人阶级的上层分子，使其反抗革命，现在他们在工人阶级的阵营中，还建筑很巩固的基础。

（五）本国的资产阶级，想巩固在殖民地的政治与经济的基础，常移殖其人民于殖民地。本国的政府，没收土著民的土地，分配于本国的农民、工人及官吏,赋予他们以特权的地位,使他们成为特殊的"殖民地开拓者"。他们利欲熏心,对于殖民地的劳苦群众,表示一种憎恶与轻视的观念,并且常常以非常的手段,灭绝该地的劳苦群众,进行经济的剥削。

英吉利的资产阶级,使工人农民参加到殖民地的利得分配的共通制度之中,以腐化他们的阶级意识,使他们变成自己柔顺的工具。俄皇政府没收巴西其尔的土地,使本国资本家,有建设工厂的可能,招致大俄罗斯的工人,到这种工厂工作。这些工人,成为小所有者,成为殖民地开拓者,常常与农民之殖民地开拓者,共同掠夺巴西其尔的劳苦群众,为拥护大俄罗斯的地主与在巴西其尔的资本家之阶级的利益,镇压巴西其尔人的暴动,他们就成为直接的指挥者。英吉利的资产阶级,利用在印度三万本国的殖民地开拓者,以压迫剥削三亿印度人的劳苦群众。法兰西的资产阶级对于摩洛哥与阿尔塞里亚、荷兰的资产阶级,对耶巴岛,都是采取同样的行动,其他这种实例,不胜枚举。

(六)本国的资产阶级,找到土著的商人及高利贷,使他们参加到剥削殖民地住民的共通制度中,再从土著的掠夺者,找到批发商人或代理人的下层分子,及推销资产阶级商品的小商人,以为补充队。生长在殖民地的买办阶级,熟悉地方的方言、地方的风俗,介在本国与被剥削的殖民地的广大的农民群众之间,为本国的资产阶级所利用,对于殖民地的剥削与支配,是更加容易达到目的。在还没有发展到高利贷的商品资本阶级的殖民地,就利用封建的上层分子或种族民族的贵族,作本国资产阶级的媒介者。

(七)本国对于殖民地的行政政策,是适应于在殖民地的经济政策,从差不多完全自治的澳洲以至于以野蛮的形式被支配的黑奴,都是适应于其社会政治的状况,施行统治政策。本国对于殖民地统治问题的根本方针,是在于剥夺住民的权利与废除地方的自治。但是本国的资产阶级,为殖民地革命运动所压服,不得不稍微让步,变更这种根本方针。例如印度到最近止,地方的智识阶级,完全不许其在国家机关中占有地位,但是英吉利及殖民地当局,为革命运动的威胁,不得不实行某种的让步,即许可印度人开民族大会,总督府的评议会也许可印度人参加若干人,但到这时止,印度人还是没有为军队士官的权利。

(八)在文化方面的殖民政策,资产阶级对于被征服地的国民教育。不仅阻止其向上的发展,务必使其停留在最低的水准,因为文化水准的提高,对于民族的压迫,容易感觉耻辱与惹起反抗斗争。日本对朝鲜、台湾,现在还没有施行义务教育,台湾人学习罗马字,亦被禁止。"尊敬"异国的宗教、风俗,贫农对于地方的富农贵族族长的隶属状态,以及妇人被压迫状态等,都载在资产阶级统治殖民地纲领之中。保存这种"尊敬"之阶级的利害,是很明显的。这种蒙昧的支配,与原始的剥削形态的支配,对于剥削殖民地的"超越利润",是更加容易。前德意志皇帝威廉,于"尊敬"土耳其之余,在战争勃兴以前,着东洋的服装,礼拜谟罕默特教之神,但是变更土耳其为德意志殖民地的计划,已由德意志的帝国主义布置妥帖了。

在先进的资产阶级各国所禁止的鸦片以及酒精、卖淫、毒菌等,竟在政府公然保护之下,大量的输入到殖民地。资产阶级及其政府,因鸦片的专卖,一方面,获得莫大的利润,他方面,麻醉殖民地群众的反抗意识。英吉利的资产阶级,在19世纪中叶,对于我国,强制的贩卖鸦片,我国加以拒绝,遂炮击香港,虐杀我国几万民众,强迫通商,使我国陷于半殖民地的地位。

(九)本国的资产阶级,由欧罗巴人组织军队,以镇压殖民地的反抗,同时,又组织土著民的军队,利用以镇压本国的工人与欧洲的革命。法兰西所组织的黑人军,英吉利所组织的印度兵,在帝国主义战争之际,已经被利用过。

以上所述,是殖民地政策之根本的特质,这些政策,都是建筑在苛酷的剥削、支配与文化的衰退上面。

第六节 何谓"东方"? 其落后的原因何在?

在资产阶级的文献里面,"东方"这两个字,往往有特殊的意义,是表示一种怠惰狡猾而染有恶癖的国家。资产阶级的学者,对于这种"特质",想予以"科学的"说明,他们以为气候的酷热与热带的自然,是产生这特质的原因。在这些说明中,认为"东方"的特质,是永久不变的,因为阶级的利害关系,隐蔽着发生这种特质的真正的原因。

但是我们对于这个问题,只要稍微加以思索,就知道资产阶级学者所主张的错误,在根本上,就没有什么统一的"东方"。在东方这个地方,有帝国主义的日本,有殖民地的朝鲜、台湾,又有半殖民地的中国。这和在地中海的周围,没有两样。在地中海的周围,有帝国主义的法兰西与意大利,有殖民地的阿尔塞里亚与摩洛哥等。

其实,"东方各国民",其落后的原因,不是因为他们住在东方,也不是因为气候的酷热,而是由于世界资产阶级活动的结果,是由于这些国家已经变成了殖民地或半殖民地的缘故。这些国民特殊的经济、特殊的社会构造、特殊的文化状态,都是由于世界资本主义"过度剥削"的结果。这些国民向前的发展,是被欧美的资本主义所束缚,所以这些国民,在殖民地压迫政策影响之下,要保存原来的宗教、习惯、法律、统治方法等,有时变成一种狭隘的爱国主义者。资产阶级的学者所称的"东方",即是我们所说"殖民地的世界",无论东西南北,到处都存在,欧美资本主义剥削与压迫的结果,使这些国民不能走上资本主义的道路。

这些国民落后的原因,不是由于人种的差别,太阳与自然的关系,实是由于世界资本主义的过度剥削与殖民地政策。在绝望与奴隶的支配之环境中,鸦片流行;在破坏紊乱的家庭之环境中,男色流行;在对于征服者充满憎恶观念的环境中,有欺骗他们,使用诈术的权利。

这些事实,才是"东方"真正落后的原因,决不如资产阶级的学者所主张的那样,实际上和气候、自然或人种的差别,完全没有关系。

第七节　民族解放运动的发展

如上所述,资本主义的发展,是破坏种族的封建的生产关系,由封建诸侯的支配,解放各民族,以促进单一民族国家的形成。在他方面,资本主义的发展,在被统一的民族之中,又促进支配的剥削的民族部分与被支配被剥削的民族部分、资产阶级与无产阶级的对立抗争。资本主义更进一步的发展,即超出所谓"国民经济"的限界,树立世界经济的形态,同时,使支配民族资产阶级与被支配民族劳苦群众的对立,更加尖锐化。被支配民族的新兴的资产阶级,因为他们自己想建设资本家的支配剥削关系,对于支配民族资产阶级,表示反抗。民族解放斗争,最初,特别是在资本主义的发展时期,为民族资产阶级所领导,成为一般的资产阶级德谟克拉西的斗争之一原因。这种民族解放运动,虽是由资产阶级所领导,只要是对于阻止被压迫民族生产力发展的支配的民族资产阶级,进行斗争,还是有进步的革命意义。

19世纪中所发生的民族解放斗争,一般的是有这样的意义,是构成社会民主主义运动之一部。波兰的独立运动,爱尔兰的排英运动,巴西其尔、阿富汗及土耳其斯坦的反俄罗斯政府斗争,"布亚"战争等,都有民族解放的意义。

资本主义发展到最后阶段即帝国主义的时代,不仅是资产阶级对无产阶级的阶级斗争更加激烈,并且被压迫民族,因为民族的压迫之深刻化,对于帝国主义资产阶级的解放斗争,为扩大的再生产,到了帝国主义时代,不仅是量的方面,发生变化,到了被压迫阶级的世界革命,已经上了世界史日程的时代,民族问题由国内的问题,变为国际的问题,成为无产阶级世界革命重要的枢纽。①

---

① 原书如此,此句疑有排印错误。——编者注

第三章 帝国主义时代的民族问题

第一节 帝国主义时代民族问题的意义

帝国主义是社会革命的前夜,在这个时代,资本主义社会的各种矛盾,更加激烈,解决这种矛盾的要素,也更加发展。在帝国主义前期的民族斗争,到了帝国主义时代,成为白热化,支配的资本主义国家,在其发展的过程,因为征服并压迫他民族的结果,由单一民族国家,变为多民族国家,独立的弱小国家与弱小民族,成为互相角逐的帝国主义各国侵略的对象,因此,民族斗争,无论在帝国主义国家的内部或外部,都不能不激烈化了。被压迫民族的解放斗争,为新兴的资产阶级所领导的时候,也足以促进帝国主义世界经济的形态,动摇帝国主义列强间的均衡,在帝国主义本国的阶级斗争,也更加尖锐化,无产阶级的团结,天天只见巩固,于是帝国主义的运命,遂濒于绝大的危机。

在另一方面,世界经济的发展,促进各民族的混合,几百万的劳苦群众,由南欧移到西欧,由旧大陆移到新大陆,资本主义的大都市,聚集世界中所有的人种与民族,在同一的工作场,在同一的工厂,在同一的产业,共同工作,世界经济,在这种情形之下,发展于帝国主义之中,促进各民族的混合。

无产阶级的阶级斗争,打破帝国主义所建筑的民族的限界,于是国际被压迫阶级的战线,与国际帝国主义的战线对立起来了。

帝国主义的资产阶级,一方面想把帝国主义的形态,限制在民族主义的限界内,但是在另一方面,却不管他们的意志怎样,世界经济的形态依然是向前进展。帝国主义想以征服并合并他民族的手段,来解决资本主义的生产与世界经济的矛盾。而国际被压迫阶级因为要发展为民族的限界与资本主义的生产所限制的生产力,却不得不打破民族的限界,以推进世界经济。并且殖民地及殖民地的被压迫民族的解放斗争,也是向着打倒帝国主义与解放民族的压迫之方向前进,遂成为国际被压迫阶级最有力的同盟军。

因此,帝国主义时代的民族问题,有以下的特质。

(一)全世界分成压迫民族与被压迫民族两个阵营。被压迫民族的解放斗争,在反对世界帝国主义制度与民族的压迫上面,有很大的作用。

(二)民族的差别与憎恶,因世界经济的发展,被消灭了,同时,促进各民族的混合。

(三)国际被压迫阶级,在世界革命的途上,以被压迫民族解放斗争,为其同盟军。因此,民族解放运动,由资产阶级德谟克拉西的问题,变成为无产阶级德谟克拉西而斗争之重要的要素。

第二节　民族问题与殖民地问题之间的关系

所谓民族问题,是一定国家内各民族间相互关系的问题。所谓殖民地问题,是各国间相互关系的问题。资产阶级的民族政策与殖民地政策,都是以获得商品贩卖市场、原料的生产地、低廉的劳动力及投资的处所为目的,因此,民族问题与殖民地问题,其阶级的本质是相同的。殖民地政策,不过是资产阶级发展到金融资本主义时代的一种扩大了深刻化的民族政策。换句话,民族问题是在帝国主义前期发展的阶段;殖民地问题,是在帝国主义时代发展的阶段。而殖民地问题,实具有世界规模的民族问题。

1914—1918 年的帝国主义战争,把殖民地政策真实的本质,很明显地表示了出来。譬如对于战败国的德意志的政策,就是要把德意志变成殖民地,破坏德意志的生产力,粉碎德意志的民族与国家。"在民族的再兴"、"斯拉夫人从德意志解放出来"等口号之下,由《巴黎条约》所产生的许多小国家,例如波兰、捷克斯拉夫、南斯拉夫、奥地利、匈牙利、日斯托尼亚、里斯亚尼亚、勒多尼亚及巴尔干半岛一切的国家,对于英法,都有一定隶属的关系。这些国家,不过名义上,享有独立国家的权利,而其经济、预算、内外政策等,都是在伦敦、巴黎、纽约决定的。

这种殖民地政策,是帝国主义对于苏俄根本的政策。想把苏俄变为殖民地,是帝国主义国家根本的问题,是现在帝国主义国家最严重的问题。

现在的世界,很明显的,是分成两个营垒,一方面,是对于世界的帝国主义,进行独立斗争的苏俄,他方面,是英吉利、法兰西、北美合众国、意大利、日本的帝国主义世界。其余的全世界,是隶属于这四五个帝国主义列强的殖民地及半殖民地的世界。

第三节　资本输出与被压迫民族

资本输出是帝国主义最重要的特征之一,对于殖民地问题与民族问题,不仅与帝国主义前期的商品输出,有同样的重要,并且有更大的意义。帝国主义依资本的输出,使后进国及殖民地的民族,都与帝国主义列强,发生密切的关系,使殖民地半殖民广大的劳苦群众成为帝国主义资本剥削的对象。

资本输出,有两种形态,一种是借款,例如 1920 年,国际借款团对于中国成立的新借款团,参加这种新借款团的银行及公司,美国占 37,英国 7,法国9,日本 17。这种巨大的借款团,完全支配中国金融界,中国自己的小银行,完全在英国银行支配之下。以前的英国,虽掌握中国金融界的霸权,但是现在北美合众国,拥有雄厚的资本,咄咄逼人,已握得了新借款团的牛耳。此外,还有政治借款,1925 年,北京财政部所发表的外债,有担保的,共 413962200 元;无担保的 354018612 元;其中确实没有担保的外债,本利合计,有 312581832 元。这种外债,很少用于教育及建设事业,多半是流用于军费。

一种是直接投资于铁道、工厂、农场等的生产事业,照 1924 年的调查,英吉利在中国经营的纺织工厂有 4 个,投资额有 6850000 海关两,日本在中国经营的纺织工厂有 45 个,投资额有 5400000 海关两。仅就上海一隅而论,英国的纺绩工厂 4,日本的纺绩工厂 32,占中国无产阶级主要部分的纺绩工人的大多数,是怎样为帝国主义列强剥削的对象,就可以知道了。再就中国的铁道而论,1925 年,全国铁道总投资额,共 5.635 亿美金,外债有 3 亿美金,占全额 3/5。

帝国主义的资产阶级,以借款的方法,使后进国的政府,成为帝国主义列强金融资本的代理人,同时又获得几多特权,以为借款的代价。后进国的民族,经过租税、关税及其他的权利,成为帝国主义列强剥削的对象。资本输出采取直接投资的形态,比较先进国的劳动力,可以剥削更低廉的劳动力,较之一般借款,更能获得高率的利润。

资本输出的结果,在世界大战以前的土耳其,变为德意志的半殖民地,波斯变为英吉利的半殖民地,中国变为英日美等列强的半殖民地,南美各国变为亚美利加合众国的半殖民地。同时,殖民地半殖民地的劳苦群众,急速的无产阶级化,这种无产阶级与广大的农民群众,成为民族运动阶级的推动力。

第四节　隶属国及殖民地的阶级分化与民族解放运动

在资本主义最后阶段的帝国主义时代,因资本的输出,使隶属国及殖民地,根本的变成资本主义化。这种封建的、家长的、农民的民族,因资本主义化的结果,其阶级的成分,也跟着发生了变化。

所谓"本来的蓄积",用那激烈的强度,涉及广大的范围,在强大的帝国主义的权力拥护之下,越发向前进展。于是隶属国及殖民地,就因商品输入的商品流通,因资本输入的商品生产,与货币的流通,同时普遍于被压迫民族之间,破坏了封建的、家长的、农民的生产关系,以及物物交换、租税及其他用现物缴纳租税的制度,使得广大的农民群众,很迅速的贫穷化。土地直接由帝国主义的权力,间接由家长、酋长、封建诸侯的压迫,被压迫民族的资产阶级所夺取。在隶属国及殖民地的被压迫民族中,占最大多数的农民,就陷在封建土地所有制、资本家的剥削及民族不平等三重压迫之下。

这种封建的土地关系重重的压迫,使得隶属国及殖民地的农民,对于帝国主义,不能不发生无限的憎恶与反抗。这种农民运动,是决定民族运动阶级的性质,成为民族运动中一个巨大的推动力。民族运动之社会的意义,是一般德谟克拉西的问题,在以前,虽多少是各民族的资产阶级竞争的问题,但是到了这个时代,这个问题已决定的成为过去的事实了。民族问题已经由一个地方的国内的问题,成为世界的问题,成为隶属国及殖民地的民族对于帝国主义斗争的问题。支配的民族之帝国主义者,剥削并压迫群众,特别是剥削并压迫从属国及殖民地的农民群众,依这种剥削与压迫,只有使这些群众,对于帝国主义,进行坚决的斗争,只有使这些群众,成为被压迫阶级革命的同盟军。

因为商品与货币的流通而由非资本主义的生产关系解放出来的,土地被没收的从属国及殖民地的人口之一部分,更因帝国主义的资产阶级资本的输出,遂很快地陷于无产阶级化。在帝国主义的前期,即工业资本主义时代,就资产阶级看来,把殖民地及隶属国作为广大的商品贩卖市场及原料品市场,是有意义的。因此先进资本主义的资产阶级,对于隶属国及殖民地的工业化,一般是采取反对的态度,因为隶属国及殖民地的工业化,对于本国资产阶级的商品及其所需要的原料,是一个很大的打击。

然而到了金融资本与帝国主义时代,帝国主义的资产阶级,因为资本主义发展之内在的必然性,对于非资本主义领域,即隶属国及殖民地,不能不断行资本的输出,使非资本主义领域工业化。土著的无产阶级,特别是在世界大战的时期,推动隶属国及殖民地向工业化的方面前进。印度及中国纤维工业的发达,土著的无产阶级数量的增加,在世界大战中,尤为显著。土著的无产阶级之劳动条件,是非常恶劣的。被压迫民族的这一部分人口,在民族解放运动上所负担的使命,很快的增加了重大的意义。但是被压迫民族,如果没有无产阶级与农民群众巩固的同盟,想从帝国主义的支配解放出来,那是不可能的。

除以上所述的劳苦群众以外,隶属国及殖民地,还有因工业化而产生的土著资产阶级与以封建的土地关系为基础的地主。

土著的资产阶级,起初,因为与帝国主义的资产阶级,发生利害上的冲突,积极地参加全部被压迫的劳苦群众反帝国主义民族运动,取得其领导权,但是随着民族运动的进展,就害怕起来,极力妨碍民族运动走向民族革命,要使其停止在改良主义的范围以内,结果,投降到帝国主义的资产阶级的阵营,出卖民族革命,毫不容情,屠杀成千累万的农工的革命分子,以图博得帝国主义资产阶级的欢心。

帝国主义时代的民族运动,已由资产阶级德谟克拉西的运动,转变为被压迫阶级世界革命的一部分,民族解放运动的领导权,早已不是资产阶级,而是无产阶级与农民了。

第五节　被帝国主义征服的国家之民族运动状况

一切社会改良主义者，都有一个特殊性，就是忽视革命的民族运动，即被压迫民族的斗争。其实，这种运动，在世界革命历史上，是占有很重要的地位，是世界革命的一部分。不过这种运动，如前所述，在其发展的过程上，自有其阶级的矛盾，时常有动摇不定的政策。必须详细观察了民族运动的状况，才能正确的认识革命的策略。现在略就民族运动的状况说明如下。

（一）拥有 3 亿以上之人口的印度，那土著的国家主义的资产阶级，领导着广大的农民运动，在世界大战以后的最近十年间，资本主义的企业，有了迅速的发展。同时，英国资本对于印度的输出，也建设了很多的大企业，如铁道之类。其必然的结果，是促进无产阶级数量的增加、职工会的组织、阶级斗争的尖锐化和土著无产阶级的组织。从反帝国主义斗争运动，以至于为夺取农民群众领导权的斗争，这便是印度现阶段的内部斗争之阶级的内容。现在这种运动指导的优越权，虽是在国家主义的资产阶级的手中，而这种运动本身，仍然能够削弱英帝国主义在印度的势力，使英帝国主义对于印度的支配，到处都碰到经济上政治上很难解决的问题。

（二）拥有 4 亿以上的人口的中国，其斗争的情形，与印度相仿佛。近年来中国革命的民族运动的显著，这是我们大家都知道的事实，可以不必絮说了。

（三）由基玛尔领导的土耳其反帝国主义运动，当其与联合国及希腊战争之际，完全是进步的革命的。但是到了土耳其内部发生反基玛尔运动，基玛尔就因为要镇压工农的革命运动，终于投降到西欧帝国主义的阵营。这种动摇无定的政策，是土耳其解放运动全历史的特征。

（四）波斯民主主义的政党，努力想发展在自己指导下的农民运动，但是波斯无产阶级的发展，非常微弱，因此，商业资产阶级的政党，还具有很大的势力。波斯的资产阶级，虽与苏俄缔结商业关系，但还是时常动摇无定的。

（五）独立国阿富汗斯坦，到底是变成英帝国主义的殖民地？还是对于英帝国主义，进行革命的独立战争呢？现在正徘徊莫定。

（六）埃及和阿剌伯的运动，阿非利加的摩洛哥和阿尔齐里亚殖民地战争,都是带有革命的国家主义的性质。

这些运动的势力,和这些运动在世界革命过程上的意义,都使得帝国主义的欧罗巴,大大的感觉不安。总而言之,革命的国家主义运动,是历史必然性的发展,在对抗帝国主义的斗争上,是占有很重要的地位。

资本主义,是自掘墓穴呵! 这种殖民地政策,使几亿被征服的殖民地及半殖民地的劳苦群众,走上了坚决的革命的斗争道路了!

第六节　各主要帝国主义国家间的殖民地和半殖民地的分配状况

1914—1918 年,帝国主义战争的结果,把世界重新分割一次,德意志的殖民地,完全为战胜国所瓜分,大战以前的许多独立国,都变成了他国的"势力范围",或变为半殖民地。现在把列宁在他所著《帝国主义》里,从 1876—1914 年的期间中,帝国主义的国家领有的殖民地及半殖民地表,以及 1920 年的殖民地领有表,揭示如下。

第一表

	殖民地				本国		合计	
	1876 年		1914 年		1914 年		1914 年	
	地域(单位百万平方基罗米突)	人口(单位百万人)	地域(单位同)	人口(单位同)	地域(单位同)	人口(单位同)	地域(单位同)	人口(单位同)
英吉利	22.5	251.9	33.5	393.5	0.3	46.5	33.8	440.0
俄罗斯	17.0	15.9	17.4	33.2	5.4	136.2	22.8	169.4
法兰西	0.9	6.0	10.6	55.5	0.5	39.6	11.1	95.1
德意志			2.9	12.3	0.5	64.9	3.4	77.2
合众国			0.3	9.7	9.4	97.0	9.7	106.7
日　本			0.3	19.0	0.4	53.0	0.7	72.7
六强国合　计	40.4	273.8	65.0	523.4	16.5	437.2	81.5	960.6
其他各国(比利时、荷兰等)的殖民地							9.9	45.3
半殖民地(波斯、中国、土耳其)							14.5	361.2
其他							28.0	89.0

第二表

殖民地		本国	
地域（单位百万平方基罗米突）	人口（单位百万人）	地域（单位同）	人口（单位同）
英吉利	39.917	429.600	0.314	46.60
法兰西	12.490	54.800	3.935	38.80
日　本	0.294	22.015	0.382	55.96
合众国	0.310	11.790	9.386	106.07
意大利	1.634	1.550	0.32	37.50
比利时	2.420	17.500	0.030	7.65
荷　兰	2.026	49.500	0.034	6.95
葡萄牙	2.080	8.800	0.092	6.45
西班牙	0.312	0.650	0.502	2.095
丹　麦	0.880	0.014	0.149	3.30

从以上的表看来，我们知道一个英国人，都有9个殖民地奴隶及72"特些齐"殖民地领土。

英吉利的殖民的土地面积，比本国土地面积，要大130倍。法兰西的殖民土地面积，比本国土地面积要大24倍。比利时的殖民地土地面积，比本国的土地面积要大81倍。

地球的全面积13390万平方基罗米突之中，在1914年，有8940万平方基罗米突，即全球约2/3，是殖民地及半殖民地。地球的总人口，在1914年，是16.57亿人，隶属国家的人口，占9.299亿人，在1920年，全人口17.2亿人之中，隶属国家的人口，占14.5亿万人。

从这些数目字看来，很可以知道帝国主义对于广大的劳苦群众剥削与压迫的程度。

仅仅这几个国家的资产阶级，来统治全世界，这是帝国主义世界的形态。

第四章 苏俄的民族问题

第一节 苏俄的民族问题的意义

苏俄是由多民族构成的国家,在其构成中,约包含有百种的民族,经济的发展阶段,社会的相互关系,各色各样,极其复杂。在俄皇统治时代,大俄罗斯民族,有种种特权,资产阶级与地主,一方面要造成强大的大俄罗斯民族,使成为压迫者,一方面要使经济文化落后的民族,成为被压迫民族,曾在经济文化和统治各方面,施行了不少的政策。

在苏俄各民族中,凡属人类社会所有的经济和政治的发展阶段,一一具备,上自用最新式的技术建筑的工厂,下至农村中原始时代的手磨石臼,上从资本主义相互关系的地方,下至原始牧畜社会,上从建设社会主义的国家,下至掠夺婚姻的民族团体,都是应有尽有。因此,苏俄要使工人与农民结成巩固的同盟,以完成社会主义的建设,对于这些民族社会的经济的相互关系,非得有严格的精算,是不可能。

在另一方面,苏俄约有 600 万的无产阶级,约有 1 亿的农民,对于资本主义的共同斗争,要使无产阶级与各民族中的农民,有亲密的结合,非得有一种政策,使被压迫民族的农民群众,消灭其对于压迫民族的无产阶级不信任的心理,也是不可能。

这样看来,苏俄的民族问题,其所有的意义,是很明显的。苏俄的民族问题,假使不能得到正当的解决,不仅不能结合苏俄内各民族间的无产阶级及半无产阶级,并且不能组织工农的同盟。苏俄的民族问题,其阶级的本质,要在以前有势力的民族的无产阶级与以前被压迫民族的农民之间,决定正确的相互关系。

第二节　苏俄的民族构成

苏俄的民族构成，极其复杂，已如上述。有7000万人以上（一半以上），是大俄罗斯人，其他的民族，一共有6500万人，其中乌克兰、欧俄、亚赛尔伯查及阿尔麦尼亚的小部分，颇占重要的地位，因为这些地方，在某种程度，已经走上产业资本主义时代，这些民族，约共有3500万人。同时还有乌阳伯克、亚赛尔伯查、都尔克的大部分、鞑靼、巴西其尔等民族，这些民族，完全没有走上产业资本主义时代，不过是在商业资本的形态。此外还有1500万的民族，这些民族的经济，是在农业耕作的初步，是刚由游牧的状态，进到土著的状态，这些民族，是其尔基斯、印克西、撷切次、巴尔喀尔次、喀尔米卫克、阿拉打、次尔克麦那人。

最后，在北部西北利亚，还有很多的种族，其发达的程度，更加幼稚。

第三节　苏俄的民族根本政策

（一）苏俄对于民族问题的根本政策，是承认各民族的民族自决权，即是承认与本国分离，有独立的国家存在权。关于这个问题，有以下的决定：（A）关于民族一切压迫的形态，绝对不承认。（B）建设自己的国家之际，承认国民的平等与确信。（C）国民巩固的结合，是建筑在互助与任意原则上。（D）这种结合的实现，只有全权的民族，才有可能。

俄皇主义的俄罗斯化政策，在俄皇主义与被压迫民族之间，划分了巨大的鸿沟，惹起了被压迫民族的民族运动。少数派与社会民主党的政策，也促进民族间的广大群众，反对克伦斯基。多数党的政策，得到反对俄皇主义及帝国主义俄罗斯的资产阶级的广大群众的拥护，并且在偏僻的落后的地方，也变成建立苏维埃政权的根基。

（二）在俄皇主义及支配的资产阶级的时代所造成的民族之不平等，还残留在苏联内，一般的法律，对于大俄罗斯人，常给予权利与特权的保证。苏俄政府现在已把这些民族间的不平等扫除了。

（三）在经济、文化方面，因俄皇政府及资产阶级，实行过很多不平等的政策，要想一时废除这种事实上的不平等，是很困难的。俄皇政府对于其他的民族，不徒不提高文化，反而加以束缚，不许其向前发展。苏俄政权的本质，是一切民族的工农联盟，使一切的民族，一律平等，参加经济及国家组织。苏俄政府为废除事实上的不平等起见，所以要使这些后进民族有追上先进民族的可能，要使他们发展而且巩固与这些国民的民族形态相适合的国家，使他们自由使用自己的语言，使实习住民的生活、心理的人们，构成裁判与行政，建筑自己的政权，并设置学校、戏院、俱乐部、出版物及一般文化启蒙机关。

以上是苏俄民族问题的大概。

第五章　民族问题几个根本原理

第一节　被压迫民族革命与被压迫阶级革命

被压迫阶级革命运动,有三个重要的原理。第一个原理,是暴露金融资本之支配,资本输出,与独占资本之寄生的性质。独占的金融资本的重压,使帝国主义国内的被压迫阶级,必然的团结自己的力量,为推翻资本主义的统治而斗争。因此,第一个原理所得到的结论,是资本主义国家内被压迫阶级革命危机的激烈化。第二个原理是被压迫民族解放运动的原理。对于殖民地半殖民地的资本输出,"势力范围"及殖民地的扩张,大多数民族为少数"文化国家"之金融的奴隶化,殖民地的压迫,全世界之资本主义化,——这一切都是由第二个原理暴露出来的。因此一方面,形成了世界经济的系统,他方面,全世界形成了两个营垒——即压迫并剥削从属国殖民地广大领域的少数"先进"资本主义的营垒,与想从帝国主义的重压解放出来而决死斗争的大多数从属国殖民地的营垒。第二个原理所得到的结论,是殖民地从属国的被压迫民族反帝国主义斗争的激烈化。第三个原理,是暴露帝国主义列强间为掠夺殖民地而进行的激烈斗争乃是不平衡的发展,而其恢复平衡的唯一手段,即是帝国主义战争的不可避免性。这种帝国主义列强间的战争,必然的使他们衰弱,而促成被压迫阶级革命与被压迫民族解放斗争的联合。第三个原理所得到的结论是:帝国主义时代的战争是不可避免的,为打倒帝国主义而形成的被压迫阶级革命与殖民地革命之间的联合,也是不可避免的,因此,形成了世界革命的国际联合战线。

这样看来,民族解放运动,在被压迫阶级革命中所占的地位,就很明白了。民族解放运动,是世界革命最重要的枢纽,是资本主义支配全部的问题,是与打倒帝国主义及被压迫阶级革命相关联的问题,决不是孤立的单独的问题。西欧无产阶级革命的胜利,假如没有民族解放运动直接的同盟,就不能实现。

第二节 民族自决权

民族自决权要求,决不是自治权的要求,要限制民族自决权在自治权狭隘的范围内,那当然是错误的。若要把民族自决权,曲解为文化的自治权;把政治的权力,依然委诸压迫民族的党中;而只把文化的设备(教育机关)、宗教等归之被压迫民族,把被压迫民族斗争的武器,变为压迫民族支配的工具,这种主张,更是错误之至了。所谓民族自决权,实是殖民地和隶属国对于帝国主义的本国,完全脱离的权利,是被压迫民族要求独立国家存在的权利。这种民族分离权和建设独立国家权,不是法律的问题,不是帝国主义宪法范围的问题,不是"民族平等"的声明书宣言的问题,而是实际斗争的问题,即是以被压迫民族的实力对付帝国主义列强的实力的问题。

但是民族自决权,不是绝对的,不是牺牲被压迫阶级革命可以单独来主张的。这一点,必得切实注意,否则真正的民族解放,决谈不到。

第三节 民族问题几个原理的总括

(一)世界分为两大营垒——有全权的少数压迫剥削民族与没有权利的大多数被压迫被剥削民族。

(二)后者是前者之力的源泉。

(三)被压迫民族反帝国主义的民族解放运动,是从剥削与压迫解放出来的唯一道路。

(四)压迫民族中被压迫阶级革命与压迫民族解放斗争,对于反抗帝国主义资产阶级,有形成共同战线之必要与必然,没有这两种共同战线,两者的胜利,是不可能。

(五)被压迫阶级不积极援助被压迫民族的解放斗争,就不能形成这种共同战线。

　　（六）只有民族的结合与协助，才能建设单一世界经济。

　　（七）民族的结合，不是合并，而是由于各民族的自由意志与相互的信赖。

辩证法的唯物论

（1930.1）

本题系一种科学，并不是一种玄言空论。如有两物，结而合之，结合而不可分，乃引用辩证方法辩证之。唯物和唯物辩证，是一而二二而一的东西。但是辩证法的唯物论，与辩证法的唯心论则不相同。

说明阐释之方法，计有三种。

一、抽象的说明。……可说是理论的说明法，此法乃列举各概念而加以解释。

二、历史的说明。……此法亦可称为理论说明法，将唯物史及进化史说明之。

三、唯物论的认识与辩证论的认识——从社会及自然的现象，作求源探本之说明。

今天所须讨论者，即从社会上之事实，用唯物的眼光和辩证的认识，作一个探本穷源的说明。然兹事体大，决非短时间的讲演所能叙述得尽。因辩证法的唯物论亦系一种科学之研究，成一科学，必经长时之说明和讨论，断非短时所可叙述。如今只得掬其简要者，向诸位申说。

辩证法的唯物论，是知识方法论，同时亦可说是行动上的方法论，又是一个统一的世界观。指示吾人以自然与社会变动的方法。且使人们按此种方法，作实践的活动。今先从自然现象及社会现象之变动状况加以观察，在自然社会方面的各种活动变迁中，挥发其本质，按照此种本则去实践活动，这是我今天讲话的主旨。

（甲）自然现象上的辩证法

从广大的物体言之，譬如整个太阳系，吾人通常称作天文学。由天文学研究之结果,成立一种星云之说。以为宇宙之初,原为一种星云之气,薄而且稀。此种气质,受着外界的作用,因而凝固团聚,或为多数云块。于是发生一种极高的热度,使许多大块,互相引吸,变为球形,此即所谓太阳是也。太阳在凝固之初,因转动过速,又受着离心作用,于是渐成环形。又因转动过于迅速,乃破裂而分为许多小点,便成了现今天空中的各个行星。行星既绕着太阳旋转,同时各行星,又采同一行动而产生卫星。转辗分裂,没有止境。自此情形成了太阳系之后,行星与卫星,有时互相冲突,便有陨石。故各行星如可相遇相碰,必致消灭,这是天文家之言。

地球之产生,从天文学上说,初时是一团熔火的灼热体。在冷的空气中旋转而凝成固体,在此流动之际,汁体流动有凹凸便成为山与海的形状。吾人须知现今所住的地球,是天天在变动之中,故地球是在运动的历程中生长的。

以生物学言之,生命之发生,最初是原形质的化合物,其中蛋白质为一种重要分子。蛋白质复由许多原形质结合而成,世界生命苗生之始,必须在原形质蛋白质已经产生之后。蛋白质中含有H、C、O、N、S、氢、碳、氧、氮、硫等诸原子。这些原子,何时开始产生,吾人今虽不能确实指出,然先有物质,而后有生命,这是确凿无疑的。在地球为灼热体的时候,必无生命之存在,等它能构成蛋白质的各种原子之时,那时地球必已凝固冷定,然后诸原子才能存在。迨乎92种原子次第发生,然后能组合成蛋白质,由蛋白质而产生生命,构成各种动植物。

更就动植物言之,由无脊椎进化至有脊椎,又从爬虫进化至类人猿,中间经时颇久,至于人类之发见,是乃最近之事。如宇宙之成立为十万万年,则人类之产生最多不过五十万年。所以宇宙最初有物质,入后乃有生命,再后乃有人类。它的历程,全系一种运动的历程。

由自然现象上观察,则万物均是运动的。今进而言试再吾人之意识。

意识究竟是什么?意识虽非生命,是附于生命的东西。是生命之作用,是作用之集团。是从各种生命中发生出来的,譬如各种物质的发生物理作用一样。物体能够发光、发热、发电,所有光热电之物理作用,必附于物质而后产生,所以物理为物质的作用,意识犹如物质的物理。意识与神经组织有关;神经之机能,或为物理作用,或为化学作用。神经不过是一种高等的物体。意识亦为一种高等的机能。神经组织，随进化程度而发展，人具有最高之神经组织。凡有复杂神经组织之物，一受刺激，则传达至神经中枢而生作用。人类之神经组织最为完全，由刺激传达至中枢而生一种作用，体内各腺之活动，亦生相当作用。于是产生智力，而有意识。可见意识乃高等物质的机能，不能离开物质而存在。生命为运动之历程，生命无最初之物质，无由产生高等物质，无高等物质——神经——意识亦无由存在。脑虽为最灵妙高贵之物，若用药品麻醉之，则脑必失其作用而意识亦自消失，故神经停顿其作用，意识也无自存在，神经受有毒物质之支配，意识亦相当的受其支配。

宇宙万物，都呈着动的现象，不变动者，实无是物。若物体之变动为吾人感觉所不及，遂称之为不变，其实不是真个不变。意识乃宇宙间最近产生的一种机能，世界先有物质，而后有精神。这是吾人的信念。讨论至此，暂可归纳为下列几点：

一、先有物质而后有精神。

二、物质生精神。

三、有无精神之物质，无无物质之精神。

四、无无物质的运动，无无运动的物质。

所以世间并无所谓鬼神及上帝。不借物质而独立的精神，世间必无此种特殊精神。经科学之研究，将上帝鬼神悉加铲除，在科学立场上的唯物论者，他们是不承认观念论及唯心论者精神之学说。观念论以为先有精神而有物质，主张精神生物质。吾人从天文学生物学心理学各种科学上研究过来，则觉得先有物质而后有精神。若照观念论者的精神产生物质之说，则必承认先有上帝之存在，在科学上既不认有上帝，则先有精神而后有物质之说，实为谬论。

世界一切，多是物质，一切物质，多系运动的。社会为甚变动？生命为甚变动？意识为甚变动？其理安在？则吾人亦须用科学方法来研究之。物理学上，以为一切物质之原素，共有92种。如今可见者约有84种。一切生物及无生物，均为这些原子组合而成，这些原子，便是构成各物的原素。原子又可分为电子，电子无内容，唯分阴电核及阳电核。一切物质，均由电子造成，电子数目不同，于是组成92种原子。原子配合不同，而成形形色色不同的宇宙万物。追根溯源，不外阴阳二电核的结合而已。此二种电核，是对流之物，亦即系矛盾运动之根本原理。对流运动至迅速,唯因物质有对流及矛盾,此乃因此形成一切运动之源。

吾人更进而求运动之法则如何? 太阳及一切生命、一切物质,均这样的变动着。不过各有其法则,譬如春夏秋冬的往复,少年衰老的相循,此法即辩证法是也。所谓辩证法,便是运动历程中之法则,辩证法有下列三方式。

一、对立物的统一或同一的法则——这是最根本的法则。两种对立物是统一的或同一的,如太阳系中,有各行星,行星与行星之间为对立的,各行星与太阳亦为对立物,如统一之则可称之为太阳系。举其小者言之,如电子有阳电与阴电之对立,统一之,则称为电子。对流物的同一为同属一物,譬如行星与行星及太阳之间,都有很复杂的关系。太阳为系中之一部,而行星亦该系中之一部。故称为同一,同一乃有联络,有关系者也。譬如桌上有玻璃杯粉笔及粉刷三物,粉笔及粉刷即可称为同一。所谓同一者,粉笔为教员用品之一,粉刷亦系教员用品之一也。称之曰教员用品,两物自然同一了。譬如教坛及课桌椅和粉笔粉刷四物,看去不同一,若称之为教室用品,则又同一了。扩大范围,称学校中的一切物件,马路上一切物品,而曰上海物,还是同一。若称曰地球上物,则陈设地皮上任何地方的任何物,均为同一。譬如人有男女之不同,然同为人类。此种同一原则在社会上应用,则圆顶方踵,均是人也。人之名称是同一的。然人欲真求同一,则必经困苦奋斗。于是就生问题。同一系辩证法上的第一原则,各物均适用此种法则。

二、否定之否定的法则。第一法则在静的方面讲。此法在动的方面讲。静是横断面,动是纵断面。譬如原有物体中另有他一种事物发生,他便将原有之物否定了。更有新事物发生,则便成了否定中的否定。他的公式如下。

正——反——合

A——B——A

如太阳系而分为行星,行星成立把原来有行星之太阳系否定了。譬如麦粒种在地下,至相当时期成为苗芽,成苗芽后,便将原来的麦粒否定了,渐渐生长结成麦穗而产新的麦粒,则又将根叶也否定了,一为肯定,一为否定,一为否定的否定。适与上面的公式相同。

三、质变量或量变质的方法。如水加热,便化为汽,汽冷复凝为水。液体遇热而涨,遇冷而缩,不过系量之变。更加热度而化成气体,则量变而成质之变矣。水热而涨,唯变其量,遇热而沸,并变其质。水冷而缩,是为量之变,遇冷而冰,则成质之变。更取譬于服药,药入腹治病,有益于人,有某种病,则饮某种药。药有定品,饮有定量,分量相当,病然后愈。若分量加多,则病人非剧病即死亡耳。此并非所用药品之不当,乃用之过量,量变为质之故。吃饭亦然,适可而止,固属有益,食过其量,则病随之。故量而加增至一定限度,乃成质之变矣。

(乙)社会方面的辩证法

以上所言者系自然现象方面的辩证法;如今再谈社会方面的辩证法。所谓辩证法,不独适用于自然,亦且适用于社会。社会的历程,亦是变且动的。经济组织,由原始共产变而为社会主义的共产;国家组织,由封建制度,而变为资本主义帝国主义。社会上成了被压迫及压迫两阶级,或且在将来,变成并无国家的存在,而只剩着两个阶级。一切社会主义者之社会,亦天天在变动中。无论何种人类的组织和社会现象,均在变动的历程中。便是一家之中,祖孙父子,无论他的身体构造,生活情形,物质待遇,亦均一一变动演化,不可方物。最初是手工,后来用机械,一切动用器具及什物,如今的形状,与从前已大不相同。综而言之,社会一切的一切,均在变动中,至其变动的方法,也是采着上述的同一方式。

社会之运动及变迁,究系何种原因乎?所谓运动者,即因事物有对流之故。物质上之对流,乃系阴阳两电子之对流,而社会上之对流,为人类外部与自然之对流。人类社会,常与外界物质,作相互之对流。人类为谋生活之故,必取自然界之物质,取自然界之物质,便须奋斗冲突。人类在自然界中工作,初不过凭借两手,采取所须之物,迨后稍进化,乃发明工具,用工具来生产,来制造生活上必需之品。人类在自然界做工,不止一人,而是芸芸万千的群众。一人不能生活,必借群众的互助。群众同在自然界工作,于是彼此发生关系,此种关系,全为生产的关系。生产与生产是对流的,有时助生产发展,有时制止生产发展,于是生产上起了冲突。如可生产的情形是调和的,便一时不变,如可不调和而冲突的,于是不能保持原状而势必趋于变化。

生产与生产的对流,表现出来,便成阶级与阶级的对流,社群与社群的对流。因有此种对流,乃生变化,而成"生活资料的生产与再生产"。这样自然流动不已,社会便精进不已。社会运动的法则,就是社会的辩证法,吾人试用辩证法来叙述社会现象。

一、对流物统一或同一。人类与自然之对流,统一于生活资料。人类与外界自然,合之为大自然,因为人亦系大自然中之一部分,人类与外界自然同为大自然之一部,生产力和生产有关系,经过生产力的历程,然后有生产。因经济的关系,而人类分压迫及被压迫者。若同一之,则压迫及被压迫者,均人类也。普鲁立太利耶和波罗结利耶,两者示互为关系,也是同一。

二、否定之否定法。社会原始共产制,这是肯定的,变为私产制,成为否定。又变为社会主义共产制,则为否定之否定。然从前的共产和以后的共产不相同。"是""非""是"。后面的"是",不是前面的"是",此之谓 aufheben "扬弃"是也。"扬弃"乃进步之现象。

譬如封建的独占,为肯定的。至工业资本自由竞争时期,为否定的。至金融资本时期,则产生新独占,有托辣斯之发生,遂将自由竞争否定了。由自由竞争而生独占,此之谓"扬失"。扬失者,有物扬起,有物失掉之谓也。

三、革命即量变质之变。……人的意识,是神经的一种机能。意识不能离物质而独立。物之存在,何从认识之? 如何去认识? 其法则如何? 因此便产生了所谓"认识论"。所谓"认识论"者,便是外界各物,如何为人所认识? 为求认识的原因吾人便推到感觉作用。感觉为传信机关,有了感觉之传达,于是认识一切外物,譬如铃响,由"以太"之波动,震撼耳中鼓膜。由耳内的各部分,感受其波动,达之于脑,而成音觉。感觉之堆积,成为各种经验,用经验作手段来认识一切外物。吾人感觉究有限度,不能全部认识各物,然凭借器械及思维之力,认识的范围,也就扩大不少。

人目不能见之物,可用显微镜来帮助之。然虽有显微镜,还须凭恃眼睛,无眼睛仍无所观也。测温度必用寒暑表,但知寒暑表度数之高低,还是凭人之感觉官。不过人之感觉器官与外物相互为助,乃能认识得更为真切。

认识有其标准。所谓标准者,就是认识事物之程度,认识事物的一种准则。此事物之本体如何? 是否认识得彻底,认识得完全? 社会亦有其标准,社会的标准是真理,真理是实践。

实践为真理之标准。诸君亦疑其太平淡乎？其实不然,盖物质的性质及法则,非凭空存在和成立。必经人之实践而后发明。必经过观察,必经过试验。此种观察和试验,即所谓实践是也。不做则不知,做然后发现其法则,从做而所发现的法则,继能与事实相符合。水系 H_2O 构成。诚然! 是否确凿? 则必待实践分析之然后明了。人生之生活,亦即实践。人类社会,除实践外,无他种方法。今社会上各种之理论原则,是否错误? 是否正确? 人家高呼地土不宜为私人之产,宜为社会公有。此言是否合理? 诸如此类的问题,舍实践之外,无能解答。又革命学说之某某主义,是否妥善? 是否合理? 亦必待实践而知分晓也。在实践之历程中,未必一定顺顺利利地达到目的,即有失败,亦是当然的过程。吾人不能因为怕失败而自馁,毕竟不去做是不知道究竟的。

社会上的事业,关系巨大,至难试验。所以举措之对否,视人之思想及观察。根据吾人所观察之经验而定去取。所谓经验,有绝对的和相对的。吾人观察自然之定则,其经验是否绝对? 发现社会的法则,则其经验是否绝对? 然吾人加以精确的思维和考虑,则以为一切事物,唯有相对,而尚未至绝对之期。以物理言之,分子进而分成原子,原子进而分成电子,电子之发明,为吾人近日最后的经验。但是电子还是相对的而非绝对的,后人之经验或能再析分而成其他的原素。

故人生了解事物,应付事物,全持经验,所谓历程,乃各事物之排列及联环而已。经验在取第一联环相寻的做去,由一环而至二环,由二环而至三环,此种相寻无穷的求进,乃得良好的结果。此结果惟赖人类实践而获得之。总言之,人类如努力,则渐近经验上之绝对者。

(丙)思维上的辩证法

自然及社会方面,均有其辩证法。自然及社会之辩证法,由感觉而入人之脑中,影响人之思维,乃成思维的辩证法。自然及社会的辩证法,系自然社会固有之物。至于思维的辩证法,亦为吾人脑中固有之物。思维上的辩证法,和自然的社会的辩证法相同。人类的思维亦可用辩证法去认识,去分解,如其对流而统一之,可直至于无限极。

一、全面的观察——研究事物最重要者,为全面的观察,从各方面,先将命题研究。更将反面的材料集合之,然后规定此命题,譬如说商品是使用物(即有用物)。换言之,而称为"有使用之价值",此命题乃能成立。若作偏面观察,而称商品买出物,但如可无用,人谁买之。若称商品为买卖物,则亦偏于一点,故商品称为有"使用之价值",则统一矣,则顾及全面矣。由此观之,不满意于任何结论,需找出其相反的结论。顾及正面,顾及反面,乃成全面的观察。

二、联合上的观察——在事物的联络上观察事物。如讨论某人的生活困难问题,在将他的有关系的各方面,施以考察。所以考察个人亦涉及社会的观察。必将社会的情况联络上去然后能了解。如谓某人不做工而贫困,则因工厂关闭;工厂关闭,又因物货销售无路;货物之滞销,乃因人们之购买力薄弱,物价过高。人生必有社会的关系,他的关系非一人的,而是社会的、环境的。吾人思想之变迁,如欲找出其原因,亦在联络各物而用联合的观察。然后洞察本源。

社会上有封建制及奴隶制,吾人欲观察其原因,但从各个本身方面观察,每致不得要领。必联合有关系之事物而施以观察,则知奴隶制与生产及资本主义有关。吾人再从而研究其关系之何者为重要,何者为不重要。在横的各方面,用一种联合的观察。

三、在运动上观察(即从历程上观察)——如研究一树,必须从其发苗以至长大之时而研究之,树之根是如何? 干是如何? 叶是如何? 此必在历程上观察。社会上之事物亦然,必从其历程上观察,各个时期,逐一加以研究,求其关系,然后知悉底蕴。

唯物辩证法,是行为上的,是知识上的。故辩证法的唯物论,与行为的实践极有关系。辩证法的唯物论,又是被压迫者的哲学,所以当今之作辩证法唯物论者,必为被压迫阶级中之一个革命家。此乃革命与哲学之真实的关系。理论辩证法的实践。故辩证法在研究室中研究,唯能明其大概,不过是个人的脑子中了解这一种学说。我们要应用此种学说而发扬光大之,则不是看死书所可奏效,必须去实践,必须去奋斗,故此辩证法的唯物论,不是学习而得的东西,必定要实践,我们要真切的认识辩证法的唯物论,必须用奋斗的方法。辩证的唯物论,适宜在革命上去用。我们在社会上斡旋一切,实践时候,如遇困难便可应用辩证法来解决一切。辩证法实系自然要求解决的良法。

我们在教室中信口空谈唯物论,实所不宜。须接物以谈物,接事以谈事,才能不负了唯物论,不负了辩证法。

（原载 1930 年《大夏期刊》第 1 期,署名李达先生讲、邱鹤记。文末附言中写道:"本篇系李达先生去年在大夏的演讲辞。如今检点旧麓,偶获是篇,复阅一过尚认为未失时效,仍有价值。故录出以实《大夏期刊》,但仓促付印,不获就正于李先生。篇中如谬有误,当由记者负责。"）

农业问题之理论[*]

（1930.1）

---

[*]《农业问题之理论》由日本河西太一郎著,李达译,原书名为《马克思主义农业理论之发展》,中译本于1930年1月由昆仑书店出版。——编者注

　　农业问题是中国革命的中心问题,在调查农业问题决定解决的方案以前,必须获得农业问题的理论。这册书原名《马克思主义农业理论之发展》,刊在日本改造社所出版之《经济学全集》中,原著者河西氏对于马克思主义的农业理论研究有素,书中凡属马克思派关于农业问题的理论及其实际政策等,都作有系统的历史的研究,确是研究农业理论的一本好参考书。

译　　者

原　序

马克思主义的农业理论,当然只是包括在马克思主义全体系中的一部分,所以对于马克思主义根本的理论,如果没有相当的理解,要想理解他的农业原理,这是无异缘木求鱼。像著者这样对于马克思主义没有充分研究的人,来负担这种工作,自知不能胜任愉快。因此,著者尽可能地以忠实的态度,介绍马克思以来各大家的学说,关于要点,多半从原文翻译过来,绝对不敢像所谓"不知马克思的马克思批评家"一样,以一种任意武断的曲解,肆无忌惮的放言,来麻烦读者。本书搁笔之后,虽自觉还有很多不满意之处,但这种自问以忠实为宗旨的叙述,如能够引导读者得到关于马克思主义农业理论的有系统的而且正确的理解,我就很满足了。

1929 年 4 月　河西太一郎

绪　　论

从马克思（K.Marx）、恩格斯（F.Engles）起，中经爱喀柳斯（J.G.Eccarius）①，李卜克内西（W.Liebknecht），到考茨基（K.Kautsky）、列宁（Lenin）止，研究马克思主义农业理论的发达过程，从时代分析起来，大概可以区分为两个重要点，一个是从马克思到考茨基的农业发展法则论，一个是从恩格斯到列宁的农业政策论。固然，理论和实践的辩证法之统一，原是马克思主义的特色，其理论和政策，自然也有有机的联系，不过时代的情势和时代的要求各有不同，因而两者的注重点也不得不异。这即是马克思主义一面成为关于社会进化的科学，同时又成为实际运动的指导原理的特质使然的。

马克思在农业问题一方面，主要的是论到农业上资本主义的发展法则。这种根本的见解，后来就成为马克思主义农业理论的指导的思想，绵延以至于今日。基于马克思这种农业发展法则论，而就它再加以精密周到的研究的人，是考茨基。列宁关于这点，虽发挥了极透彻的见解，但是他的注重点，究不在此。

恩格斯关于农业发展法则的理论，虽然和马克思完全相同，但他的寿命较高于马克思，在他的晚年，农民问题，已列在各国社会党的议事日程，变成了争论的目标，所以他适应环境的要求，对于农民政策，成就了很重大的贡献。至于就恩格斯所确立的马克思主义农民政策大纲，更加以发展，应用到实践方

---

① 本书中亦译为"爱克柳斯"，今译为埃卡留斯（1818—1889），德国裁缝和记者，工人运动活动家和政论家，是正义者同盟和共产主义者同盟的成员，先后担任第一国际总委员会委员、总委员会总书记、土地和劳动同盟书记，兼任美国通讯书记。1851 年起移居伦敦，与马克思和恩格斯来往密切，曾在马克思的帮助下写成系列论文《一个工人对约翰·斯图亚特·穆勒所阐明和维护的若干政治经济学论点的反驳》。——编者注

面,这种历史的使命,是由世界史给予列宁担负的。所以马克思主义的农民政策论,是列宁和他所领导的党而略得集其大成的。

　　附记:为读者参考起见,本书的顺序,应先从马克思的部分(第一章)开始,经过他的忠实的叙述者爱喀柳斯和李卜克内西(第三章)及考茨基(第四章)再回来读恩格斯的农民政策(第二章),最后再读到列宁,这是比较适当的。

　　此外,本书的叙述,是以忠实的态度,来介绍各学者的理论为宗旨,一切都不加批评,最后(第七章)仅仅介绍反马克思派的批评及马克思主义者对此派的反批评而已。

第一章　马克思的农业理论和政策

第一节　资本家社会的运动法则和农业

马克思主义的创立者马克思,他的最大的历史的功绩,是在于暴露"资本家的生产方法所支配的近代社会之经济的运动法则",这一点,可以不必赘述。因此,马克思关于农业问题的研究,也只限于这种见地所观察的必要事项,这也是当然的事情。

然则马克思是怎样把握了资本主义的运动法则呢? 换句话说,是怎样把握了资本的发生、发展和没落的法则呢? 他关于这点的见解,最简明而要约的东西,是《资本论》第一卷第二十四章末尾的"资本家的累积之历史的倾向"一节。现在摘记其要点于下。

"劳动者私有其生产手段,是小经营的基础,而小经营又是发展社会的生产和劳动者本身自由的个性所必要的条件。这种生产方法,虽然确实也存在于奴隶制度、农奴制度及其他从属关系的内部,但这种生产方法,要能够繁荣起来,发挥全部的精力,采取适当的典型的形态,只有在劳动者成为他自身所使用的劳动条件——从农民说,是他所耕作的土地,从手工业者说,是他所习用的工具——的自由的私有权者之时,才有可能。

"这种生产方法,是以土地及其他生产手段的分散为前提。至于这些生产手段的集积、与在同一生产过程中的协作和分业,以及对于自然之社会的支配和统制、社会生产力之自由的发展等事,在这种生产方法条件之下,是不可能的。它只能够使人们生活和社会原来狭隘的制限互相调和而已。欲使这种生产方法成为永久化,那就正如白克尔(Pacquier)所说,是'树立普遍的凡庸'之类。这种生产方法,达到一定的高度,就会产出那破坏它自身的物质的手段。从这一瞬间起,在社会的母胎内,就开始发生出束缚这种生产方法的力量和热情。这种力量和热情,就感受上述生产方法的拘束。

"这种生产方法,不得不破坏,而且是一定被破坏的。这种破坏,即是由个人的分散的生产手段转化为社会所积集的生产手段,即是由多数人的零细所有转化为少数人的大量所有,也即是民众的土地、生活资料和劳动工具的收夺,这种对于民众可怕的而且危险的收夺,就形成了资本的前史。……对于直接生产者的收夺,是以极无慈悲的凶暴手段,在最可耻的、最不纯洁的、最卑鄙的、最可憎恶的热情行动之下成就的。于是那靠着自己努力得来的,即是基于各自独立的个人的劳动者与其劳动条件相结合的私有财产,就被那种'专靠剥削那表面上似乎自由的他人的劳动而来'的资本家的私有财产所驱逐了。

"这种转化过程,一旦在纵的方面或横的方面把旧社会完全解体了,一旦使劳动者转化为无产阶级,使那劳动条件转化为资本了,一旦资本家的生产方法独立起来了,于是向后的、劳动的社会化、土地及其他生产手段为社会所利用而且向后转化为共同的生产手段以及私有权者向后的收夺,就采取新的形态。到了这种地步以后,那被收夺的人,早已不是自行经营的劳动者,而是剥削许多劳动者的资本家了。

"这种收夺,是依着资本家的生产本身内在的法则之活动——即资本的集中——而完成的。……和这种集中——即少数资本家对于多数资本家的收夺而并行发达的,是劳动过程日趋于大规模的协作的形态,是科学之有意识的技术的应用,是土地之有计划的利用,是劳动手段趋于那只能共同使用的劳动手段的转化,是使用一切生产手段为结合的社会的劳动生产手段所实现的节约,是一切国民向着世界市场网的联络,以及由此显现的资本家的制度之国际的性质——这些东西,无一不跟着资本的集中而发达起来。在这种转化过程中强夺并垄断一切利益的巨大资本家的数量,不断地减少下去,同时,那日趋扩大的而且为资本家的生产过程本身的构造所训练所团结所组织的劳动者阶级的贫困、压迫、隶属状态、堕落、剥削和反抗,也增大起来了。于是资本独占,就变为那和它并起而且在它下面发展起来的生产方法的桎梏了。于是生产手段的集中和劳动的社会化,就达到了和那资本家的外壳难于调和的地点。这种外壳,是要被剥去的。于是资本家的私有财产告终的丧钟响起来了。收夺者就被收夺了。

"由资本家的生产方法所产生的资本家的独占方法,因而资本家的私有财产,是那以自己劳动为基础的个人私有财产的第一否定。但资本家的生产,又以自然过程发展的必然性,造出它自身的否定。这即是否定的否定。不过这种否定的否定,并不是私有财产的复兴,而是以资本主义时代所产生的协作,与由土地及劳动所生产的生产手段之共有化为基础,以创造个人的所有。"①

以上所以引用很长的原文,实有两个理由。第一,马克思的学说,是以暴露资本家社会的运动法则为其终极目的而筑成的一个浑然广大的大体系,所以在研究它的各部分的时候,也不能忽略部分和全体系的关系。因此我们考察马克思的农业理论及政策时,也要常常站在一般的见解上面,才能得到正确的理解。第二,立在这一般见解上的马克思的理论,无论在农业方面或工业方面都没有什么差异,这可由上面所引用的原文知道。就是说,资本主义内在的运动法则,无论在农业方面或工业方面,都有同样的作用、同样的结果,这是马克思根本的见解,这种根本见解,是怎样指导以后的马克思主义者,这些马克思主义者又有怎样的发展,这原是本书研究的目的,但在进行这种工作以前,对于马克思的农业理论和政策,自然还有做概观的必要。不过"马克思和恩格斯特别是马克思,对于农业的关系,虽也曾发表过重要的意见,可是这些意见,多半是断片的记述,或在短文之中,加以论述而已"。② 因此,我们只有撷拾马克思在其著述的各处所散见的农业问题的见解,尽可能地把它组织起来,以便窥知他的农业理论和政策的大纲。固然,马克思关于地代论的锐利透彻的研究,曾经发表在《资本论》的第三卷——虽然不幸没有尽量说明③——,要想理解现代农业之资本主义的性质,还须继续研究他的价值论才行,不过这一部分,不但另有专书研究,并且以后的马克思主义者,对于这一部分,也没有什么补充,因此以"马克思主义农业理论的发展"为主题的本书,或许就可以把这一部分省略了。

_____

① Karl Marx, *Kapital*, I. 10. Aufl. 1922. S. 726–729.

② Karl Kautsky, *Agrarfrage*, 1899. Vorrede, S. VI.

③ Karl Marx, *Kapital*, III. 2. Vorwort, IX.

第二节　农业之资本主义的发展法则

一、资本主义和农业

马克思怎样观察资本主义于农业的影响呢？

"在大工业破坏那为旧社会堡垒的农民而使他们变为工钱劳动者的范围内，大工业对于农业方面，也有最革命的影响。这样，农村中社会变革的要求与阶级对立的事实，就和都市的相同了：于是科学上有意识的工艺的应用，就代替那原来最陈腐的极不合理的经营而起了。"①即"一方面，社会最不发达分子依机械的继承而经营的单纯经验的方法的农业，一般在随伴私有财产的各种关系的范围中的可能限度内，就转化而为有意识的科学的应用农业学而经营的农业；他方面，土地所有，完全由支配和隶属的关系解放出来，同时，把劳动条件的土地，从土地所有和土地所有者——在他看来，土地不外是他的独占，借以从产业资本家的农业者手中，征收一种货币租税——全然分离，在苏格兰所有土地的人们，一生可以坐在君士坦丁堡生活，这种情形，是说明资本家的生产方法结果之一"②。依马克思的见解，资本主义，一面废弃那附加于土地所有和使用的封建束缚，使其采取纯经济的形态，使资本家的大农经营有可能，借以引起并促进农业的进步，但资本主义同时又使土地所有者和农业经营者，截然划分为二，以至于造出那妨碍生产力发展的作用。这种妨碍的作用，大概是经由三种情形表现的。第一是地主得在地代关系上反对农业技术改良的情形，马克思在《哲学的贫困》里面曾经论到。他说："依蒲鲁东的意见，以为'土地耕作的改良'——'技术改良'的结果——常是提高地代的原因。但这种改良，一时却使地代低落。……因为改良的结果，佃农要想得到较少的收获，不一定要投下较多的劳动量，顺次投下于同一土地的资本，依然是同样的生产，所以他没有移转到更劣土地的必要。因此，这种改良，不一定如蒲鲁东所说常能提高地代，反而在这一定的期间，是妨碍地代的增加的。17

---

① Karl Marx, *Kapital*, I.S.470.

② Karl Marx, *Kapital*, III.2.S.156-157.

世纪的英吉利地主,很熟习这种情形,他们恐怕自己收入减少而反对过农业进步的。"①

第二,比这更普遍更显著的情形,是使得佃农不敢采用进步技术,或决不采用进步技术的作用。"农业的通常生产过程中比较的一时的投资,完全是佃农实行的,这种投资……是改良土地,增加收获,使土地由单纯的物质,转化为土地资本。……甚至于那在比较长期间内才被消耗的、并被同化于土地的比较固定的资本,大都在某种方面,也往往是完全由佃农投下的。但是经过契约所规定的耕作期间以后,那同化于土地的改良,就变成与土地的实体不可分离的偶然部分,而归于土地所有者所有了。这就是资本家的生产发达的结果,土地所有者尽量缩减耕作期间的理由之一。这样,土地所有者,在从新缔结耕作契约的时候,就把那已同化于土地资本的利息,附加于原来的地代(在这种情形,从新租借土地的佃农,是否已实行上项改良的佃农,或其他的佃农,他是不问的)。这样一来,他所得的地代,就增大了。或者是他要卖掉那土地时,那价值也就增大了。因为他不仅是卖掉土地,并且卖掉那被改良的土地,即卖掉那他自己没有花费一文而同化于土地的资本。这即是跟着经济向前的发展——原来地代的变动,姑置不论——而地主的财富日益增加,他所得的地代继续增大,他的所有地的货币价值也日益提高的一个秘密。我们可以说,这种地主,把他自己并未协力而得到的社会发展结果,据为己有,可以说他自己只是为消费而生下来的。这种事实,对于合理的农业,同时是一个最大的障碍。因为佃农在其耕作期间的继续中,对于完全没有收回希望的一切改良和投资,是要极力避免的。把上述那种事实作为农业的障碍而非难的人,在前世纪,有一个近代地代论的真正发见者、同时是一个实际的佃农,并且又是一个当时很值得注意的农业经营者詹姆斯·安特逊(James Anderson),在现时有英吉利现行土地所有制度的反对者。"②

第三,马克思指摘的,是为购买土地而实行的货币资本的支出,成为农业发展的障碍的情形。因为"为购买土地而实行的货币资本的支出不是对于农

---

① Marx, *Elend der Philosophie*, 10. Aufl. 1923. S. 153–154.

② Karl Marx, *Kapital*, III. 2. S. 158–159.

业投入什么资本,反是减少小农在他自己的生产范围中可以利用的如许资本,就是缩小他们生产手段的范围,因而又缩小再生产的基础。这即是使小农隶属于高利债。……这种土地的购买,就是在大规模的土地经营之下进行,也成为农业上的障碍。在实际上,这是与资本的生产方法相矛盾的东西"。①

这样看来,资本主义到底是要引导农业向何处走呢? 马克思在《资本论》第一卷"大工业和农业"的一节,曾给了暗示的结论。其要点大概可以这样把握的:即从一方面看来,这是农业和工业分离结合的过程,从他方面看来,这是农村和都会对立融合的过程。

"拥抱着农业和工业的幼稚未发达形态的原始家族的纽带,已完全被资本家的生产方法切断了。但资本家的生产方法,同时又创造出用那互相对立而完成的农业和工业形态做基础的两者的新而较高的综合和结合之物质的前提条件。

"在资本家的生产方法之下,积集于大都会的人口,愈占优势,因此,一方面,社会之历史的动力蓄积起来,他方面,人类和土地的代谢机能,即人类作为衣食资料而消费的土地成分复归于土地的机能,遂被破坏,于是永久维持土地的肥沃所必要的自然条件,也被破坏了。并且都会劳动者身体的健康和农村劳动者精神的生活,也破坏了。但上述原有的形成了的代谢状态,一被破坏,同时代谢机能,又必成为社会的生产之统制的法则,而在适合于人类的完全发展的形态上,不得不有组织的恢复起来"。②

要之,"一面把农业合理化,才使农业有成为社会的经营的可能,另一方面又证明了土地所有的不合理,这即是资本家的生产方法一种伟大的功绩。"③

二、农业经营形态之发展倾向

照马克思的见解,在资本主义之下,农业是和工业一样,大经营向前发展,小经营日趋衰落,这是可以从上面所引用的马克思学说推测出来的。虽然如

---

① Karl Marx, *Kapital*, III, 2, S.344-345, s.485—486。

② Karl Marx, *Kapital*, I.S.470.

③ Karl Marx, *Kapital*, III.2.S.157.

此，我们仍然有直接知道马克思关于这点的见解之必要，因为这个问题在以后变成了议论的焦点。

马克思曾在各处说及小农经营之必然的衰落。比如他在《共产党宣言》中说："从前的小中间阶级——即小工业者、商人、放债者、手工业者及农民这些阶级，一切都变为无产阶级。"①但他在四年以后即 1852 年所发表的 *Der 18te Brumaire*② 里面，论到法兰西小农民的状态，说他虽是依然占着大多数，而他们的生活，却陷于贫穷不堪的苦况。他说："在他们生活舞台的零细地之上，当耕作时，一点也不能分业，也不能应用科学。因此，种种的发达，种种的改良，以及社会关系的财富，都是不可能。……使得今日法兰西农民衰落的原因，是由于他们所有的零细地。"③他比较更概括地研究这个问题的，是《资本论》第三卷第四十七章第五节"农业利益的分配及农民所有的零细地"。在这一节里面，说小农衰落的原因，"是由于大工业的发达，破坏了小农零细地所有之第一次补充的农村的家庭工业；受小农的耕作的土地，次第变为硗确，以至于消耗殆尽；小农零细地所有之第二次的补充，并用以饲养农耕所用家畜的共有地，到处都被大地主所掠夺；又须与殖民地农业式的，或资本家经营式的大规模的耕作相竞争。"又说："一方面引起农产品价格的低落，他方面，需要有较多额的经费与较丰富的物的生产条件的农业上的各种改良，也是使小农衰落的原因。"他更断定："零细所有地，在其性质上，无论是劳动之社会的生产力的发达、劳动之社会的形态、资本之社会的集积、大规模的牲畜、科学之累进的应用等，都是不可能的。"他又进而列举下面的几个原因说："高利贷和租税制度，无论在什么地方，都非使小农的所有趋于零落不止。资本支出于地价的结果，就有如许资本不能使用于耕作。生产手段，为无限的细分，生产者自身就陷于孤立隔绝的景况。人力是浪费的。生产条件之累进的恶化与生产手段的腾贵，即是零细所有地之必然的法则。"④他又在《法兰西的阶级斗争》里面亦论到同样的事实，其理论如次："人口增加的结果，土地更加零细

---

① Das Kommunistische Manifest, *Herausgegeben von Hermaun Dunker*, 2 Aufl.1924.S.29.

② 即《路易·波拿巴的雾月十八日》。——编者注

③ Marx, *Der Achtzehnte Brumaire des Louis Bonaparte*, 1921.S.102 ff.

④ Marx, *Kapital*, III.2.S.341–342.

化,为生产工具的土地,日益腾贵,其肥沃的程度,日益衰败,于是农业凋疲,农民限于负债。"①其结果,小农不得不日趋于贫穷。这是马克思的见解。

依马克思的见解说来,小农经营毕竟是过去的生产方法。到了现代,应当占支配地位的,还是资本家的大农经营。至于马克思究以哪一点为大农经营的长处,这可由上面的记述推测而知的。因为关于小农经营作否定的考察部分,就应当是关于大农经营作肯定的考察部分。举出那主要点来说,大农经营,使科学之累进的应用有可能,使分业和协业有可能,使机械的应用有可能,使排水、灌溉及其他较大的改良等都有可能,总而言之,应用进步的科学和技术,由此以行合理的耕作,只有大农经营,才有可能,因此,大农经营必然要压倒并驱逐小农经营。这是他的见解。他所起草的第一国际发起的宣言中说:"翻阅 1861 年宫庭的统计,英格兰及威尔士的地主之数,在 1851 年,是 16934人,到了 1861 年,却减到 15066 人,这样看来,在这十年间,所有地的集中,增加到 11%。所有地集中于少数人的倾向,依照这种比例继续下去,那么,与勒罗(Nero)皇帝看到阿非利加州之一半,归于六个卿士所有而发出一种意味凄凉的冷笑的当时罗马帝国的情形,完全一样,土地问题的确是非常简单吧。"②这样看来,马克思关于土地问题的意见,我们也可推知了。

第三节　马克思的农业政策

马克思是世所稀有的科学家,同时,又是实际运动很好的指导者,这是一般人所周知的。实际运动的指导者马克思,他所起草的农业纲领,有两个。一个是《共产党宣言》里面的农业纲领,一个是《德意志的共产党之要求》里面的农业纲领。前者是揭举普罗列达里亚执政以后的政策,后者是揭举对于民主革命的要求,两下对照看来,是饶有兴趣的。不待说,马克思的政策与其理论,无论怎样,是有紧密的有机的联系。因为他的理论,是关于资本家社会的运动法则之客观的认识,他的政策,是用主观的要求的形式表现这种理论的东西。

---

①　Marx,*Klassenkampfe in Frankreich* 1848-1850,Berlin 1990.S.88.

②　"Ausgewählte Lesestücke zum Studium der politischen Ökonomie,Hrsg.von Karl Diehl u.Paul Mombert,12.Bd.*Sozialismus*,*Kommunismus*,*Anarchismus*,2.Abt.S.250.

因此下面要讲的农业政策纲领,与上面已讲过的农业理论,要互相对照来看,才能融会贯通,了解其真正的意义。可是著者对于两者的联系,没有工夫一一指出,希望读者诸君,对这点加以注意。

一、《共产党宣言》中所包含的农业政纲

《共产党宣言》是 1848 年 2 月革命以前所发表的"共产主义者同盟"(Bund der Kommunisten)的宣言和纲领,这宣言虽由马克思与恩格斯合作,而马克思实演过主要作用,这是毫无疑义的。这《宣言》先主张无产阶级夺取政权,战取德谟克拉西。次规定"普罗列达里亚利用其政权以施行的各种政策"。于是断定地说:"这些政策,固因各国的情形而有差异,但在最进步的国家,以下所揭出的政策,大概是可以适用的。"在所揭举的各政策中,关于农业的政策有下列的四项①。

(A)收用土地所有权,以地代充国费(第一项)。

(B)以共同的计划,为土地的开垦及改良(第七项后半)。

(C)产业军的编成,特别是对于农业(第八项后半)。

(D)结合农业与工业的经营,废除乡村与都市的区别(第九项)。

二、《德意志的共产党之要求》中的农业政纲

如上所述,《共产党宣言》是当时作为秘密结社的"共产主义者同盟"的宣言纲领而起草的,预想在最近的将来普罗列达里亚夺取政权的机会,并且规定夺取政权后要施行的政策的大纲。这"宣言"发表后,没有多久,法兰西就爆发了二月革命,那波动就一直传到德意志。于是从前秘密结社的"共产主义者同盟",便公然出现于德意志民众之前,提出《德意志的共产党之要求》(Forderungen der kommunistischen Partei in Deutschland)以号召全国的民众。当时,马克思做"同盟"本部的理事,负担指导工作的任务,所以这个"要求",或许是由他起草的。看到第一项"全德意志宣言为唯一不可分的共和国",就可以知道这是急进的民主主义者,对于德意志即将爆发的资产阶级革命所提

---

① Marx,*Das Kommunistische Manifest*,S.40-41.

出的期望其实现的要求,若把《共产党宣言》作为规定原则的政纲,这个"要求"就算是规定当面过渡的政纲了。例如《宣言》中规定"收用一切土地所有权",在这"要求"里面,却规定"收用大所有地"就是明证。"要求"十九项中间,关于农民及农业的,有如下的四项①。

第六项　无条件的废弃从来对于农民所课的一切租税、赋税、赋役、什一税等封建的负担。

第七项　诸侯及其他封建的所领地、一切的矿山、矿坑等,收归国有。在这些所领地,应用大规模的最新式的科学等补助手段,为民众全体的利益而经营农业。

第八项　农民所有地的抵押,宣言收为国有。对于这种抵押的利息,由农民支付于国家。

第九项　在佃耕制度发展的地方,地代或佃耕费,作为租税缴纳于国家。

在第六、第七、第八、第九项下所举出的一切政策,不是要削减由国库所负担的必要之资金,亦不使生产陷于危险,以期减少农民和小佃农之公共的及其他负担。既不是农民又不是佃农的真正的土地所有者,与生产完全没有关系的。因此,他的消费,是单纯的滥用。

＊　　　　＊　　　　＊　　　　＊

但是这些政策,当时未见诸实行,因此,便有人嘲笑马克思的政策为"空想"。关于这点,我想把《德意志的社会民主党之农业问题》的著者威廉·康斯德多(W.Cohnstaedt),对于这"要求",纲领所发表的意见,介绍于读者诸君,这不是完全没有意义的。

"我们现在,虽知这种纲领,没有实行,并且也不能实行,但若说这种纲领,是一种空想,那便是错误了。我们必须想到:凡属纲领,总不能不有所期待,就在其实行过程中,亦不能不有多少变动。在这纲领里面,他并没有说到

---

① Marx, *Das Kommunistische Manifest*, Nachtrag, S.54.

私有权的收买,我们不能不认为他确是主张无条件的没收。于是我们所考察的,虽是只在 1789 年 8 月 4 日夜间简单地宣布废弃封建制度,但是这些封建的权利,至少有一部分,是与封建的义务相杀的,权利的解除,同时即是义务的解除。至于骑士所领地、佃农耕作地、关于抵押的所有权,这些都是有货币价值的权利。这些权利简单的合并,无论怎样急进的共和国,恐怕亦是不能实行的。有许多人的意见,以为马克思对于农业事项所做的事情,虽然都值得后人赞许,可惜没有冷静的实际的眼光,这要算是他的缺点,其实他对于纯粹的政治问题,是抱着极现实的思想,丝毫没有渗入半点幻想在他的脑子中。他恐怕后来小资产阶级德谟克拉西之水,把他原来的思想,弄到清淡无味,所以才充分的加强那酒的成分的。

"这种纲领其所以不是空想的,因为这不是一个遥远的未来的目的。并且与其说是一种目的,究不若说是一种手段较为安当。这好比家畜商人为做买卖而讨的虚价。对于民主主义的共和国之期待,也同样的不是一种空想。预想运动实际的结果,这或是一种预言。但是无论是谁,决不能对于赴战场的战士,要求悲观的预言。当时德意志大多数的国民,期待民主主义共和国之实现,那样的热烈,才算是一种空想。

"他们的期待,完全失望了,经过十五个月之后,德意志的革命,完全瓦解了。德意志联邦复兴起来了,——即令内部受了损伤。

"共产党差不多完全没有得到莱茵地方的了解。这个'要求',除登在《新莱茵新闻》以外,是没有得到生命的。

"马克思到伦敦去了,政治家一变而为学者了。"①

以上是仅仅介绍康斯德多的见解,借资参考,其实我们直接的问题,究不在此。我们直接的目的,是在于研究马克思所建立的农业政策,及其以后的马克思主义者怎样继承他的学说,怎样发展他的学说。

---

① Wilhelm Cohnstaedt,*Die Agrarfrage in der deutschen Sozialdemokratie von Karl Marx bis zum Breslauer Parteitag*,1904.S.77~78.

第二章　恩格斯的农民政策

第一节　马克思主义和农民问题

与马克思共负马克思主义创立者的荣誉的恩格斯,他在农业问题所遗留的最大的功绩,是在于确立马克思主义的农民政策的大纲。

原来,农民,特别是自耕农的问题,在马克思主义者看来,是一个非常困难的问题。因为马克思主义,在理论上,是主张小农必然的衰落,已如上述,但在实际上,小农不仅没有衰落,并且在许多的国家,小农还占着比较的多数,这种事实,无论在经济上或政治上,都有很重要的意义。所以站在理论的见地上,怎样去把握这种现实呢? 对于应当衰落而没有衰落的农民阶级,普罗列达里亚政党究应以怎样的政策去应付才对呢? 这在马克思主义者是感觉很困难的问题。对于这种困难问题,在原则上,能够给予明快的解答者,就是恩格斯。

恩格斯比马克思后死十二年,他以不断的努力,完成盟友的遗业,和他的朋友一样,成为名实相符的科学的社会主义的创立者。他在他死的一年前,即是他的思想最圆熟的 1894 年,关于农业问题,曾在《新时代》杂志上,发表了一篇叫作《法兰西及德意志的农民问题》的论文。[①] 这论文取材于法兰西及德意志,对于当时成为议论焦点的法兰西劳动党的农业纲领,下了一个有权威的批评,借此以展开马克思主义的农民政策。因此我专把恩格斯所确立的马克思主义农民政策大纲,在这里研究、介绍。此外,恩格斯关于一般农业问题,也有断片的意见散于各处,但是这些意见,与马克思的见解,没有两样。例如在他所著的《住宅问题论》的 1887 年的序文中,曾这样说:"在工业方面,手织机

---

① Cf.F.Engles.*Die Bauernfrage in Frankreich und Deutschland*,Neue Zeit,XIII.2.8.292-306.

为机械织机所败了,在农业方面,小经营为大规模农业所败了。"①他又说:"自从那供自己使用的家庭工业被那低廉的现成衣服和机制品所绝灭以后,自从家畜的头数以及肥料生产因'马克'(Mark)制度即共有'马克'及强制耕作的破坏而灭绝以后,小农的衰落,乃是不可避免的事实。"②这种见解,很明显的是与上面所述的马克思的见解,特别是关于零细地所有的问题,完全一样。

第二节　农民政策的核心

据恩格斯所见,马克思主义农民政策的核心,是要使农民脱离大地主的影响和诱惑,变为社会主义的朋友。这是什么缘故呢? 这要采用怎样的策略,才有可能呢?

从爱尔兰起到西西里止,从安塔尔齐亚(西班牙南部地方的旧称)起到俄罗斯及布加利亚止,无论在什么地方,就人口上说,就生产的作用上说,就政治的势力上说,农民都不失为非常重要的要素。在西欧各国,只有两个地方是例外的。一个是英吉利本国,在这里,大地主与大农经营,完全把自耕农驱逐了。一个是爱尔伯河以东的普鲁士,在这里,最近数世纪以来,经过与英吉利同样的过程,农民的经济与政治的势力,日趋于衰落了。在这两个地方,农民问题,虽可以说及有重大的社会的意义,但是在其他的国家与地方,农民的地位,甚为重要,断不可加以轻视。

那些农民的状态,现在到底怎样? 据恩格斯所见,资本家的生产方法与发展,把维持小农经营的生命之精髓,完全拔去了。因此,小农经营只见日趋于衰败零落,无法挽救。加之,从南北亚美利加及印度,输入了极低廉的产物,充斥于欧洲市场,使欧洲的农业,濒于危殆。于是西欧的大地主与小农民,都碰着没落的命运。但所谓地主和农业者都陷于困难的话,只是地主骗人的说法,大地主假装是拥护小农民利益的战士,以笼络农民,农民懵然无知,维护这种蒙着羊皮的豺狼,这是现在农民的状态。

---

① F.Engles.*Zur Wohnungsfrage*,Zurich 1881.2.Aufl.8,7.

② F.Engles.*Zur Wohnungsfrage*,Zurich 1881.S.9.

他方面,西欧的有力的社会党,正在成长。二月革命当时的漠然的预觉与感情,现在渐渐明白,渐渐普遍,渐渐深刻,变成了具有一定要求的政纲了。这些要求,在德意志、法兰西、比利时,是由那渐次增加的社会党议员所代表的。社会当在最近的将来,难说可以取得政权,但为要有实现的可能,却不能不由都会到农村去,在农民之间,扶植自己的势力。社会党对于经济的原因与政治的结果之关系,比较其他任何政党,有更明确的观察,他们又知道大地主假意做农民的好朋友,而其实却是蒙着羊皮的豺狼而已,在这种情形之下,社会党可以把这种陷于没落运命的农民,委之于这种不正的"保护者"之手,使他们对于工业劳动者,由受动的敌人,变而为能动的敌人吗? 恩格斯所谓农民问题的中心点,正在于此。

第三节　农业人口的阶级构成

要想适当的解决农民问题,首先要分析农业人口的阶级构成,因为农业人口的构成要素,非常复杂,其构成要素的种类,各地方也各有很大的差异。就德意志的农业人口举例来说,德意志的西部地方,与在法兰西及比利时一样,主要的是零细农民的小经营,自耕农占多数,佃农占少数。在西北地方——南撒克逊及斯勒斯威希荷尔斯坦——,主要的是大农中农。贝爱鲁之一部,也是一样。爱尔伯河以东的普鲁士及麦克能堡,是大所有地及大农经营的地方,其间虽亦有中小农,但是比较的少数,并且不断地减少。在中部德意志,是非常复杂,农民的成分,经营的方式,因各地而不同。此外,还有一些地方,因为自己所有的或佃租的耕地,不足以养活家室,而只是用作经营家庭工业的基础的。

在这样细分的农业人口各阶级之中,社会主义能够使哪种阶级成为自己的好朋友呢? 关于这问题的研究,最有重要意义的,是小农的位置。因为西欧的小农,不仅普遍在一切农民阶级中,是一个最重要的要素,并且社会主义对于小农应取的态度如果决定以后,那么,以这种决定为基础,对于其余的农业阶级的态度,也自然容易随而决定了。恩格斯就是站在这种见地,首先着手于小农的研究的。

大之仅能供自己家庭耕种、小之也不至于完全不能赡养其家室,像这种小土地的所有者或佃农,尤其是前者——,就是小农。这种小农,与小手工业者一样,还保有其生产手段。这一点是与近代的无产阶级不同的地方,这即是过去的生产方法的遗物。小农和他们为奴隶、农奴甚至于为自由农民的祖先,其不同的地方,恩格斯曾举出下列三点。第一,法兰西革命的结果,他们对于领主所负担的封建的役务,完全被解除了,并且在许多的情形,至少在莱因左岸的地方,有些土地,交付农民,成为自由所有。第二,他们失掉了自治的"马克"团体的保护与参与权,同时,失掉了以前共有"马克"的所有权,这种共有"马克",一部分为以前的封建领主所掠夺,一部分为开明的罗马法与官僚的立法所没收,因此,近代的小农,如不购买饲料,就不能饲养劳动的家畜。在经济上看来,"马克"利用权的丧失,虽足以抵偿封建负担之废止而有余,可是没有劳动家畜的农民,却不断地增加了。第三,今日的农民,比较以前的农民,失掉生产活动之一半。以前,农民和自己家属,是用自己所生产的原料去制造自己所必要的工业品的。此外,他们还有需要的东西,是仰给于经营农业兼做手工业的邻人,对于这种东西,大抵用自己的物品或劳力去交换。至于偏僻的乡村,家庭状态,更是自给经济,一切必要品,差不多完全是自己生产的。这种经济状态,可以说完全是一种自然经济,货币的必要,几于完全没有。资本家的生产,以其货币经济及大工业,自然可以把这种自给经济,推毁无遗。况且,马克的使用,与工业的副业,都是农民的生存根本条件,现在这两种条件,均被推毁无余,农民的生活,自不能不愈陷于不可救拔的深渊了。更加以租税的苛刻,凶荒的频仍,继承财产的分割,讼狱的繁兴等,只有使农民更加陷于负债的苦况。负债成为普遍一般的现象,并且各个农民所负担的债务,也一天天的只见增加。总括来说,小农与过去一切的生产方法一样,只有受天然的淘汰,只有日趋于衰败零落。决没有挽救之术的。他们是将来的无产阶级。——以上所述,是恩格斯的小农观。

照恩格斯的观察,小农的状态,既是如此,他们对于社会主义的宣传,自然会热心的接受。但是事实并不是这样,这是什么缘故呢? 这是由于小农有一种彻底的土地私有欲。小农所有的一块土,愈加危险,他想要保存这一块土的斗争,愈加困难,小农就愈加要以悲痛的绝望,固执于其所有的土地。照这样,小农就甚至于要把那主张所有地公有的社会主义者,视为与高利债者或其代办者有同样的危险的敌人了。社会主义怎样才可以打破这样偏见呢?社会主义如不能出卖自己的主张,究能够提供什么东西给这种日趋衰落的小农呢?——因此愈逼愈紧,恩格斯就要更进而研究到这问题的中心了。

第四节　法兰西劳动党农业纲领的批评

恩格斯在向着这个问题的中心奏刀以前,就先把那被称为有马克思主义倾向的法兰西劳动党的农业纲领放在俎上,下了周到而严正的批评。法兰西劳动党的农业纲领,是在小农经营的典型国法兰西作成的,这一点可以值得注意;同时,恩格斯对这纲领所下的批评,也足以使人窥知对于马克思主义与农业问题的极有含蓄的见解。这一点也是很重要的。关于这个纲领,这里没有完全介绍的必要,现在只先把恩格斯所引用的法兰西劳动党的农业纲领介绍出来,其次,再来介绍对这个纲领所下的批评中比较重要的部分。

1892 年,在马赛大会,通过了法兰西劳动党最初的农业纲领,这个纲领,代表无产农业劳动者(即日佣劳动者及长工)所要求的事项如次。"农民协会及市村议会确定最低工资;组织劳动者参加半数的农事裁判所;禁止出卖共有地,将国有地租借于市村;市村对于一切所有地及借地,禁止使用工钱劳动者;并且在市村监督之下,贷给无产农业劳动者家族的团体,使其共同耕作。对于大所有地,征收特别税,以为养老及废疾年金的财源。"

其次,代表小农——特别是顾虑到佃农——所要求的事项如次。"市村购买农业机械,以实费贷与农民。为购买肥料,排水管,种子等及贩卖农产品,设立农民合作社。对于价值未满 5000 法郎的所有地,废止其所有权转让税。设置爱尔兰式的仲裁裁判委员会,借以减低过高的佃租,并且使佃农及公益佃农得在停止佃租时,对于土地价格腾贵的结果所产生的利益,要求赔偿,废止给收获物的扣押权于地主的《民法》二一〇二条;并废止债权者的青稻扣押权。凡属农民在其业务的经营上必要的一切东西,如农具、收获物、种子、肥料、劳动家畜等,应一律确定不得扣押。改订从来一般所用的土地总册。在未改订以前,各市村暂时为地方的改订。最后,设置免费的农业补习教育及农事试验场。"

依恩格斯所见,这里所提出的代替农民的要求——这里暂时完全没有讲到劳动者的要求——决不是彻底的东西。其中一部分,已在别的地方实行了。例如佃农仲裁裁判所,很明显的是采用爱尔兰的规模,农民合作社,在莱因地方,也已经存在。至于土地总册的改订,在西欧各国,就是自由主义者与官僚,也很热心希望其改订。其他各点,在其性质上,也是对于既存的资本主义的秩序,并不给以重大损伤而可以实行的。

法兰西劳动党发表这个纲领以后,在该国各地农民之间,得到了很大的欢迎,于是他们更感觉得这个纲领,有更加适合于农民实际要求的必要。但他们当然感觉得这是一种危险。若要不损伤一般社会主义的根本原则,究能怎样对农民——不当作将来的无产阶级而当作现时的土地所有者——施以援助呢?他们为防止这种非难起见,重新附加了一个理论的理由书,作为实际提案的序言。这个理由书所要论证的是,小农的所有,为资本家的生产方法所压迫而必然的趋于没落,这虽是很明白的事实,但应当加以保护,使其不至于没落,却是社会主义的任务。又在这年9月的兰德大会所通过的理由书,其内容如次。

"如本党总纲所说,生产者仅在具有生产手段时,才能自由。

"诚然不错,在工业方面,其生产手段之资本家的集中,已经达到非常的程度,所以这种生产手段,只有在共同的或社会的形态,才能归于生产者之手,可是在农业方面——至少在现时的法兰西,——决没有达到这种程度,那生产手段的土地,在许多地方,还成为个别所有,存在于各个生产者的手中。

"像这样以小土地所有为特色的这种状态,固然陷在无法可救的即当没落的运命,但社会主义是不应当促进这种没落的,——因为社会主义的任务,不在于使'所有'和'劳动'分离,实际这种分离,是使那沉沦于无产阶级境地的劳动者所以陷入隶从和贫困的原因,所以社会主义要把'所有'和'劳动'两个要素,结合在同一个人的手中。

"一方面从现在那些无所事事的所有者,没收广大的所有地,——在共同的或社会的形态之下,——再使其成为农业无产阶级的所有,这固然是社会主义的义务,但是在他方面,反抗国库、高利、新兴大地主的干涉,使劳苦的农民,维持其小土地的所有,同样也是社会主义必须的义务。

"在佃农或分益佃农名义下耕种他人土地的生产者,虽然是剥削日佣劳动者,但这是因为他们自己被剥削而不得已的结果,所以对于他们,也要有同样的保证,才为适当。

"考虑了以上各点,劳动党和无政府主义者相反,并不期待那基于贫困的增大和普及而引起的社会秩序的变革,而是期待都市与乡村的劳动者,有巩固的组织,为共同的努力,掌握政权和立法权,以解放劳动及社会。所以劳动党要团结一切从事于农业生产的要素——即在种种权限下利用国土的一切活动——,对于共同敌人——即土地所有的封建制,进行共同的战争,因此通过了以下的农业纲领。——"

社会主义和农民的关系,是一个非常困难的问题,法兰西的劳动党,对于附加在那政策纲领的理由书,怎样的煞费苦心,我们读了那理由书,就可以感觉得到。恩格斯对于这理由书,曾加以极精细的批评,现在只摘记其重要点如次。

"第一,法兰西纲领中所说'生产者的自由,以生产手段的所有为前提'的文句,必须用接在下面的文句来补充。这文句即是:'生产手段的所有,只有在两个形式之下,才有可能,一个是个别所有,一个是共有,前一种形式,无论在什么地方,对于生产者,从来没有普遍的存在过,并且产业发达的结果,这种形式,更加成为不可能;至于后一种形式,其物质的及精神的前提,已经资本家社会自身的发展造成了,因而无产阶级,要使用一切可以行使的手段,以战取生产手段的共有'。

"这样说来,生产手段的共有,确应定为应当努力的唯一主要目标。这不仅对于已经准备了基础的工业,应当如是,就是对于没有准备基础的农业,也应当如是。照这纲领所说,无论在什么地方,所谓个别所有,对于一般的生产者,从来没有普遍的适用过。正因为如此,并且产业的发达,又是促进这种个别所有的废除,所以社会主义,对于个别所有的维持,并不感到什么兴趣,反是要注意来废除它。因为在个别所有存在的地方及范围,足以妨碍共有的发展。

"各个生产者生产手段的所有,在现时早已不能使那些生产者取得真实的自由。都市的手工业,既已零落,乡村的自耕农,也不能确实的保有一块土地,也没有自由。他和他的家,他的宅地,他的少许的耕地,都是属于高利贷了。他的生活,比较无产阶级,更加不安。无产阶级至少也有一些时候过点安稳的日子,不至于变为被逼迫的债务奴隶。诸君(当然是指法兰西的劳动党员)想削除《民法》二一〇二条,用法律禁止农具、家蓄的扣押,以保障农民继续的所有权,但是农民已经陷于极端的穷困,而不能不'自动的'卖掉自己的家畜,不能不完全落在高利债的手中,不能不卖身以要求处刑的犹豫,诸君的保障,又有什么用处呢?诸君想保障小农的所有之尝试,并不是保护他们的自由,而只是保护他们特殊的隶从形式,以延长他们求生不能求死不得的状态罢了。

"在现时法兰西,生产手段的土地,许多地方,还成为个别所有,存在于各个生产者的手中,但是社会主义的任务,不在于使'所有'和'劳动'分离,而是要把这两个为一切生产所必要的要素,结合于同一个人的手中。——理由书是这样说。但如前面所说,后者在那种一般性上,决不是社会主义的任务。社会主义的任务,只在于把生产手段作为共有,以移转于生产者。我们如果忽视了这一点,上面所说的文句,就会使我们陷于错误,即是使我们误会社会主义的使命,是要把今日小农对于耕地的假所有变为真所有,即是把佃农变为所有者,把陷于负债的所有者变为不负债的所有者了。社会主义诚然对于农民的所有这种假的外观,是留心要使它消灭下去的,但是所采用的方法,不是如此。

"总之,我们要讨论的是:理由书敢于宣言'反对国库、高利贷及新兴大地主的干涉,使自耕农民,维持其小土地的所有'一层,作为社会主义的义务,并且是必须的义务。理由书在前节已经宣言为不可能的事实,现在却把必须实行这种事实的义务,放在社会主义的肩膀上。即是理由书虽已经自述农民的小所有地,'陷于衰落的运命,无法挽救',而现在却要把'维持'这种所有地的任务,使社会主义负担。国库、高利贷、新兴大地主这三种东西,是不是因为资本家的生产发达的结果,成为一种促进自耕小农不可避免的衰落之工具呢?社会主义到底用什么手段对于这三位一体的东西,来保护农民的利益呢?

"但是应当保护的,不仅仅是小农民的所有地。据理由书说:'在佃农或分益佃农名义下,耕作他人土地的生产者,虽剥削日佣劳动者,但这是因为他们自己被剥削而不得已的结果,所以对于这种生产者,亦应当予以保护',这种议论,真是奇怪。社会主义,完全是特别反对对于工钱劳动者的剥削的。但这里却宣言保护那'剥削日佣劳动者'的——如文字上所说——法兰西的佃农,乃是社会主义必须的义务! 并且说,这是'他们自己被剥削'而不得已的结果!

"人们一旦站在斜面上,自然很容易而且愉快地滑下去! 假如德意志的大农和中农,走到法兰西的社会主义者这里来,若他们向德意志社会民主党干部斡旋,要社会民主党保护他们对于奴婢的剥削,并且这时候还要论证他们自己也是被高利贷、收税吏、谷物投机业者所剥削,法兰西社会主义者,其将何辞以对呢? 不仅如此,并且谁还能替法兰西社会主义者保证说德意志农业的大地主,不会派遣加尼泽伯爵(因为这人和他们一样,也提议货物输入由国家经营的)到他们这里来,同样的论证他们自己也是被交易所、高利贷、粮食的奸商所剥削,而要求对于他们的剥削农业劳动者,给以社会主义的保护呢!

"理由书的结语说,社会党的任务,'要结合从事于农业生产的一切要素——即在种种权能之下,利用国土的一切的活动——对于共同敌人的土地所有的封建性,作共同的斗争',这些话也值得批驳。任何国的社会党,除了农业无产阶级及小农以外,如果说有应当援助中农和大农,甚至援助大佃农、资本家的牲畜业者及其他资本家的国土利用者的话,我是断然反对的。诚然不错,土地所有的封建制在这些人看来,或者以为是共同的敌人,因而对于某种问题,我们或者可以与他们共同合作,并为某一定的目的,我们或者可以一时地做他们的朋友。但是在我们党的立场,资本家的、中资产阶级的或中农的利益团体,是全然不要。"

恩格斯对于法兰西劳动党农业纲领中违背社会主义之点,虽给予毫不假惜的批评,但是接着就很老练地以庇护友党的态度,加以谅解,大意说,这样的解释,大概不是出于该党的本心,只是这个纲领,把完全适合于特殊情形的事情说作一般的原则,是使我们发生误解的原因。

要之,"把小农交给敌人,法兰西永续的变革是不可能的,法兰西劳动党这种见解,绝对正确。不过他们对于援助农民的方法发生错误而已",这是恩格斯对于农业纲领总括的批评。然则站在马克思主义的立场,所谓真正妥当的农民政策,到底是怎样呢? 我们现在不可不更进一步,来研究恩格斯关于农民政策的见解。

第五节　恩格斯的农民政策

一、小农政策

恩格斯曾用自问自答的方式,明示其小农政策的要点如次。

"我们对于小农阶级的态度怎样? 我们掌握政权以后,要怎样对待他们呢?

"第一,法兰西劳动党纲领说,我们虽预料小农是必然要没落的,但我们决没有从中干涉以促进其没落的使命,这话是绝对正确的。

"第二,我们掌握政权时,我们不能想到必须把小农的土地也和对于大地主的一样去强制没收(赔偿与否,不成问题)的事情,这也是很明白的。

"我们对于小农的任务,首先就要诱导私经营与私所有到合作社的所有,但是不要实行强制,为达到这种目的,最好作出必要的实例给他们看,且要与以社会的援助。那时候,使小农预期那即在现时也会了解的利益,是有充分的手段的。"

这是恩格斯对于小农政策原则的部分,他更进一步地做过说明,我们现在稍微详细一点来介绍他的见解。

首先,恩格斯确信小农受着资本家的大经营的压迫,是必然要没落的,这一点与法兰西的纲领相同。他又以为促进小农的没落,不是社会主义者的任务,这一点也与法兰西的纲领相同。至于法兰西的纲领所主张的"维持小自耕农的所有,是社会主义者必须的任务"一点,他却断然反对,因为像那样说,不仅是理论上的矛盾,并且在事实上也是不可能的。照他的见解,小农衰落的原因,是在于以个别的小所有地为基础的小经营,如果要维持这种小经营,就只有延长小农的没落,决不是促进小农的解放。因此,社会党对于小农的任务,是要反复的说明:(一)在资本主义支配之下,农民的地位绝对无可挽救;(二)要想维持他们的小农所有地,绝对没有可能;(三)资本家的大生产,驱逐他们无力的旧式的小经营,是绝对确实的,把这些话说给小农听,使他们自己能够觉悟起来。挽救小农真正的道路,是要把他们个别的、小规模的所有地和经营变为合作社的所有和经营,才有可能,这一点无论如何,要使农民了解。在 20 年以前,除哥本哈根以外,就没有像都会的样子的都会的农业国丹麦的社会主义者,会计划过这种合作社的事业。依这种计划,在一村或一教区的农民,联合其土地,以共同的劳力的比例,以分配所得的收获物。但是因为大规模的耕作,可节省许多劳力,在小所有地很少的丹麦,这一点固然没有什么问题,可是在别的小农地方,合并从来的零细所有地,以进行大农的经营,一定会发生劳力的过剩,在这种情形,就要把邻近的大所有地分一点给这个农民合作社使用,或者对于过剩的劳力,尽可能地给些以家庭消费为目的的工业副业的手段和机会。如果这样,他们的经济状态,必定日趋于改善,同时,对于农业合作社,以社会的指导,诱导其达到更高度的形态,那么,合作社全体及各国社员的权利和义务,与共同社会其余各部门的权利和义务,才可以渐渐地调和起来。这种方法是挽救农民唯一的道路,并且是直接适合于社会主义的建设。关于实行上应注意之点,决不可违反农民的意志,为强制的执行。因此,社会党就是掌握了政权,对于农民的所有地,也决不可以强制的没收,而是要诱导其转化为合作社的生产,在这时候,例如他们的抵押债务,都由国立银行承受,大大的减低其利息,或当他们创设大经营之时,贷与以必要的生产手段,如资金、机械、人造肥料等,而予以必要的援助。只有依照这种方法,才可以解放农民,才可以使农民同为社会主义的朋友。——这是恩格斯小农政策的骨子。

二、中农及大农政策

其次,对于中农及大农,要采用怎样的政策呢?中农及大农,在他们的经济地位说来,不雇佣仆婢或日佣劳动者,就不能经营农业的农民。但是社会主义首先就是以解放工钱劳动者为目的的,对于以工钱奴隶为其存立条件的中农及大农,不应当采用维持其存在的政策,那是不待言的。在事实上,因为资本家的大农经营及海外廉价的谷物竞争,他们必然地陷于没落的运命,我们看到他们负债的增加,经济的零落,就可以知道。恩格斯对于他们,也主张和小农的情形一样,整理其所有地,转化为不可剥削工钱劳动者为目的的合作社生产。照恩格斯的意见,中农及大农如果洞察其没落之不可避免,赞成我们的政策,我们当然尽可能地援助他们,使其转化于新的生产方法;要不然,我们只能听其命运的推移,不能不为那些被他们所剥削的工钱劳动者打算。关于他们的所有地没收问题,恩格斯说:"在这里我们对于强制的没收,或许可以忽视。经济发达的结果,这种更加顽固的头脑,也可以使其近于理性的"。这是恩格斯对于中农及大农的政策的终结。恩格斯以海外廉价的谷物之竞争,为中农及大农必然衰落的原因之一,这是他在上面所说的,因为当时南北亚美利加及印度,输入了大批的极低廉的谷物到欧洲市场,使欧洲的农业,濒于危机的缘故。这一点应当在这里补说一句。

第六节　对大地主及农业劳动者政策

一、对大地主的政策

据恩格斯所见,对付大地主,问题很简单。就是,社会党掌握政权以后,立即没收他们的土地,这和对付产业资本家,完全没有差异。在这时所起的有无赔偿的问题,与其说是由社会党的见解来决定,还不如说是由社会党掌握政权时的情况,特别是大地主自己的态度怎样来决定。恩格斯附带的说:"我们决没有想到无论在什么情况之下,都不许有赔偿的那种事情。马克思曾经数次对我说起他的意见:我们如果能够收买一切土地,事情就再容易没有了。"总而言之,照这样归属社会所有的大土地,应当把在这土地上耕作的农业劳动者,为合作社的组织,在社会的管理之下,使从事于耕作。无论怎样,在大所有地一方面,要由资本家的农业经营,转化为社会的经营,其基础既已完全准备好了,所以实行转化的时候,是很容易的。加之,这里所成立的农业合作社的事例,对于那些依然固执于其小所有地和小经营以反抗新制度的零细农甚至许多大农,也可以促进他们的觉悟,使他们确信合作社的大经营,对于他们确实是有利益的。

二、对农业劳动者政策

合作社的经营,对于农业劳动者,是有帮助的。这样的大经营,才是农业无产阶级的乐土。依这样的宣传,就可以吸收农业劳动者作为自己的好朋友,这是恩格斯对于农业劳动者的见解。关于德意志的农业劳动者,恩格斯的意见如次。

"获得爱尔伯河以东的普鲁士农业劳动者,在我们看来,只是时期的问题,并且是最短的时期的问题。我们获得了爱尔伯河以东的农业劳动者,就可以转移全德意志的倾向。爱尔伯河以东的农业劳动者处在半农奴状态的事实,实是贵族所以支配普鲁士的主要基础,特别是普鲁士所以支配全德国的主要基础。……贵族的势力的基础是:他们不仅支配旧普鲁士七州全体——即约全德意志帝国三分之一领域——的所有地——,这里所谓土地所有,是伴着社会的及政治的势力的——,并且还凭借甜菜糖制造所和白兰地酿造所,支配这地方重要的工业。在德意志其他地方的大地主或大工业家,是没有像这样占据有利地位的。即是大地主或大工业家,都没有支配一王国的全体,他们都散在各地,在他们相互之间,或与他们周围之社会的各种要素之间,作政治的及经济的优越竞争,并没有像普鲁士的贵族那样发挥独占的势力。但是像普鲁士的贵族有权力的地位,也渐次失掉了经济的基础。虽然国家还有种种的补助,而负债和贫穷,仍然是一天天地扩大。只有依靠立法和习惯所确认的事实上的半农奴制度以及由这制度发生的农业劳动者无限制的剥削,才能保持贵族阶级的衰落的余命。因此,只要散布社会民主主义的种子于这些劳动者之间,使他们有主张权力的勇气与团结,贵族的支配,马上就要倒台。俄罗斯的俄皇政治,对于全欧罗巴,是代表野蛮的侵略的要素,上述的伟大的反动势力,对于德意志,也有同样的意义,但是这种反动势力,却如被刺的水泡一样,马上就崩坏的。普鲁士军队的'精兵',一投到社会民主党来,权力就会发生动摇,就成为全国革命的导火线。因此,获得爱尔伯河以东的农业无产阶级,比较获得西部德意志的小农,或更加上南部德意志的中农,还更有重大的意义。这爱尔伯河以东的普鲁士,实有我们决定的战场。所以政府和贵族阶级,对于我们在那里的发展,会要加以极端的妨害。并且因为要想妨害我党的发展——如当局对于我们所威吓的一样——,如果采取新的高压手段,那么,这种手段的施行,就会要使我们对于爱尔伯河以东的农业无产阶级的宣传成为不可能。这种事情,在我们看来,是不成问题。我们毕竟是要获得这些农业无产阶级的。"恩格斯用这话结束了他的论文。

      *   *   *   *

上面介绍的恩格斯农民政策的见解,现在要约起来,大概如次。

恩格斯农民政策之理论的根据,是小农的所有及经营之必然的衰落论。由这论点出发——

第一,对于小农:

(A)使小农自觉到在资本主义制度之下,他们的地位是绝对不能挽救;

(B)对于小农的所有地,断不可为强制的没收;

(C)给予一切的援助,诱导他们到合作社的经营,使适合于新制度。

第二,对于中农及大农:

(A)他们虽是仆婢及农业工钱劳动者的敌人,但他们如能够觉悟到在资本主义制度之下,他们自己的地位,是很难改善而来投降的时候,我们也可以诱导他们到合作社的经营;

(B)对于他们的所有地,大概没有强制的没收之必要。

第三,对于大地主和农业劳动者:

(A)对于大地主的土地,即行没收,但赔偿之有无,要看当时的情形怎样来决定;

(B)没收的大土地,交付于农业劳动者的合作社,在社会的管理之下,使农业劳动者耕作;

(C)宣传农业劳动者的解放政策,以求获得农业无产阶级的拥护。

以上的解释,我想大概是没有错误的,这即是恩格斯所建立的马克思主义的农民政策之大纲。

如上所述,恩格斯发表上面的理论,是在 1894 年。以后经过二十余年,到 1917 年,俄罗斯的革命,由列宁及多数党的指导,即努力于实现恩格斯的农业政策和农民政策,这不能不说是极有兴味的问题。实际上,俄罗斯革命的领袖列宁之农民政策及农业政策,只是以恩格斯的见解为基础,斟酌俄罗斯实际的情形,使其具体的发展的。关于这两者的关系的问题,我们在下面再研究。

第三章　爱喀柳斯和李卜克内西

第一节　马克思之忠实的叙述者

第一国际及初期德意志社会民主党,大概是由马克思的思想所指导的,关于农业的理论和政策,也是这样。在当时许多马克思的学徒之中,关于农业问题,应当特别举出来的,有两个人,一个是代表第一国际的爱喀柳斯,一个是代表初期德意志社会民主党的威廉·李卜克内西。他们两人,都是极忠实的马克思的学徒,对于马克思的学说,没有加入何等新思想,实则只是忠实遵奉马克思的学说,而使其扩大与深入。这里所以要介绍他们两人关于农业的理论和政策的大要,只因为要经过他们两人的论说,把马克思的农业理论和政策,在比较通俗的形式,介绍于一般读者。

第二节　爱喀柳斯的小农经营论①

爱喀柳斯是德国的一个裁缝师,他在第一国际的大会,担任总务委员,是最能活动的一个人。他从 1868 年,发表了《一个劳动者对弥尔的经济学说的反驳》(J.G.Eccarius, *Eines Arbeiters Widerlegung der national-ökonomischen Lehren John Stuart Mill's*)一书,这本书在付印之前,马克思是看过一遍的。马克思对于这书的帮助,究竟到什么程度,虽是疑问,但这书所展开的思想,却无疑是直接或间接叙述马克思的学说的。他在本书的"小农经营论"一章中所发表的

① 本节的记述,主要的是依据下列各书:

　　a　Wilhelm Cohnstaedt, *Die Agrarfrage in der deutschen Sozialdemokratie*, S.87-89.

　　b　Edward David, *Sozialismus und Landwirtschaft*, 2.Aufl.1922.S.4-5.

农业思想,和下节要述的李卜克内西的著书同样,接连十余年之久,成为德意志社会民主党农村宣传的基础。

爱喀柳斯的见解,自始至终,是贯彻马克思派的大农优越、小农破灭的思想的。他引用那和英国大农经营相比较的法国小农经营的借金奴隶及生产无能力状态的统计,以作事实上的证明。照爱喀柳斯在这本书第 52 页所记载的统计之计算,1850 年农产物的价格如次(单位法郎)。

	法兰西	英吉利
每一人口	133	235
每一农民	215	715
一英亩所产生的小麦	18	30

由这个统计看来,可知法兰西的零细农民,无论怎样勤劳辛苦,总比不上英国农民之收获。英国农民的收获,比法国农民的收获,要多 66%,并且在法国需要 7 人耕作的土地,在英国只要 2 人就够了。法国的农民,表现着急速的衰落,据爱喀柳斯所见,这种衰落的事实,如上表所示,从生产的进步方面看,还是应当欢迎的。他以这种材料——如达威特(David)所说,决不是完全正确——为其理论的基础,其要旨,大概如次。

"小农经营对于近代大规模农业之关系,好比手工纺织业对于机械纺织业的关系一样。"(第 52 页)

"在存有打禾机、收获机及蒸汽犁的社会,农民以非常的勤勉,用锄锹做生产工具,耕作贫瘠的土地,只能得到脱脂乳、马铃薯、黑面包等做食料,度着非人的生活,对于这事情的诅咒,到底可不可以承认呢,……在大农经营一方面,一百个劳动者,借着蒸汽和机械的帮助,协作起来,其生产所得,可以和三百个小农散在各处各以非常的努力所能生产的结果,是相同的,所以大农经营,压倒一切小农经营,实是经济学所命定的。……小农经营,无论在政治上、社会上或经济上,都有一定的方向,无论在什么地方,不能与近代的产业及社会的进步,同一步调,而为其信赖的朋友,并且无论在什么地方,也决不能为其信赖的朋友。因为这种小农经营,对于政治的、社会的进步,是无用的赘物,是麻痹法兰西及其他大陆各国的劳动运动的铅锤"(第 57 页)

照爱喀柳斯的见解,所谓小农经营,毕竟是过去的农业。他又接着说:

"劳动者对于创设小农经营一切的尝试,在其萌芽之中,即加以灭绝,这是直接对于劳动者有利益的。劳动者应竭尽全力,勿使未耕地或市村所有地变为小农场,并且不仅是这些土地,还要把王室和教会的所有地,也要由国家委托于农业合作社——不是使其变为合作社的永久所有物,而是要放在那把一切生活资料的源泉之土地的管理权,保证为社会所有的佃租契约之下"。(第58页)

最后之点,即关于经营主体的问题,在当时马克思主义者之间,有种种不同的意见。其最显著的事实,是在1869年巴泽尔(Basel)大会的争论,在当时,对于共同土地的农业经营,有的主张要归国营或市村经营,有的主张以佃租的方式,委托于各个农民,特别是农业合作社。

第三节　李卜克内西的《土地问题论》

与伯伯尔(A.Bebel)同为初期德意志社会民主党的主要人物的威廉·李卜克内西,从其所著《土地问题论》①看来,是研究马克思的农业理论及政策不可忽略的一人。当1869年巴泽尔大会的决议(一、"本大会宣言,社会有废止个人之土地所有权变为公有的权利";二、"本大会宣言,变土地为公有,是因为社会的需要")在德意志国内,成为议论的焦点之际,他以1870年在梅拉雷(Meerane)的讲演稿为基础,加以整理,于1874年,发行第一版,于1876年,发行第二版,以后就绝版了。本书直接的目的,是在于指摘并论证"巴泽尔的决议,站在土地问题的立场上,完全是正确的,反对巴泽尔的决议,不是非常的无智,就是恶意的表现;不仅如此,我党如果反对巴泽尔的决议,就是反对我党的原则,反对我党的纲领"②,其立论的基础,是严格的马克思的思想,其理论的要点,虽没有比爱喀柳斯有何特长,但是他能够把初期马克思主义的农业理论及政策,加以整理而使其展开,并且搜集了丰富的材料,渲染绚烂的文笔,使其议论生动,这就是本书存在的理由!

---

① Wilhelm Liebknecht, *Zur Grund-und Bodenfrage*(拙译《土地问题论》),2.Aufl.Leipzig 1876。
② 李卜克内西:《土地问题论》,第3页。

一、土地制度论

李卜克内西,首先从历史的理论的见地,试证论马克思主义的土地公有论,他先说明:"所有的观念,随着时代的变迁,发生了怎样的变化,即私有财产权,并未经古典的希腊文明所承认,而且在基督教以前也没有存在过;在罗马时代,在日耳曼时代财产的观念,虽说是强有力的发达,但是私有财产,仍是隶属于国家及地方团体,特别是关于土地所有,无论在什么时代,共产主义的见解,是在事实上支配着,或至少在理论上,曾为最卓越的学者所拥护。"①他发表这种意见以后,更进而论到为本书核心的土地制度论。

"在今日资产阶级的世界才有可能的两个土地制度——土地制度的两端——即零细地所有制度和大土地所有制度,成为特殊的国际的分业,前者在法兰西,后者在英吉利,真正模范地实现着。现在虽尚未达到最后的结果,但已经实行到相当程度,其最近的结果,在明眼人都可以看出。"②他首先举出法兰西的事实,其次举出英吉利的事实,对于土地制度的特色,及其所引起的经济的社会的结果,论证得极为详细。马克思派的农业理论,照李卜克内西的统计,究是怎样论证的,特在这里介绍一个大概。

法兰西土地制度的现状,是怎样呢?"在法兰西,据最近1861年的国势调查,人口约3800万人,地主之数,是784.6人。但法兰西的家属,平均讲来,比较德意志和英吉利的人数都少,就两个家属说,在英吉利是11人,在法兰西不过9人,虽然相当多数的地主,都可以看作是未婚的,而且法兰西全人口的大多数,大概都有土地。狂妄的德意志的自尊论者,暗地里,对于他点,总是说法兰西人的坏话,但对于他们的勤勉与理智之点,却从未加以否认。特别是把法兰西的农民忍耐勤勉的证据,在一切方面都表示出来。并且法兰西的农民,执拗于土地的观念,达到狂热的程度。这一点,就他们移住的决心极少的事实看来,就可以知道。关于这点,与德意志人比较,可以说差不多完全没有移住的事情。使法兰西的农民,固着于土地的最强的

---

① 李卜克内西:《土地问题论》,第25页。
② 李卜克内西:《土地问题论》,第37页。

士敏土,实是汗和血。这种汗,即是他们和他们的祖先在锄锹背后流下来的汗;这种血,实是他们的父亲和祖父们在法兰西共和国和帝国的战场上,为国家流下来的血"。[①]

　　这样看来,法兰西的零细地所有制度,是法兰西的农民用了非常的牺牲和非常的努力,交换得来,维持下来的。就是说,法兰西的零细地所有制度,是1789年大革命造成的。佃耕的小农地,在革命以前,虽已存在,但农民的自由农场,却差不多是没有的。但是粉碎了旧封建社会的革命,把佃农变为小地主,把叛逆的贵族及僧侣所有的广大的土地,宣布为国有,以分配于农民。当时外有反动的欧洲各国的联合进攻,内有旧王朝及贵族的反革命,农民对于这两者,都曾经最勇敢地为拥护共和国及革命而战。革命给他们以零细地,反革命想从他们的手中夺去。如果与外国得到胜利了,马上就要恢复到原来的土地所有状态,共和国的自由农民,或从其住宅与农场被驱逐,或必须再屈服于长期间已经压迫过他们的羁绊之下。因此,农民是为零细地而战,为革命而战。所以李卜克内西不禁三次地说:"零细所有地战胜君主政体的欧洲列国了,人们的自利心,从来没有比这回事情得到更大的目的,没有比这回事促进更强的人事。"

　　这种由农民的血汗所获得的零细地所有制度,当真是农民的乐园不是呢?换句话说,在法兰西占统率地位的零细地所有制度的结果,到底是怎样呢?

　　"老实说来,法兰西的零细地所有农民,在这80年间,是彷徨歧路,就经济的及物质的幸福说,他们现在的状况,与1789年当时的状况,完全是同样的! 他们在1789年,虽把贵族的居域与卖身的契约,同时付之一炬,可惜没有得到什么利益! 他们虽经过无数次的战争,血染三洲的大陆,可惜没有得到什么利益! 他们在75年之间,出死入生,饥寒交迫,也没有得到什么利益! 当真没有得到利益! 这决不是不愉快之梦,而是现实的苦痛和冷酷。他们这样勇敢地得到的零细地,获胜的敌人尚且不敢触手的零细地,却变了他们的重荷,变成他们的诅咒,变成断绝他们的呼吸的绳索了。他们以为永远不会再来的以前祖先所受的悲惨状态,却又降临到他们的头上! 他们与在1789年,是同

----

①　李卜克内西:《土地问题论》,第38—39页。

样的状态！"①

李卜克内西，到底根据什么来下这种峻刻的断案呢？第一是法兰西农民的抵押负债的状态。关于这点，李卜克内西先引用一个保守党议员都皇斯于1866年在法兰西立法议会的报告说："据1851年的国势调查，以所有地为抵押的债务，达到了百亿法郎。以后的状况显然恶化了。但是要使政府发表1861年国势调查的报告的一切尝试，都归于失败。……法兰西的地主，784.6万人之中，有365人，陷于不能支付人头税的穷状，这种事实，由市村议会可以证明的。"②他引用这句话以后，又接着说："据以后确实的报告，1861年，抵押债务，达到了120亿法郎。即10年间，增加了20亿，达到法兰西耕地估计总价值480亿法郎1/4的巨额！并且这20亿法郎的增加，差不多完全是负担在小农民身上，这是我们不可不注意的。从1861年到1870年的战争，债务的负担，至少又增加了20亿法郎。战争又是更加使农民陷于贫穷的东西！"③他宣布了法兰西农民的破产状态以后，更进而描写法兰西农民之悲惨的生活状态如次。

"法兰西的农民，是怎样生活呢？从1851年国势调查的统计中，取出下面的数字来看，是可以推知的。即34.6万户的农家，除门户以外，全然没有窗户；又有约200万户的农家，仅只有一个窗户！并且多数有家属，同居在这些住宅，拥挤不堪，两亲与既婚的子媳之家属，也同居在一起，我们看了这种情形，可以知道法兰西大半的小农，是生活在与古代的穴居民族同样的地穴之中，不仅生活的便宜、健康、体面，完全不能讲究。就是家庭的生活，亦属不可能。"④结果，在法兰西许多地方，小农家属，平均只有两个小孩，即实行所谓"二儿制度"的结果，法兰西的人口，一天天的只见减少。

李卜克内西以上述的统计为基据，引出了关于零细地制度总括的断案，得到小农经营劣败的结论如次。

---

① 李卜克内西：《土地问题论》，第42页。

② 李卜克内西：《土地问题论》，第46页。

③ 李卜克内西：《土地问题论》，第48页。

④ 李卜克内西：《土地问题论》，第48页。

＊　　　＊　　　＊　　　＊

"零细地制度,不仅使人口减少,并且使法国国土贫瘠。因为零细地制度,从土地所得到的收获,比在较实行合理的耕作时所得到的,要少很多。并且使土地更加贫瘠,变成不生产的,又使人口更加减少,使国家陷于绝对的零落。法兰西的零细农民,完全困于小农法和小生产而喘息着。因为他们太贫穷了,不能购买近代的农作所必要的高价的劳动工具,只得从事于绝望的懊丧的劳动,——劳动到从指甲中迸出血来的程度——,他们自己与土地,均陷于疲敝困殆。劳动浪费了,收获减少了,土地枯竭了,这是零细地制度对于大农法之经济的特征。"①

然则最完全的大农经营国英吉利的状态,到底怎样呢?

据李卜克内西所说,在法兰西,如前所述,总人口 3800 万人之中,地主是 784.6 万人,在英吉利则相反,总人口 3000 万人之中,地主仅有 3 万人,并且其中 160 人最富裕的大地主,有英格兰之一半及苏格兰 3/4 的土地。所以在法兰西,人口的多数,都有土地的所有权,但在英吉利,1000 人之中,有土地的人不过极少数,恰好每千人中只有地主 1 人。因为英吉利的土地制度,是这种情形,所以它的农业经营形态,和法兰西完全不同。② 关于这点,李卜克内西所说的是:"1000 人之中,有 1 个地主,或者家属的人数,平均以 5 个半人计算,190 个家属中,有 1 个地主家属,像这样比例的英国,自耕农阶级,自不成问题。英国只有地主,地主把巨大的所有地分为大地面,贷给借地农业者。在借地农业者方面,又准备大的资本,依照资本主义大规模生产的原则,经营农业,尽可能的,从工钱奴隶及由工钱奴隶所耕作的土地,剥削大的'利润'。这种工钱奴隶,就是农业劳动者。……农业劳动者与工业方面的工钱劳动者,同样是工钱劳动者。工业劳动者的工厂主或企业家,是相当于农业劳动者的借地农业者或地主,农场是相当于工厂。农业劳动者,依照工钱铁则,出卖其劳动力,其劳动的生产物,只能以工资的形态得到一部分。其余不给他们的部分,是成为借地农业者及地主的财富。这是随伴着由资本对劳动之最集积的

---

①　李卜克内西:《土地问题论》,第 49 页。
②　李卜克内西:《土地问题论》,第 51、116 页。

剥削而行的最集积的资本家的大规模生产。因此,其当然的结果,一方面,是形成莫大的财富,他方面,是招致可怕的贫穷,即是产生资本家及不劳动者莫大的财富,与生产财富的工钱奴隶可怕的贫困。"①

然则英吉利的土地制度所产生的财富和贫困,是什么呢? 这里只从李卜克内西所举的许多事实之中,摘记其一部分如次。"英吉利的地主,到底有多少财富,我们看了以下的事实,大概可以知道。布雷达尔崩侯爵,由其居地,驱车到海岸。沿途 100 英里,没有不是他自己的土地。莎查兰多公爵,在苏格兰,有一个完全的州,这个州,横断苏格兰全土,由一方的海岸,达到他一方的海岸。德汪些公爵。在他的大所有地以外,单是达比州,就有 96000 英亩。齐齐门多公爵,在格多特附近,有 4 万英亩,在哥尔登城周围,有 30 万英亩。沙塞克斯的洛化尔克公爵的庄园,周围 15 英里。……

在另一方面,我们来看农业奴隶的生活状态,到底怎样。他们的工钱,在各州,每星期不过是在 7 先令至 14 先令之间。这样低廉的工钱,是不够支付最必要的生活用品的。因此,他们妻子不能不一起来帮助,不能不从事于牛马般的剧烈的劳动——我敢说比牛马的劳动还要历害些。因无论一个什么农业者,决不会使牛马劳动到永久丧失其气力的程度的,可是他们夫妻子女们却不能不从事于比牛马更辛苦的劳动,不能不度着比牛马更可怜的生活——实际不能说是生活。对于牛马,尚且有规则地给以充分卫生的食料,而农村贫民的食料,据统计所证明,却是既不充分,又不卫生,而且又不规则。他们住的地方,比牛马住的更坏,更加千百倍的坏,因为农业者所有的马厩、狗窝、猪栏等,比较起农业无产阶级的茅屋来,俨然是宫殿了。"②

因为在这种状态之下,存在于英吉利的私的大农经营,比较小农经营,虽得到很多的生产额,但是总不及完全合理的组织了的生产经营所能得到的生产额那样多,——照李卜克内西计算,英吉利的农业,如果以合理的方法来耕作,可以养活现在八倍的人口③——因为土地的私有者,只把自己的利益,放在眼中,只要能够得到更多的"利润",收获的多少,在地主与借地农业者看

---

① 李卜克内西:《土地问题论》,第 57—59 页。
② 李卜克内西:《土地问题论》,第 59—108 页。
③ 李卜克内西:《土地问题论》,第 110—111 页。

来,是没有关系。

李卜克内西关于英法两国土地制度的见解,更为总括的结论如次。

"在法兰西,土地分散于多数人之手,进行小农的经营,一般农民陷于负债。虽不是工钱奴隶,但是一种抵押奴隶,即资本之间接的奴隶,其大多数是生活于非常悲惨的境遇。因为资本的缺乏,土地的耕作,是不合理的。劳动的生产力,是贫弱的,并且劳动是无意味的浪费,以致收获缺少。这样,法兰西的零细农民,是为债权者而劳苦着,正和英吉利的农业劳动者,为借地农业者与地主而劳苦着一样。

"在英吉利,土地集中于少数人之手,进行资本主义的大农经营,独立的农民阶级,殆灭绝到没有痕迹了。没有自由农民,只有不幸的工钱奴隶,在强制劳役场,从事于辛苦的工作。反之,耕作的方法,是利用科学与资本所提供的有利的技术——不待说,只限于适合于地主及借地农业者的利益之范围内——,进行比较合理的耕作。其结果,劳动的生产力,是加强的,但这完全是为地主及借地农业者所利用的。

"法兰西的土地制度,使国家零落,农村零落,农民零落。如果不是以国民的幸福为目标的合理政策,预先干涉,一般的破产,是不能避免的。小农场毕竟是归于资本家的债权者之所有,或是归于在竞卖时能出最高价额的最富裕者之手,自然移转到英吉利式的土地制度。

"然则英吉利的土地制度是怎样呢? 英吉利的土地制度,虽是使比较合理的土地耕作有可能,但是从劳动民众手中,夺取其果实,归之于少数的独占者之所有。这种制度,对劳苦的土地耕作者,宣告绝望的贫穷,把无限的财富,集中于寄生虫的所有权者之手。他们把这种财富的一部分,荡尽于放恣的行为,他一部分,以最腐败的手段,确立他们经济的及政治的支配。英吉利的土地制度,在最近的将来,一定会使一切的土地,集中于少数富豪的联合之手,任意所欲的剥削土地所产生的结果,任意所欲的使民众陷于饿死的状态。"[①]

我们在这里可以看到马克思派的小农经营劣败和大农经营优越论,似乎是以夸张的预想,描写出来的。

————————

① 李卜克内西:《土地问题论》,第120—123页。

以上，李卜克内西论述了英法两国土地制度以后，更详细地论到了德意志的土地制度及其结果，这里只介绍其主要部分，以窥知他是以怎样大胆明快的态度，发表农业发达的法则之见解。

先看德意志的土地制度的现状，到底是怎样？"在德意志，因为是联邦的组织，缺乏统一的政治的发达，所以土地制度，也没有向着统一的方向发展。在各联邦及各地方，有种种土地所有的种类和变种，农村住民的关系及其状况，因而也是各色各样的，在北东德意志，特别是在普鲁士的东部地方、东部荷尔斯坦及梅克连堡，经营英吉利式的大农业，在莱茵河沿岸及西南、中部德意志，经营法兰西式的细分地制度。照这样，德意志的土地所有状态，是往来于英法两制度之间。即一方面，实行英吉利式的制度，他方面，又有法兰西式的制度，不仅那发达程度，因各地而不同，并且在许多地方，两种制度，同时并存，互相龃龉不已……"①

然则将来的发达，是走向哪一方面呢？"在德意志，有两三个地方，农村住民的状态，没有英法那样坏，这是我们可以承认的。同样受经济法则所支配的德意志的工业状态，一般地说来，是没有发达到英法两国，特别是到英国的程度。但这于德国的状态之正确地更加迅速地向着同一方面前进一事是没妨碍的。——依今日社会组织的规则，德意志的北部及东部地方，是向着英吉利的状态前进，南部及西部地方，是向着法兰西的状态前进，但结果要向着同一的方向前进，就是说，如果这种发达不在适当的时期，导入于健全的轨道，小农场必然被并吞，其结局是向着英吉利的状态前进的。"②

即是，马克思的资本集中及积集论，在土地方面，也是明确地如实地被适用着。

二、土地政策论

李卜克内西对于土地的私有制度，是怎样影响于土地的耕作者，以及他们在英吉利、在法兰西、在德意志，怎样陷于悲惨的状态等事，详细说明之后，更

---

①　李卜克内西：《土地问题论》，第 132—133 页。
②　李卜克内西：《土地问题论》，第 134 页。

论道："在私有财产制度支配之下,农业的耕作,无论在什么地方,无论在什么经营形式,总是以吸尽地力为目的,而其既已使地力至于枯竭,并且必会使地力至于枯竭,这是一种科学的证明,毫无疑问的事实。"①他又引用"有机化学及农业化学之天才的创立者李比西(Liebig)"的话来论证,以达到他的土地政策的结论。

他首先表明其根本的态度说："不除去其原因,就不能除去其结果,这在相信理性的人们是认为不可争的真理。零细地制度与大土地所有制度这种双生子的毒树,是由土地私有制度发生出来的。只要土地私有制存在,这种毒树,就会由生叶而开花而结实,只给予少数者以利益,而灭亡多数的民众,毕竟还是要灭亡一切。想从这树除去其有害的性质,一切的努力,都是无效的。因为这是与这树的生存条件相矛盾。在这里,或是承认一切的罪恶? 或是进行彻底的改革? 在这两种方法之中,只能选择一种。换句话说,我们还是任听其灭亡呢? 还是绝其祸根,废除土地私有制,而代以公有制呢? 二者必居其一。"②

李卜克内西更论到土地没收问题,先从英吉利的土地问题着手。

"没收是改良土地制度的要求条项,但是所谓没收,不是即刻夺取从来的私有者之一切土地,变为国有的意思。不待说,在英吉利,马克思所谓'掠夺者的掠夺'——即不用过渡手段的为短刀直入的没收——,上了议事日程,当打破阶级支配之际,一切的事情,确已成熟到了英吉利无产阶级最初的行动了。在英吉利,私有地是使民众成为奴隶的最重要最显著的手段,是阶级支配的主要支柱——少数者的独占,在一切之点,是最妨碍公安,对于民众,是不利益的。正当的利益,不仅一点也没存在于土地所有,反为土地所有所妨碍。因为这样,问题就明显,就可以解答了。因此,在英吉利的劳动者之间,意见是完全一致的。英吉利的代表者在巴泽尔大会的投票,事实上是英吉利的无产阶级对于土地问题的投票。"③

其次,李卜克内西论到法兰西及德意志的土地没收问题,发表他对于农民

① 李卜克内西:《土地问题论》,第236页。
② 李卜克内西:《土地问题论》,第247—248页。
③ 李卜克内西:《土地问题论》,第281—282页。

政策的见解。

"在法兰西,特别是在德意志,问题没有英吉利的那样简单。不待说,农业劳动者是赞成土地制度之合理的改造,就是不赞成的,也很容易引为自己的朋友。但是小农,在事实上,不管他是真正的无产阶级,或是迫不得已,被赶到无产阶级,他们大部分还是固执着'所有地'的观念——虽然大概只是名义上想象的所有。没收布告,是毫无疑义地可以引起多数小农激烈地反抗,或使其公然叛乱。因此,要以深刻的注意,并且尽可能地顾虑到他们的偏见与想象的利益,去进行这事。并且要极力避免一切使小农怀疑我们是他的敌人的事情。……

"照这样,国家要周到地避免采用在事实上或外表上有损伤农民的利益之政策,同时,要努力使农民知道国家是农民真正利益的代表者。这种办法,必须要使他们有组织地明了其真正的利益之所在,使他们确信他们自己已陷于绝望的境地。与这种理论宣传的活动相策应,同时要讲求直接减轻农民负担的实际政策。即,首先就要把抵押债务,移转到国家。这样,农民才可以避免恶辣的私的债权者的毒手。但这决没有强制执行之必要,所以国家提供于农民的利益,会成为充分的引力。这即是利率的减低,是对于突然提出解约的保证,是将来认为必要的贷借的准备。但是这些利益,要在一般的幸福的条件之下,即农民要负担合理的耕作之义务,及在国家援助管理之下,渐次变更个别的小经营为合作社的大经营的条件之下,提供出来。地方团体和乡村,是一个自然的合作团体。再则凭借小学校的适当的教育及建设农业大学——在自由的民众国家,一切的教育,自然是不纳费的,——以普及农业上必要的知识。

"在德意志,幸而还有非常多的国有地,可以创设农业殖民地,这是具有一种使命,可用来依照社会主义的原则去组织,直接作为国家而生产,而且可以作为模范农场的。

"断不可为那好并吞国有地或共有地的资产阶级,去分割这些土地,反之,国有地当取得周围的土地,使其更加扩大。无论何种的零碎化,就是一见好像是为无产阶级谋利益的零碎化,都是有害的。变农业劳动者为零碎地所有的农民,这只是变更经济的隶属与贫困的形式而已。

"要强硬地防止对于农业无产阶级的剥削和虐待,要废弃那束缚农业劳动者于土地和故乡的农奴契约,要废止闷死的小屋与热病的巢穴,代以适合于卫生学的要求与脱离建筑投机业者之手的住宅。

"国有地即刻就可以收容很多的农业无产阶级。……国有地是将来社会结晶的中心核实。这就是共同团体的模范,一方面,依模范的实例,以鼓舞人们,他方面,以正当的竞争,为成绩优良的模范组织。孤立的土地私有者,不久便不能和这种竞争相敌,结局一定欢喜地赞成没收。私的组合,亦不能长久维持下去的。因为组合员可以看到:放弃形式的私有财产,直接以国家的计算来劳动,无论为他们自己,或是为社会全体,都是更加有利益的。如果还有不注意到这一点的人,那么,对于这种人,一切妨碍公安的事情,就都不许他们担任,在这种条件之下,许他们'私有财产所有者'以任由己意解脱痛苦的'自由'。于公共的利益绝对没有必要的限度内,民主的社会民主主义的国家——这里成为问题的,就是这些国家——决不会加以强制。……"①

李卜克内西,一方面,维持土地国有及大农经营主义的理想,他方面,殆高唱绝对不干涉主义,这是我们不可不注意的。李卜克内西更进而论到无产阶级与农民的关系,说"要使我们的斗争努力,不至于绝望,一定要有农业劳动者与小农"。他又论到社会主义与农业的关系,再三主张只有社会主义能够救济农业及农民。他说:"无疑地因时代的进展,都市与田园的对立,一定会消灭的,同时,都会与乡村的区别,工业与农业的分离,也一定会消灭的。"这话,是依据马克思指示着社会之发达的极终目的。

---

① 李卜克内西:《土地问题论》,第 287、288、289、290、291 页。

第四章　考茨基的农业理论及政策

第一节　考茨基和农业问题

考茨基,如一般所知,是恩格斯以后的硕学,而被称为马克思主义的明星的人,特别是在 19 世纪末叶伯伦斯泰因(Bernstein)一派的修正派社会主义出现时,他对他们做过最勇敢的斗争,拥护马克思主义于磐石之安,这种事实,至今犹脍炙人口。其中,对于成为争论焦点的农业问题,他始终站在马克思主义的见地,张起堂堂的战阵,对于马克思主义农业理论的发展,确有很大的贡献。

考茨基在他许多著作之中,多半不忘记论列农业问题,其中如 1889 年所著的《农业问题:关于近代农业各种倾向之概观和社会民主党的农业政策》①,把他自己关于农业问题的造诣,在基础上在全体上,构成一个大系统,在马克思主义农业学说史上,他的地位,实有重于大吕九鼎之概。

当时自德意志社会民主党起,以至欧洲各国社会党之间,关于农业问题,议论纷纭,其原因就因为最近农业发达的实际状态,不一定与马克思主义的理论相符合。即,依照统计的证明,大农经营,渐趋衰落,小农经营,却占优势。因此,便有人怀疑,以为把马克思的经济理论,应用到农业方面,是错误的。但是这种理论,如果当真不适合于农业实际,那么,不仅社会党从来的战术,就是它所根据的原则,当然也不能不受变革了。于此,便有一派就走到修正派社会主义方面去了。就是留在马克思主义阵营的人们,也就苦心焦虑于怎样从马克思主义的见地去说明这种理论与现实的矛盾至少说明这种表面上的矛盾的

---

① Karl Kautsky, *Die Agrarfrage: Eine Uebersicht über die Tendenzen der modernen Landwirtschaft und die Agrarpolitik der Sozialdemokratie*, Stuttgart 1899.

问题。考茨基就是适应这时代要求而起的一人。他的功绩，就是这里所说的《农业问题》一卷。这部书的使命。正如著者所说，"农业发展的事实，对于'马克思的教义'，引起了很大的怀疑。这种怀疑到底正确到什么程度，这是我们应当弄清楚的。"①

考茨基在这部书的劈头，关于站在马克思主义的立场以研究农业问题的方法，有一个重要的意见。

他首先对于主张农业非资本主义的发展论者单把农业分离出来以研究农业的态度，加以批评说："农地的大小，到底哪一种更有利益呢？这个问题，在最近百余年以来，是经济学者争论的焦点，至今还没有得到一个结论。但是理论家争论大小农地优劣之际，农业并不因这种争论，而妨碍它伟大的发展。这种发展的事实，完全没有争论的余地，我们可以明确地去探究它。不过我们要研究这种发展时，却不仅限于观察大小经营间的斗争。我们离开社会生产的全体构造，而仅仅观察农业一方面，那是不可以的。"②

其次，对于说马克思主义，是机械地把农业和工业的发展法则视为同一的非难，他也给了明确地回答说："农业的发展，不是与工业采取同一形态，各为特殊的法则所支配，这是毫无疑义的。对于这个问题，我以为早已没有议论的余地。虽说如此，却决不是说农业的发展和工业的发展相反而与它不能调和的。我们相信：如果不把农业和工业看作是互相孤立的，而把它们看作是全体过程中共通的分支时，那么，我们一定可以看出这两者是向着同一目的急进的。"③

然则马克思农业问题的研究方法，若是稍或具体地说明起来，究是怎样呢？考茨基回答如次。

"马克思关于资本主义的生产方法的理论，并不是单单把这种生产方法的发展归着于'由大经营驱逐小经营'的方式里面。所以这种理论，并不是那

---

① Karl Kautsky, *Die Agrarfrage：Eine Uebersicht über die Tendenzen der modernen Landwirtschaft und die Agrarpolitik der Sozialdemokratie*, Stuttgart 1899., Vorrede, S.VIII.

② IKarl Kautsky, *Die Agrarfrage：Eine Uebersicht über die Tendenzen der modernen Landwirtschaft und die Agrarpolitik der Sozialdemokratie*, Stuttgart 1899., S.5-6.

③ Karl Kautsky, *Die Agrarfrage：Eine Uebersicht über die Tendenzen der modernen Landwirtschaft und die Agrarpolitik der Sozialdemokratie*, Stuttgart 1899., S.5-6.

样简单,不要以为只要能够谙记这个方式,就算是已经把握着全部近代经济的关键了。

"人们如果站在马克思的方法的意义上,来研究农业问题,那就不能单以小农经营将来存在与否这个问题,为研究的问题。农业资本主义的生产方法过程中所受的变化,我们都必须一一加以详细研究。资本究竟怎样支配农业、变革农业,并使旧生产形态所有形态不能维持,而引起新的生产及所有形态的必然性;对于这些问题,我们必须加以详细研究。

"答复了这些问题之后,我们才能看出马克思的理论,到底是否适合于农业? 才能看出生产手段私有制度的废除,在一切生产手段中最重要的土地之前,到底是不是必须停止?"①

考茨基在这种态度和方法之下,对于复杂的农业问题为分析的研究,毕竟得到了显著的成绩,使列宁都赞叹不置地说:"这本书,可说是:对于在一切国家中,即以共通的见解相结合的并自命为马克思主义者的著述者之间,过去和现在都唤起如火如荼的争论的问题,实是最初有组织的科学的研究。"②此外,考茨基对于农业上新发生的事实,加以考虑,在 1919 年,又发表了《农业之社会化》一书,但根本思想,与前者毫无差异。因此,在这里多半是根据前者,有必要时,才引用后者,以介绍考茨基农业理论及政策的大纲,借此可以窥知考茨基对于马克思以来的农业理论及政策,是怎样地加以补充和发展。

第二节　资本主义社会的农业发展

一、近代农业的特征

考茨基在《农业问题》上首先叙述封建的农业之根本的特征——三圃农法的支配、三圃农法为领主大经营所制限、农民的饥饿——,论到三圃农法怎样变成农业发达的桎梏,再论到这种经济的社会的条件之成熟所发生资产阶级革命,一方面撤废了封建的负担及制度,他方面废除了原始的土地共有制的

---

① Karl Kautsky, *Die Agrarfrage:Eine Uebersicht über die Tendenzen der modernen Landwirtschaft und die Agrarpolitik der Sozialdemokratie*, Stuttgart 1899., S.5-6.
② 列宁著,直井武夫译:《农业方面的资本主义》,第 1 页。

残余,以至于完全树立土地私有制度一切的径路。这样论证了资本主义的农业出现的必然性之后,就更进而在第四章论到近代农业的特征。

据考茨基的意见,新农业的使命有二:一是开展了在封建制度下被压抑的农业生产力,一是创造了对于市场需要的更大的适应能力。[①] 这两种使命到底要怎样才能完成呢? 于此,我们就不能不考察资本主义在农业中所发生的重大的变革过程。考茨基关于这点虽描写地非常周到而且富有精彩,而大要不外是从资产阶级革命所发生的生产关系的变革和近代自然科学的发达这两个视线,来考察农业变更的影响。

在那随生产关系的变革而起的经营方法的变迁中,考茨基首先重视的,是家畜饲养法的改良,他说因为这个改良,不仅家畜头数增加,同时,耕地也增加,生产力也增大。即是,因为三圃农法之下的共同牧场制的撤废和共有地的分配,家畜开始在厩内饲养,牧地变为耕地,其一部分可以栽培新的饲草,他部分可以进行耕作,所以家畜的头数增多,谷物的栽种也增加了。关于成为这种结果发生出来的农业生产力的增大,考茨基证明如次。"家畜头数的增加,使耕地获得了更多的肥料与更多动物的劳动力。因为革命的效果,不仅耕作地面增大,并且耕作地一定面积的收获也增加了。据在法兰西的调查,1公顷(Hectare)的小麦平均收获额如次(单位公石 hectoliter)。

1816——1820	10.22
1821——1830	11.90
1831——1840	12.77
1841——1850	13.68
1851——1860	13.99
1861——1870	14.28
1871——1880	14.60
1881——1890	15.65
1891——1895	15.83"[②]

---

① Cf.Kautsky, *Die Sozialisierung der Landwirtschaft*, 2.Aufl., Berlin 1921.

② Kautsky, Agrarfrage, S.34.

但是生产关系的变革,其影响不止于此,在三圃农法之下的强制耕作制度,既经废弃,同时,代替三圃农法而从新出现了轮栽农法,由于这种新农法,"为要适应变化多端的栽培条件及市场条件,于是非常多数作物的结合,就成为可能,这种结合,随着因交通的发达和科学的研究而介绍新作物于欧罗巴的农业,就增加起来了。据黑开说,中欧的农业,总括起来,大约采用了百种的作物"。①

但是轮栽农法发达的结果,各个农业经营间的分业,也必然跟着发达。"现在以市场为目的的生产,既已经开始,同时那以竞争为目的的生产,也随着开始了。现在就各农业者看来,在有需要的生产物之中,就那土地的地质、地位、交通关系、资本力及其所有地的面积等观察起来,就有选择那能够最低廉地生产的生产物之必要。因此,各个农场,就发挥了特殊的专门。有的选择牧耕,有的选择牧畜,有的选择果树的栽培。农耕民及牲畜家,其中又分为许多种类,例如牲畜家,有的从事制乳业,有的从事于豢养家畜的生产,有的从事于幼蓄的饲养等。"②

在这种经营相互间发生的分业之外,在经营的内部,至少在大经营的内部,分业也逐渐发达。

如此,农业更加变成专门的,专从事于特殊生产的人们,其所需要的许多东西,就更加要仰给于他人,因而交易日形发展,同时对于不熟习市场情形的,并且动辄要陷于穷迫状态的小农,遂开始隶属于中间商人。"一般地说来,商业及交通,大概日益发达,资本的蓄积越发变革交通状态,因而农业对于商业的隶属,也日益增大了。"③

以都市资本为基础的这种变革,固然是增大了农业者对于市场的隶属,同时,又不断地变更市场对于农民的关系,以至影响于农业的经营。"在仅仅只是一条国道来把最近的市场联络于世界市场的时候,曾经有利的生产部门,一

---

① Karl Kautsky, *Die Agrarfrage: Eine Uebersicht über die Tendenzen der modernen Landwirtschaft und die Agrarpolitik der Sozialdemokratie*, Stuttgart 1899., S.35.

② Karl Kautsky, *Die Agrarfrage: Eine Uebersicht über die Tendenzen der modernen Landwirtschaft und die Agrarpolitik der Sozialdemokratie*, Stuttgart 1899., S.39.

③ Karl Kautsky, *Die Agrarfrage: Eine Uebersicht über die Tendenzen der modernen Landwirtschaft und die Agrarpolitik der Sozialdemokratie*, Stuttgart 1899., S.37.

到该地方敷设铁道,就变为不利,就不能不为别的生产部门所替代。例如一旦由铁道输入了更低廉的谷物,其结果,该地方谷物的栽种,就收支不能相偿,同时就开阔了牛乳贩卖的可能性。要之,交通发达的结果,一方面,可以把新的或改良的作物,不断地输入到国内来,他方面,又能够从远隔的地方,购入种畜及役畜等。"①

如此,基于由资产阶级革命所起的生产关系的变革,农业的经营方法,由三圃农法,进而为轮栽农法,家畜的饲养被改善了,耕地的耕作被改良了,收获也增加了。农业的专门化,和各个农业经营内的分业,有显著的发达,同时,农业对于商业的隶属关系,也逐渐增大了。

近代自然科学,如机械学、化学、植物生理学及动物生理学等,被应用于农业的结果,近代农业伟大的变革过程,就达到了可惊的高度。

关于这点,考茨基首先论到农业方面的机械,他对于农业机械的特殊性,指摘得特别周到,这是我们应当要注意的。他注意到"机械经营,应用在农业方面,比较应用在工业方面,还有更大的困难必须克服的"事情,把这种困难分为技术的、经济的及社会的三方面去说明。

第一是技术的困难。在工业方面工厂可以适应机械的要求,为人为的设计,在农业方面则不然,使用机械的场所,大抵为自然所创造,机械不能不适合于自然。因此,机械的应用,不一定很容易,而且有时完全不可能。照通例,土地如果不进行高级的耕作,农业机械的应用,是很困难的。

第二,机械在农业方面的应用,又有经济上的困难。在工业方面,一年之中,常常可以应用机械,在农业方面,一年之中,只有短期间可以应用机械。因此,假定别的事情都是一样,而机械对于劳动力的节省,农业到底不及工业,农业应用机械的收益力,不得不大受制限。

在资本家生产方法之下,机械使用的动机,不是直接在于节省劳动力,而是在于节省劳动工资,这样一来,机械应用于农业方面就成为更大的障碍,因为工资愈贱,机械的采用愈加迟缓,农村的工资,普通比都会的工资更低,所以

---

① Karl Kautsky, *Die Agrarfrage；Eine Uebersicht über die Tendenzen der modernen Landwirtschaft und die Agrarpolitik der Sozialdemokratie*, Stuttgart 1899., S.38.

采用机械来替代劳动者的诱因，也更加缺乏了。

第三，农业方面，采用机械，还有社会的障碍，因为可以使用农业用机械的农村劳动者，是很缺乏的。工业上的机械作业在普通的劳动者，不仅没有什么困难，并且工业劳动者，因为不断地使用同一的机械，很容易达到熟练的程度；农业用机械则不然，往往是非常复杂，在其处理上，必要有高级的智识，在文化程度低落的农村，要得到这种劳动者，是很不容易的。加之，农业劳动者，不是在一年之中，都使用同一的机械去劳动的，所以要想熟习于农业用机械的使用更是不容易的了。

考茨基最后又指摘着："农业经营，大抵是隔离铁道及机械工厂很远的地方，粗重的机械之搬运，以及特别复杂的机械之修缮，都是非常困难，而且需要很多费用，这也是妨碍农业方面采用机械的一个原因。"①

但是考茨基说："虽有这些困难，而机械在农业方面的应用，确是急剧地增加着。"他更对于各国采用农业用机械的状态，作统计的说明，并且区别机械使用的目的为三种，一种以节省劳动力为目的的（打禾机），一种是以工作的精密为目的的（播种机、肥料撒布机、谷物簸筛机），一种是以发挥巨大的力量为目的的（蒸汽犁、电汽犁等），详细说明农业变革的作用及使用机械之资本主义的性质、与机械对于劳动者的影响，再进而说明机械成为进步的要素之意义。

其次，考茨基论到近代化学对于农业的影响，赞赏李比西（Libig）在这方面功绩的伟大；其中，他叙述因人造肥料的发明，无论在技术方面、在经济方面，都使其有达到近代农业之顶点的自由农法之可能；最后，又说明因为生理学特别是基于显微镜的使用的细菌学的发达，以致农业发生变化的状态。

要之，因为近代自然科学发达的结果，在农业方面，机械的采用，蒸汽力的应用，才有可能，才有急剧的发展。电气也开始应用于农业方面，将来的作用，比较蒸汽力会更大。排水和灌溉的设备、乡村铁道的敷设、适合于一定植物生理的人造肥料之使用、细菌学在农业方面的应用等，也前后发达起来了。

①　Karl Kautsky, *Die Agrarfrage*; *Eine Uebersicht über die Tendenzen der modernen Landwirtschaft und die Agrarpolitik der Sozialdemokratie*, Stuttgart 1899., S.38−39.

考茨基像上述那样说明了近代农业各种的特征以后,最后又作如下总括。

"由封建时代的三圃农法,到19世纪的自由农法,其间所经过的变迁,是怎样的伟大呵! 并且这种变革的大部分,只经过了数十年很短的时期! 李比西之破天荒的研究,在1840年,刚才开始,到50年代,才得到一般的承认。这是与蒸汽机关应用于农业,细菌学为农业显出实际的效用(1837年,蚕之紫班症的杆状细菌及发酵菌的发见,1848年,脾脱疽细菌的发见),在同一时期。

"以前的农业,在一切的产业中,是最保守的,在一千年长久的期间中,差不多完全没有进步,并且在其间数百年之中,绝对没有进步,但是到最近数十年以来,在近代产业中,虽不能说是最革命的,亦可以说是最革命的产业之一了。农业适应于那变革的过程,从父子相传的唯一的手作业,发达到一种科学了,或者说是发达到那很迅速地扩大其资料和理论的认识范围的诸科学之综合。"①

二、大农经营和小农经营

"要使农业由封建时代的阶段,进到近代的阶段,并使它适应于那继续显现的技术和经济的进步,在过去和现在都需要货币——需要很多的货币。这是无须加以证实和说明的。

"假如没有货币,近代的农业经营,是不可能,或者把货币改说为资本也好。因为在今日的生产方法之下,货币额无论多少,凡属不能供个人消费之目的用的,普通都是可以变为产生剩余价值的价值,即变成资本。

"这样看来,近代的农业经营,即是资本主义的经营。因此,近代的农业经营,自然具备在资本主义的生产方法里所固有的各种特征。但是这些特征,在农业方面,采取特殊的形态。"②

考茨基为要阐明"近代农业之资本主义的性质"(第五章),他解释了马克思的价值论,利润论及地代论以后,就论到"大经营和小经营"(第六章)。列

---

①　Karl Kautsky, *Die Agrarfrage：Eine Uebersicht über die Tendenzen der modernen Landwirtschaft und die Agrarpolitik der Sozialdemokratie*, Stuttgart 1899., S.52.

②　Karl Kautsky, *Die Agrarfrage：Eine Uebersicht über die Tendenzen der modernen Landwirtschaft und die Agrarpolitik der Sozialdemokratie*, Stuttgart 1899., S.56.

宁曾批评这一章是"考茨基著作中的白眉"①,是考茨基以极周到的注意,论证马克思以来的大农经营优越论,并驳斥当时以非常气焰抬起头来的小农经营辩护论。

考茨基说:"农业愈资本主义化,大经营和小经营之间,技术品质的差异,愈加增大"②。然则大农经营比较小农经营,其技术的优点,到底在什么地方呢?考茨基曾经引用统计和专门家的研究,详细叙述了大农经营技术的优点,这里只介绍其要点如次。在大农经营方面,(一)耕地面积的损耗较少,(二)可以节省有生及无生之生产手段,(三)可以比较完全地利用农具,(四)有能应用小经营所不能应用的机械的可能性,(五)可以实行分业,(六)可以实行在科学上被训练了的管理方法。但是大经营的优点,考茨基曾经明白地断定着,是"只限于其他的条件,是在相同的情形"。换句话说,"其他的条件,在相同的情形,农民阶级中较大的经营,对于较小的经营,是优越些。就是在大经营的阶级内,在达到一定界限为止,大经营也是优越于小经营。反之,在农民经营和大经营的界限点,就显现黑格尔所说由量到质的转化,结果,在这界限点的农民经营,比较有科学教养的农业者所管理的较大的经营,纵令在技术方面,得不到优越的地位,但在经济方面,可以得到优越地位的"③(这固然是因为在大经营方面,科学的管理费是很大的担负,而农民的经营,却没有支出这种费用的必要)。

考茨基更指出排水和灌溉的设备以及乡村铁路的敷设等事,只有在比较广大的区域是有利益的一层,也要算是大经营对于小经营的技术的优点之一。

考茨基指出大经营在生产方面的优点以外,再举出大经营在商业信用方面的许多利益,说"大经营对于小经营的优点,无论在什么方面,没有比在商业方面更大的",并且详细论到无论对物信用,或对人信用,农民到底不是大农业者的敌手。

---

① 列宁著,直井武夫译:《农业方面的资本主义》,第91页。

② Karl Kautsky, *Die Agrarfrage:Eine Uebersicht über die Tendenzen der modernen Landwirtschaft und die Agrarpolitik der Sozialdemokratie*, Stuttgart 1899., S.92.

③ Karl Kautsky, *Die Agrarfrage:Eine Uebersicht über die Tendenzen der modernen Landwirtschaft und die Agrarpolitik der Sozialdemokratie*, Stuttgart 1899., S.100.

如此,考茨基引用"克雷玛"教授所说"……近代农业的发达,对于大经营,提供了比较丰富的科学及技术的补助手段,使与管理人的专门教育,相须并进,而在这一切方面能够保持优越的地位"①的话,对于大农经营优越论,告一终结,再进而论到小农经营。

"小经营对于大经营的这种长处,有什么可以和它对抗呢?"考茨基自己发出这个疑问之后,作如下的回答:"小独立农业者与工钱劳动者不同,为自己而劳动,比较劳动者,有较大的勤勉与较周密的注意,并有为农业劳动者所不及的节俭。"②

所谓农民的勤龟,是小农经营辩护论者必拿出来作为证据的一点。例如最热心的代表者弥尔(J.S.Mill)在他所著《经济原论》中,引用下面一段话:"农民夙夜勤龟,孜孜不倦,这是由于他们意识着为自己而劳动。他们终身勤劳,毫无间断。只有他们在一切力役的兽类中,总算是最刻苦的、最不休息的,最坚忍的……",这样称赞小农民"殆有超人的勤龟"。并且从事于这样过度劳动的人,不仅是农民自己,他的家庭也是一样。农业是和工业不同,因为家计与经营密接的结合,更加要拼命劳动的。

但据考茨基的见解,像小农这样的劳动者,决不是由于他们固有的特质,是在于要想维持其最困难的经营,不得已而出此,无论从那点看来,这都不能看作是小农经济的优点。他说:"农业日益变为科学的,合理的经营和嵌入小农的模型的经营,彼此间的竞争,也日益强烈,因此,后者就越发增大了剥削小孩的劳动力与限制他们的教育之必要。因而小独立农业者及其家族的操作,更为紧张,即使忽视一切伦理上及其他的顾虑,而单就经济的见地来观察,亦看不到小经营有什么优点。"③

其次,说到农民俭约之点,他们的生活标准,往往赶不上工钱劳动者,这是毫无疑义的事实,考茨基关于法兰西、英吉利及德意志的农民悲惨的生活状

①　Karl Kautsky,*Die Agrarfrage:Eine Uebersicht über die Tendenzen der modernen Landwirtschaft und die Agrarpolitik der Sozialdemokratie*,Stuttgart 1899.,S.105-106.

②　Karl Kautsky,*Die Agrarfrage:Eine Uebersicht über die Tendenzen der modernen Landwirtschaft und die Agrarpolitik der Sozialdemokratie*,Stuttgart 1899.,S.106.

③　Karl Kautsky,*Die Agrarfrage:Eine Uebersicht über die Tendenzen der modernen Landwirtschaft und die Agrarpolitik der Sozialdemokratie*,Stuttgart 1899.,S.108.

态,依据丰富的材料,以证明农民的俭约,并不是由于农民本来的性质,他们只有在非人的生活状态之下,才能维持其小经营。其中考茨基指出"农民的饥饿技术,是引起小经营的优点",关于这点,并且引用过巴登所举的实例,但这是一个很有兴趣的实例,顺便介绍出来。这个实例,是巴登在比梭芬根村,比较了大小两个农民经营的实例。据这实例说,一个耕作 11 公顷的较大的农民经营,损失了 933 马克,一个耕作 5.5 公顷的较小的农民经营,却得到了 191 马克的剩余。这个实例,到底是不是证明小农经营的优点呢? 不是的。前者是专靠工钱劳动耕作的(这是一种特别不得已的情形,其实,这种面积过小,不能以大经营的利益,来弥补工钱劳动的不利益),后者是专靠所有者及其家族(老婆及六个长成的小孩)来耕作的。前者的劳动者,1 人每日要 1 马克的食料费,后者的家族,1 人每日只要 48 个辨尼即等于前者之一半。这就是前者损失 933 马克,后者剩余 191 马克的原因。假使小经营的农民家族得到与大经营的工作劳动者同样良好食料,结果,不仅没有 191 马克的剩余,反要生出 1250 马克的不足。因此,考茨基说:"小农民经营的剩余,不是从充实的谷仓生出来的。而是从枵腹的胃袋内生出来的。"

在小农经营,不仅所有者他自己,就是小孩子和老年人,都要断绝一切的生活欲望而从事于辛苦的工作,才能勉强得到比较大经营更大的利益,这决不是在劳动的生产力上的优点。所以考茨基断定地说:"在我们看来,小农民度着非人的生活,与他们从事过度的劳动相同,都不是小经营优点的意义。这两者都是对我们证明小经营在经济上,是落后的。两者是经济的进步之障碍物"。他更附带地说:"保守的政治家,把这种野蛮状态,作为资本主义文明最后之盾,要用尽一切手段去维持它,这当然是可以理解的。"①

最后,农民当劳动时比较工钱劳动者更加能够注意周到,关于这一点,考茨基认为这事比较农民的勤勉与俭约,确是一个优点。因为注意的周到,在农业生产上,比较在工业生产上,有更大的作用,并且在这一点,为自己而劳动的农民,比普通的工钱劳动者,确是要优越些。这确实是小经营对于大经营的

---

① Karl Kautsky, *Die Agrarfrage: Eine Uebersicht über die Tendenzen der modernen Landwirtschaft und die Agrarpolitik der Sozialdemokratie*, Stuttgart 1899., S.112

长处。

但是考茨基同时又以为我们对于这个优点,如果过于夸张,那是错误的。因为"小经营对于大经营其他的武器如劳动过度、营养不良、智识缺乏,在在都是可以阻碍那注意的周到的。劳动者劳动时间愈长,其生活的营养愈坏,用于教养方面的时间与金钱愈少,那在劳动时的周到的注意,一定愈加缺乏"①。

如此,有许多小农,在恶劣的生活与过度的劳动条件之下,不能发挥周到的注意力,在大经营方面,却能使工钱劳动者,从事于注意周到的劳动,——考茨基这样说。这个理由是:第一,对于工钱劳动者,有较高价的报酬,较丰富的营养,较优良的待遇,使他们能够发挥周到的注意力;第二,资本家采用分红制度及分业,也可以促进工钱劳动者对于工作的注意;第三,在农业方面的决定的部门,尤其在本来的耕作上,机械不但比较采用简单的工具的农民更为迅速,而且能够完全地工作,可以得到农民无论怎样注意都不能得到的结果。②

考茨基毕竟是在农业上也主张大经营优越论的。但是对于这点,却常常附加"只限于其他的条件,在相同的情形的条件",这是上面已经说过的。此外,考茨基也赞成专门家所主张的"小经营反而是有利的农业部门的存在"的一说。如克雷玛教授所举出的园艺及葡萄的栽培、商业植物的栽培及制造等即是。同时,他又指摘说:"暂时于小经营有利"的这些部门,对于农业主要部门的耕作及教育,只有从属的意义;以及"在园艺及葡萄的栽培方面也有已经充分成功的大经营"。

考茨基的结论是:"从一般的农业说来,小经营优越于大经营的部门,殆不成问题,于此,我们可以断定大经营对于小经营是绝对站在优越的地位。"③

考茨基还在他所著《农业的社会化》里面,关于"大经营和小经营"的问

① Karl Kautsky, *Die Agrarfrage:Eine Uebersicht über die Tendenzen der modernen Landwirtschaft und die Agrarpolitik der Sozialdemokratie*, Stuttgart 1899., S.113.

② Karl Kautsky, *Die Agrarfrage:Eine Uebersicht über die Tendenzen der modernen Landwirtschaft und die Agrarpolitik der Sozialdemokratie*, Stuttgart 1899., S.114-115.

③ Karl Kautsky, *Die Agrarfrage:Eine Uebersicht über die Tendenzen der modernen Landwirtschaft und die Agrarpolitik der Sozialdemokratie*, Stuttgart 1899., S.115.

题,作了更多的实证的研究,这于补充他在上面所述的意见,是很有益处的,顺便介绍其要点如次。

"这个问题,不过是经济的论争问题,决不是技术的问题。人们站在利润的见地上,采取何种的经营形态更加有利的问题,是可以争论的。最奇怪的,不仅资产阶级的小经营辩护论者采取这种立场——他们采取这种立场不待说,是很明白的——就是社会民主党的小经营辩护论者,也采取这种立场。但是在我们看来,只有从劳动的见地,才可以决定这个问题。就是说,投下同一的劳动时,到底那一种经营形态可以提供更多的生产物呢? 对于这个问题的回答,决没有疑问的余地。即在,这一点,大经营决定地是优于小经营,特别是在应用农业机械的农业,更加如是。在家畜的饲养、野菜的栽培、果树的培植等方面,固不见得有那样显著的优越——,在这些部门里面,较大的科学的支配、较大的分业、工事及道路的节约以及其他类似的事情,对于大经营,虽也可以提供技术上优越的可能性,但大经营的优点,在不从劳动方面,而从所有方面,即是从土地面积方面来讨论时,的确是比较少。因为小经营,比较大经营,在同一的面积,要投下更多的劳力。据 1907 年德意志的农业经营调查看来,大概如次。"[①]

经营面积的大小	农业用地每百公顷从事农业的人口
0.5 公顷以下	560.2
0.5—2 公顷	170.5
2.5 公顷	88.2
5—20 公顷	44.1
20—100 公顷	22.2
100 公顷以上	17.5
200 公顷以上	16.9

我们对于 2 公顷以下的经营,可以不研究,因为这些经营,主要的是副业的经营,劳动者不过用极少部分的时间从事于农业。但仅就 2 公顷以上的经

---

① Karl Kautsky, *Die Agrarfrage: Eine Uebersicht über die Tendenzen der modernen Landwirtschaft und die Agrarpolitik der Sozialdemokratie*, Stuttgart 1899., S.116.

营看来,小经营比较大经营,要投下很多的劳动力。至于最小经营,甚至于要投下最大经营的 5 倍的劳动力。

但是在同一面积的土地,最小经营虽投下几倍的劳力,却不仅不能生产较多的谷物,而且只能生产较少的谷物。不同的地方收获额,拿来比较的时候,固然要考虑土地的贫瘠不同,想得到正确的比较,是很困难的。因此,因地方选择之不同,有的得到小经营的优点,有的得到大经营的优点。例如小经营辩护论者亚秀尔次,于 1911 年,对于我的主张,加以辩驳,举出以下的事实。即是说,在普鲁士东部六个地方,裸麦的收获,由 1899 年至 1908 年间十年的平均,每 1 公倾不过产生 1.5 万磅,在小农的地方,要产生多些,例如在莱因地方,1 公倾面积,产生 1.8 万磅;在赫逊及莱因左岸的伯叶仑,为 1.9 万磅;在Braunschweig 为 2 万磅。可是我拿别的地方的收获来比较,却得到不同的结果,我举出下表来和他对抗。

大经营最优势的地方	经营百公顷以上的比例	1899 年至 1908 年间,每 1 公顷的裸麦的收获额(单位千磅)
Mecklenburg-Strelitz	60.0	15.8
Mecklenburg-Schwerin	59.7	17.0
Anholt	38.2	18.0
大经营最衰弱的地方		
Württemberg	1.7	13.9
Bayern	2.2	15.7
Oldenburg	2.8	15.5

即就同一的面积计算来看,小经营不见得可以提供更多的农产物,如果以每一个劳动者做标准计算来看,小经营的收获额,更加少了。只有大经营,除掉劳动者的消费以外,还可以得到很多的剩余。小经营则不然,如果想得到同一的结果,就必须比大经营投下更多的劳力,因为小经营只能利用极不完全的机械。这种情形,与农民的贫穷及无智结合起来,遂成为小经营在农业方面采用机械的大障碍!

有许多的机械,在小经营,本来是可以应用的,但是小经营采用这种机械,

却是非常迟缓,据 1907 年的调查如次:

经营面积	经营总数	采用已经调查的机械中某种机械的经营数	每一千的经营数所采用的机械数
0.5 公顷以下	2084060	18466	9
0.5—2 公顷	1294490	114986	89
2—5 公顷	1006277	325665	324
5—20 公顷	1065539	772536	725
20—100 公顷	262191	243365	928
100 公顷以上	23566	22967	974
200 公顷	12887	12652	982

大经营之数,虽然这样少,但从面积看来,大经营对于农业,却演着重大的作用。百公顷以上的大经营,是 2.3 万弱,占有 700 万公顷以上,反之,400 万以上的最小经营,5 公顷以下,只占有 5 万公顷。

经营愈小,应用的机械愈少。并且小经营上这种应用的增加是怎样的缓慢呵!……关于小经营在那种应用上显然落后的三种主要的机械,我举出 1895 年和 1907 年的比较来。次表是按照面积的大小,每 1000 个农业经营所应用的 3 种机械的数字。

经营面积	蒸汽犁		割草机		蒸汽打禾机	
	1895 年	1907 年	1895 年	1907 年	1895 年	1907 年
0.5 公顷以下	——	——	——	——	3	5
0.5—2 公顷	——	——	——	1	3	47
2—5 公顷	——	——	1	7	52	127
5—20 公顷	——	——	7	127	109	191
20—100 公顷	1	1	69	519	166	263
100 公顷以上	53	108	318	824	612	741
200 公顷	75	164	344	849	736	832

以上的数字,很明显地可以证明小经营在农业方面所采用的机械,是怎样的困难了。①

---

① Kautsky,*Die Sozialisierung der Landwirtschaft*,S.48—51.

*　　　*　　　*　　　*

考茨基在《农业问题》里面,对于大农经营的决定的优点,下了确定的结论以后,更以为大经营的优点,可由农民创立合作社的事实看出来("合作社的经营,是大经营"[1]),进而论到合作社制度。他承认农民所组织的各种合作社,其中如信用、购买及贩卖合作社等,对于农民的经济生活,有重大的意义。但是这些合作社,决不是小经营特有的制度,那具有组织合作社的较多的可能性,而且利用这种可能性更多的,还是大经营。特别是因为这种合作社,不是直接关系于农业生产,所以对于大农经营,确实有利益的,例如利用毗连的大地面,实行分业和科学的管理等事,在小农方面,决不是因组织合作社,就可以做得到的。

但是假如能够组织合作社,来进行大规模的农业生产,那么,不仅可以收到大经营一切的利益,并且社员都是为自己而劳动,所以在有劳动刺激性的一点,就有优越于普通工钱劳动者的长处。"因此,这种合作社,不仅可以匹敌于资本主义的大经营,并且会表现出优越于大经营的长处。"[2]但是农民对于这种合作社,从来没有注意到。这是什么缘故呢？ 因为在他们之间,土地的私有欲,根深蒂固,而且他们的劳动和生活条件,也是很孤立的,所谓协同意识,所谓合作精神,几乎没有发达。小经营论者,虽以为农业劳动,不是社会的性质,故不适合于社会的经营。但考茨基对于这种主张,当然是否认的,例如拿这种合作社的大经营已经成功的事实为例,涡文(R.Owen)的追随者,说及在英国所试验的共产主义的农业大经营,以及在美国所实验的共产制度,借以表示那站在近代的基础之上所进行的合作社农业经营,能够显出很好的结果。但是这种可能性,要使其一般的实现,一定要以"一定的经济、政治及智识的条件之完备"为前提,"在现今的社会,期待农民移到合作社的生产,是愚笨的"。[3] 因为无论什么阶段的发展,都不能跳过这一层。由农民的经营,跳到

---

① Karl Kautsky, *Die Agrarfrage: Eine Uebersicht über die Tendenzen der modernen Landwirtschaft und die Agrarpolitik der Sozialdemokratie*, Stuttgart 1899., S.116.

② Karl Kautsky, *Die Agrarfrage: Eine Uebersicht über die Tendenzen der modernen Landwirtschaft und die Agrarpolitik der Sozialdemokratie*, Stuttgart 1899., S.122.

③ Karl Kautsky, *Die Agrarfrage: Eine Uebersicht über die Tendenzen der modernen Landwirtschaft und die Agrarpolitik der Sozialdemokratie*, Stuttgart 1899., S.129.

生产合作社的经营,是不可能的。于此,考茨基的期待,是放在无产阶级运动的胜利上,以期变私有的生产手段,为社会所有的生产手段。

三、资本主义的农业之界限

如上所述,在农业一切的重要部门,虽不如工业的决定的部门那样程度,但大经营总优越于小经营,这是考茨基的结论。但据考茨基的见解,就是在工业方面,也不像马克思主义的肤浅的解释家所想的那样,对于大经营的胜利,不是那样简单地采取同一形态显现的,而是经过极复杂的过程,而渐次显现的。特别在这种过程中,小经营之数,不限定表示一般的减少,有时候,或反呈增加的现象,例如被资本家剥削的家庭工业,就是一个显著的事实。肤浅的统计家,或许以为这种现状,就是小经营占优势的证明,其实,这种现象,不过是表示小经营的没落过程,极其复杂。往往和那反对的倾向相错杂,决不是阻止大经营驱逐小经营的倾向的。况且在农业方面,情形尤为复杂,工业所没有的反对倾向,在农业方面,有时也发生作用,因此,农业的全体过程,更加复杂不堪了。

关于这点,考茨基首先举出因土地所有的独占而发生的土地限制。这种限制,在资本主义的农业的界限上,有强大的作用。

工业的生产手段,随意可以增加,反之,农业最主要的生产手段——土地,在一定的状态之下,是一定的,不能随意增加其面积。

关于资本,可以区别为蓄积与集中两大运动,这是一般人所知道的。蓄积是剩余价值生产的结果,即一般资本家,仅消费其利润之一部分,而以其余之一部分,为增大其资本之用。这种蓄积运动,更与吞并其他许多小资本的集中过程,互相连结,愈益进行资本的集中运动,表现为工业大经营的发展。至于土地方面,情形完全不同,在土地方面,没有蓄积运动,只有由集中过程,即收买他人的土地,才可以扩大那经营地面,在工业方面,即不经过集中过程,而只依蓄积运动,也能构成大资本。事实上,工业的集中运动,普通是大经营构成的结果,不是它的前提。可是在农业方面,并吞许多小经营一事,是构成大经营的绝对的前提。换句话说,农业者只有牺牲那邻人的利益,才能扩大那经营地面,不过在土地私有制度确立了的资本主义社会中,想便当地买到和自己的经营地相毗连的土地，那是很稀少的，大概的情形，还会碰到不可避免的障碍。这种事情很明显的，对于农业大经营的发展，是成为很大的障碍。事实上，感到自己的所有地狭小而要创造更大经营的农业者，对于这种收买毗连的土地极偶然不可靠的方法，不能不断念，而另外采用新的方法，首先卖掉自己的所有地，到别的地方，去买更大的土地。考茨基说："土地的特质，在私有制度支配之下，在实行小土地所有的一切国家，是大农经营——无论它怎样的优越——发展之强有力的障碍——这种障碍，在工业方面，是没有的。"[①]

其次，考茨基指出农业的资本主义化的障碍，是劳动力的缺乏。因为要构成资本主义的大农经营，那市场的扩大，资金的具备，最低技术的预备条件之存在，固然是有必要，然而最重要的条件当然是劳动者的供给，假令其他一切的条件，都完备了。如果资本家得不到不能不出卖其劳动力的无产阶级，资本家的经营，就决不可能。在这一点，农业与工业之间，有显著的分别。在近代的都会，马克思所谓劳动预备军，是常常存在的，所以工业资本家想得到劳动者，不感到什么困难；反之，在农村方面因为在资本主义社会所发生的"田园逃亡"——即农民离开乡村——的现象，以致农村劳动者缺乏，因而大农经营就得不到其所必要的劳动力而大感痛苦。于是大农经营不得已要讲求挽留农业劳动者于农村的方法，而分割其土地之一部分，以贩卖或佃租的形式，创设许多小农经营。如果把小农经营驱逐完了，大农经营就得不到其所必要的劳动力，因此之故，就不能不自行努力以复活小农经营，所以单就这点看来就已经明白大农经营虽有怎样程度的技术上的优越也不是完全驱逐小农经营的。马克思于1850年，在新莱因新闻上，也曾经说过："只要资产阶级的关系，是继续的存在，农业就不能不继续运动于土地之集中与分散的循环过程中。"所以考茨基的结论如次。

"由以上的事情所得到的结论是：在现今的社会里，是不能想到小土地所有消灭而完全为大地主所驱逐的事情的。反而我们发见了在土地所有的集积过于进展的地方开始细分的倾向，并且在这种倾向遇着过大的障碍时，国家及

---

① Karl Kautsky, *Die Agrarfrage: Eine Uebersicht über die Tendenzen der modernen Landwirtschaft und die Agrarpolitik der Sozialdemokratie*, Stuttgart 1899., S.144.

大地主自身就不惜与以援助。"

有人以为大地主的这种努力,是小经营的维持对于大经营竞争能力优越的结果,这种见解,是多么错误呵!其实,这是小经营确实不能成为大经营的竞争者,是那和小经营并立的大经营,也成为其所生产的农产品贩卖者,而小经营不成问题的结果。在小经营之旁,资本家的大经营发达的地方,小经营就不能演出那样的作用。于是小经营就由原来的贩卖者,变为大经营所生产的剩余生产物的购买者。但是小经营所生产的剩余商品,适成为大经营所痛感必要的生产手段,即所谓劳动力的商品。

事情的进展,到了这种程度,农业的大经营与小经营,就不互相排斥,而恰像都会的资本家和无产阶级一样,互为条件的结合,这样一来,小农民就更加采取无产阶级的性质。[①] 于是考茨基更进而研究农民无产阶级化的状态。

四、农民无产阶级化

考茨基在土地零细化的倾向和农业的副业形态之中,看出农民无产阶级化的状态。

农民的自给工业一旦因都市工业的发展所驱逐,农民对于货币的需要,当然也随而增大了。于是农民所生产的多少剩余农产物,早已不能满足其需要,同时,副业的农民经济,却占了非常重要的地位,原来的农业,至此早已不能以贩卖为目的,而仅以为自家生产必要的食料品为使命了。这样,小农经营便离开商品生产的领域,而仅成为家计的一部分,同时,这种小农经营,就停留在近代的生产方法所特有的集中倾向的领域之外。即是,这种副业经营的进展,一方面,使各个农业经营的缩小有可能,并使其有缩小的必要,同时,他方面,又使得那因人口增加与生产自家食料品的小农经营的增加有必要。

于此,便发生了土地零细化的倾向。小土地的价格,较高于大土地的价格,这是周知的事实。狂热的小经营辩护论者,却把这事来证明小经营优越于大经营的,但据考茨基说来,却是相反,他以为这种事实,只能由小农的穷迫状

---

① Cf. Karl Kautsky, *Die Agrarfrage: Eine Uebersicht über die Tendenzen der modernen Landwirtschaft und die Agrarpolitik der Sozialdemokratie*, Stuttgart 1899., S.163.

况来说明。因为被用于资本家经营的大土地的价格,在原则上是由于地代额决定的。因而那购买价格,大体上是等于地代的资本还原额,资本家的企业者如欲取得普通利润,自不能支付资本还原额以上的地价。然而小农的农业不过是家计之一部分,其所需要的货币,主要的是以副业的劳动来补充的,在这种小农方面,事情就完全不同。在这种情形,商品的生产,以及地价对于价值法则的关系,至少在买主方面是不成问题的。在卖主方面,地代的还原额,因构成土地的最低价格,而在买主方面,却只以其购买力及必要为标准。人口激烈地增加起来,向他处移动,又有困难,于是要得到一片的土地,以为取得食品及社会的独立的基础之绝对的必要愈大,那么,对于这小片的土地所支付的价格,也自然愈大,于是这种农业的劳动,与家庭内的劳动一样,不把他算作支出,只要能靠土地的耕作,得到相当的收获,就算满足了。这种小土地的比较的高价,与在都市的住宅愈小,其单位法定容积愈高,同样,两者大都只能归着于需要小土地或小住宅者的穷迫状态的同一原因。考茨基说:"要把小土地价格较高的原因归着于这种土地有较大的收获的人,不就要把小住宅价格较高的原因归着于住民有较大的所得了吗?"

这种小土地较高的价格,不待说,在人口增加的状态和农业以外事业的获得,均为便利的一切地方,都成为大所有地细分之强有力的动机。考茨基对于这种过小地的经营,不能走到合理方面的理由,说明如次。"所有地愈小,想得到副业的冲动愈大;副业愈占重要的地位,土地愈加零细化,但同时就越发不能满足家计的需要。特别是因为这种过小地的经营,完全不合理的结果,更是如此。因为充分的耕畜和农具类的缺乏,就不能实行合理的土地耕作,特别是不能实行深耕作。决定选择栽培的作物是由家计的必要来决定的,不是由维持地质的必要来决定的。家畜及货币的缺乏,已经是自然肥料与人造肥料缺乏的意思了,何况再要加上人们劳动力的缺乏呢? 越是要取得货币的劳动占据重要地位,维持家计的劳动降到次要的地位,前者就越发吸收家族中最优良的劳动力,对于自己的小土地的劳动,就越发不能不委之于妻儿和差不多是残疾的祖父母。父亲和大一点的儿子们,不能不'赚钱'。这样一来,正如无产阶级的家计,只有专靠妇人非常浪费的劳动与类似牛马的苦役,才能得到最可怜的结果一样,那家计的单纯附属物之过小经营的农业,亦复如是。这种经营愈小,其缺乏状态愈甚,想满足家计一切的需要,愈加不可能。结果,由那种赚钱工作所得到的收入,不仅要用以为支付国税与市村税以及购买工业品与外国农业的生产品之用,并且还不能不用以为购买本国的农产品,特别是谷物之用。"①

在资本主义之下,这种经营之数,决非鲜少。据德意志1895年的统计,5公倾以下的经营,有4251685,占总经营数76.51%。其中,除掉一般所认为自己生产自己所需要的消费的谷物的2—5公顷的经营以外,在其以下的经营——即不能不购买谷物的2公顷以下的经营,有3236397,实达总经营数58.22%。总之,除自己的农业经营以外,在副业的可能性强大的地方,土地的零细化,殆达到令人不能相信的程度。在比利时,可以看到这种模范的实例。比列时的农业经营,有4/5,是过小经营,这些所有者,早已不能成为食料品的生产者而出现于市场,而从事于工资劳动或其他副业。

考茨基还叙述更加有兴味的理论。他说:"如一般人所看到的一样,农业的运动,完全是特殊的,与工业及商业资本的运动,全然不同。在农业方面,经营集中的倾向,不使小经营完全灭绝,在这种倾向发达的地方,反发生反对的倾向,即集中的倾向和细分的倾向,互相交错,这是在前项已经说过的。我们现在还可以看到这两种倾向,能为相互并存的作用。小经营之数,虽是增大了,但是其所有者,早已成为一个无产阶级,即早已成为一个劳动力商品的卖主而出现于商品市场,他们的所有地,只有在商品生产的领域之外,即只有在为家计而生产的领域之内,才有效力。这些小农业者,在商品市场,成为一个劳动力商品的卖主,一切的利害关系,与工业的无产阶级,是共通的,他们的所有地,并不是使其限于和这对立的关系的原因。他们的所有地,诚然是多少从食料品商人解放了零细农民,但不是从资本家的企业者——不问其为工业企业者,或农业企业者——解放出来。"②

考茨基再进而详细研究农民的副业之各种形态。首先是农业的工钱劳动

---

① Karl Kautsky,*Die Agrarfrage：Eine Uebersicht über die Tendenzen der modernen Landwirtschaft und die Agrarpolitik der Sozialdemokratie*,Stuttgart 1899.,S.168-169.

② Karl Kautsky,*Die Agrarfrage：Eine Uebersicht über die Tendenzen der modernen Landwirtschaft und die Agrarpolitik der Sozialdemokratie*,Stuttgart 1899.,S.174.

者,即大农经营的工钱劳动者。因为要维持大农经营,所以不得不创设小农经营,这是前面已经讲过的,但在这种情形,却是相反,大农经营却是小农经营的支持者。其次又论到副业形态即家庭工业,这种形态,在土地最缺乏的地方,以及对于大农经营所必要的技术的预备条件最不便的地方,是最发达的,其实质是资本家的剥削最嫌忌的制度之血汗制度(Sweating System),结果,使他们的农业经营,愈加成为小规模化,使他们的经营条件,愈趋于恶劣。再次更论到在工厂或矿山的工钱劳动。都市的大工业,因交通机械的发达,有移到容易得到原料、动力或驯顺而低廉的劳动力的地方之倾向,这与家庭工业一样——其方法虽不同——,使那用于小农业的劳动,趋于恶化,并且同时促进经营的缩小与其恶化。

　　考茨基的结论如次:"相信统计的数字,是包括社会生活无限的内容的人,看到经营统计的数字,或者就以为都市的发达,无论怎样前进,在农村方面一切的状态,总是和以前的一样,看不到向某方面有什么决定的发展,而且以此自慰,亦未可知。但是看到这种数字的秘密,并且不像受了催眠术的那样,去注意大经营和小经营的关系的人,他们的判断,就会和这不同了。据他们的见解,大经营,在数字方面,虽然没有变动,小经营虽没有为大经营所吸收,但是这两者,因工业发达的结果,完全受了革命的洗礼——使小土地的所有者,与无产阶级,更加亲密的接近,并且两者的利害关系,更走向同一的方向。"[1]

　　据考茨基的见解,经济的发达,其影响不止于此,更依几种的要素,使商品即为社会而生产剩余的农业的本质,根本的发生变化,欲了解其变化的真相,对于这几点要素,不可不进而加以研究。

五、商品生产的农业之困难增大

　　资本主义的生产方法,在农业方面,经过大经营的发展,虽使农业技术,进于高度,同时,在他一方面,经过土地细分的结果,对于大经营的发展,予以一定的限制,而在一定的技术的条件之下,阻止农业的进步所能达到的最高限

---

　　① Karl Kautsky, *Die Agrarfrage : Eine Uebersicht über die Tendenzen der modernen Landwirtschaft und die Agrarpolitik der Sozialdemokratie*, Stuttgart 1899. , S.192–193.

度,这是上面已经讲过的。此外,资本主义的生产方法,还经过种种的要素,以进行阻止农业发达的作用,如考茨基所举出的要素如下:(一)地代,(二)继承法,(三)世袭财产及长子继承法,(四)都会对于农村的剥削,(五)农村人口的减少。前项是研究早已不能产生商品农产物的农民无产阶级化,本项是研究在商品生产农业特有的矛盾。

然则地代怎样使商品生产的农业陷于困难呢?在资本主义社会中,原则上,地价虽不外是地代的资本还原额,但所谓土地资本,与工业经营上完全不同,想得到土地的所有权,以从事于农业经营的农业者,大概是以其资金的大部分,为购置土地之用。在事实上,农业资本的 2/3 以至 3/4,作为购买土地的资金,真正投于生产过程的资本,不过是极少的一部分。因此,在这种情形的经营,不能不变为小规模的,或不能不走到更非集约的结果了。但是在实际上,照这样拿现金购入农地的人,却是很少,多半是采用抵押借款的方法去做的。于是在这种情形,土地的买主,不能不以利子的形式,负担对债权者支付地代的义务,因此,债权者是真正的土地所有者,农业者在实质上,与佃农没有什么区别。然则佃农的情形是怎样呢?佃农对于地主虽不能不支付佃租,但这种佃租,在原则上,佃农或工钱劳动者的劳动除了偿还工钱及投下的资本之普通利润以外所余的剩余,都包括在内。这样,一国的佃农,对于地主,年年支付莫大之金额,但地主不以这种金额,为改良农业之用,或是供他个人之浪费,或用以购买工业股券。因此,这种佃耕制度,从农业方面夺去了能使那生产力增大的丰富的资本,不仅如此,并且从佃农方面说来,佃租契约的时间愈短,对于地力的保存,愈不顾及,而专以实行从土地收到最大利益的耕作方法为有利,反之,投下多大的费用,以进行土地的改良,虽可以得到普通的利润率以上的剩余利润,但一到佃租契约解除之际,便被看作是一种地代,落到地主之手,所以佃农就决没有这种牺牲的冲动。这样看来,地代无论在自己经营的情形,或佃租经营的情形,对于合理的农业之进行,都有成为极大的障碍的作用。

商品生产的农业第二种困难,是随伴于继承法。资本主义社会中完全的土地私有制度之成立,于促进农业的发达,固然是有力的,这是上面已经说过的,但是这同种的制度,不久又成为农业发展的束缚。这就是因为继承制度的缘故,是因为资产阶级的平等继承法,引起继承地的零细化。就是在继承权者中之一人,继承全体的土地而不分割其所有地的情形,这个继承者,对于那共同的继承权者,仍然是要支付其所得于他们。在这种情形,继承者自己有现金以为支付用的,实属例外,普通多是不能不以其继承地为抵押的借款。这样一来,与陷于抵押借款状态的自耕农业者的情形,就没有什么区别。结果,资产阶级的继承法,不是引起继承地的细分,便是增加那种的负担。

资产阶级的继承制度,在原则上,是平等继承法,已如上述,但是此外还有封建色彩浓厚的世袭财产法及一子继承法,这两种继承法,也是商品生产的农业发达的第三种障碍。世袭财产制度,当然是为保存贵族的家世而设的,不是为农业的发达而设的。一子继承法,是这种制度在农民方面的一种变相,其目的是想牺牲多数的农民,以救济农民的经济,换句话说,不外就是剥夺共同继承权者的继承权,以图维持私有财产制度。这种制度,虽与平等继承法不一样,不因继承地的分割,以阻碍农业技术的发达,但其结果却使多数农民的无产阶级化,激成农民"田园逃亡"的趋势,减少农村的人口,惹起农村的疲弊。

商品生产的农业第四种困难,是由都市剥削农村引起的。第一,是都市经过地代及利子的方式对农村所行的剥削。地代及农业者的负债,虽渐次增加,但农业者所支付的地代及利子,留在农村为农村消费或蓄积的,不过是极小的一部分,而其大部分,是流到都市,并且这大部分,一天天的只有增加上去。这样,在农村所创造的价值之大部分,没有何等的代价,就流入于都会,使农村日益限于资金枯竭的苦境。

其次,货币租税,也和地代及利子,作用于同样的方向。货币租税,原来是发源于都会的商品生产,和本来的农民生产,还是相矛盾的,所以这种负担,在农民当然是最痛苦的事情。并且这种租税,对于农村的发达,没有一点什么贡献,其大部分是使用于都会——特别是大都会,以促进都会的繁荣。在大都会,从内阁官廷起,以至于兵营、炮兵工厂、裁判所、官立学校、博物馆、国立戏院等,都只是由大都会建设的。农民虽与都会的人口一样负担文化施设的费用,却全然被放逐于文化区域之外。

这样,农村以完全得不到代价的佃租、利子及租税的方式,为都会所剥削,因为要支付这种剥削起见,不能不卖却更多的农产物于都会,同样,农民对于都会工业品的需要,也渐次增大。于此,遂发生农产物与工业品的交换问题,不过这种交换,不是没有代价的流出罢了。考茨基说:"这种流出,从价值法则的见地来说,虽不是剥削农业的意义,但实际上却与上述的其他各种要素一样,至成为农业实质的剥削,使土地的养分更加化为贫弱。"①

商品生产农业第五种困难,是由田园人口的减少而生的。如前所述,在大农经营占优势的地方,驱逐小经营,同时又由农村驱逐农业劳动力的贮水池,不过这种驱逐,也自有一定限度,前面已经讲过。并且因为副业的劳动,也足以使小农一时离开农村,以至农业失掉为合理的经营所必要的劳动力,这也是在上面讲过的。在这种情形,由工业或都会方面,提出新的资本,投于农业方面,以促进农业合理的构成的事,也是有的。但是因大都会的牵引力,以致田园人口发生农村逃亡的现象,其情形却全然不同。大都会集中一切文化机关与娱乐机关,其生活极其光彩、快乐、变化之致。大都会的无产阶级,其就职的可能性,也与农村全然不同,创造独立家庭的机会较多,享受文化的机会亦复不少。在农村方面却不然,要想创造独立的家庭,一定要自己获得农业经营才有可能,这在无产阶级看来,决不是容易的事情。加之,一般小农民的生活,做人类以上的劳动,享人类以下的消费,而农村对于他们单调无味的生活与忧愁怨恨的心理,又没有可以安慰他们的施设,所以他们对于都会生活的羡慕,发生了强度的萌芽,并且因交通机关的发达,很容易实现他们的理想,于是田园人口向都会移地——即所谓"田园逃亡"——,渐次增加,这种现象,毫不足怪,在资本主义社会,没有什么有效的方法,可以阻止得住的。这种事实,不仅是量的问题,同时是质的问题,这种问题,在农业方面,确实是一个严重的问题。因为多数的田园逃亡者,不仅是身体最强壮的,并且是最有精力的最有理智的要素,是农业发达最需要的人们。这种劳动者的缺乏,农业经营所受的打击,考茨基虽然有详细的分析与研究,但我在这里却不详细介绍了。

六、农业之工业化

考茨基还更进而详细研究着"海外食料品的竞争"和由这发生的欧洲的

---

① Karl Kautsky, *Die Agrarfrage*: *Eine Uebersicht über die Tendenzen der modernen Landwirtschaft und die Agrarpolitik der Sozialdemokratie*, Stuttgart 1899., S.211.

农业的恐慌，以及其对于农业生产的影响等事，但在事情不同的今日，早已没有特别介绍之必要。关于这点，考茨基在其1919年出版的《农业的社会化》的序文里面，说到在19世纪末，因为海外农业的竞争，食料品价格的低落，欧洲的农业一时濒于危机，但是不久，又开始食料品价格腾贵的时代，腾贵而又腾贵的时代，农业问题，在许多地方，面目焕然一新。① 关于这点，这里不再叙述了。但是这些事情，为促进农业工业化现象一个重要的动机，这种现象，不仅以后日益进展，并且在考茨基的农业理论方面，占了很重要的地位，所以把考茨基关于这点的见解，很简单地来介绍一下。

关于小农经济的穷困状况以及从事于工业的工钱劳动的小农增加的倾向，前面已经讲过，这种现象，对于与都市工业的独立同时开始而随资本主义的发展愈被促进的农工业的分离运动，是否定过程中最微弱的最原始的表现，但是一到农业者经营工业的副业——即农业者以农产物为原料的加工业——的时候，这种农工业就由分离过程，而进展到再结合过程。这种倾向，因海外食料品的竞争，而纯粹食料生产农业的地位更加困难时，遂次第发展起来，就一般的情形说，是以特殊价值少的农产物做原料，来精制比较有特殊价值的加工品，以打开农业经济的出路，此外，这种农业的工业，不仅可以有效地利用农业的闲暇时期，并且有利用蒸汽力或电力为农业机械的动力之利益。从这种方面看来，也很明显的可以看出大农经营优越之点。因为小经营，通常既没有充分的资本，又不能充分生产足以自行创立工业经营的原料生产物，并且小农业者，一般是保守的、迟钝的，对于技术的进步和市场的需要，也没有大农业者与资本家那样熟悉。事实上，为农工业结合的先驱者，是大地主及资本家。但是他们对于农业的工业之成功，却不能不促进小经营者也着眼于这方面，而计划出一种适当的形态的合作社。考茨基关于合作社意义的见解，是值得我们注意的。他说："现在刚才开始的合作社运动，还得到很大的结果，将来对于我国的农业状态，是会给以很大的变革，这是毫无疑义的。但是有一般人把合作社看作是农业达到社会主义的过渡阶段——他们总喜欢把中世纪的共同土地及共同牧场的残余看作是达到社会主义的过渡阶段——另一般人却把合作

① Cf. Kautsky, *Die Sozialisierung der Landwirtschaft*, 1921., S.8.

社看作是保持独立的有力的农民阶段的手段。我们对于这两种见解,都不赞成。近代社会主义的特征,是生产手段为劳动阶级所有。在社会主义社会,是生产手段为全体所有。那么,为达到这种状态的过渡阶段而有效用的生产合作社,同时又必须是为所有这种合作社的生产手段的生产者所组织。对于以今日的劳动者生产合作社,看作是到社会主义的过渡阶段的见解,做最有力的反对的一种异论,他所指摘的事实,就是说在资本家社会正在繁荣的生产合作社,早晚就会达到那合作社员开始雇用工钱劳动者——即与生产手段的所有无关而为合作社员所剥削的普罗列达里亚——的时期,换句话说,就是指摘近代社会中一切的生产合作社,在其繁荣而扩大的时候,总有资本家企业的倾向存在合作社里面。其次,在工钱劳动者创立的生产合作社,最初只带有单纯的倾向的东西,但在我们现在讨论着的农业者的生产合作社,却自始即是决定了的基础。合作经营的制糖工厂、酿造所、酪农场、罐头工场、磨粉厂等的劳动者,不是社员,而是被社员所雇佣所剥削的工钱劳动者。由合作社流入企业家手中的利益,除省掉运输费与营业费以外,还有资本的获得。这种农业的生产合作社——现在还没有其他的合作社——,是走向资本主义的过渡阶段,不是走向社会主义的过渡阶段。"①

然则这种合作社,要到什么程度才能救济小农呢? 关于这点,第一要注意的,就是需要救济最迫切的零细农民和无产阶级的农民,自始就没有机会能够接近这种合作社。因为在这种工业的经营,必要有资金,而他们所没有的正是货币,通例他们又不能产生经营所必要的原料。因此,能够利用生产合作社的,大概是中产阶级。并且因为农业的工业经营愈发展,创立这种工业经营所需要的资本额愈大,于是能够参加生产合作社创立的农业者的范围也愈加缩小,因此,这种经营,愈变为资本家企业,只有大农与大地主,才能够参加。这样一来,小农毕竟成为这种企业唯一的买主,成为农业的工业经营之隶属者,而陷于不能不适合其需要以进行农业经营的状态。这就是农业的工业对于农民所给予的"救济"了!

---

① Karl Kautsky,*Die Agrarfrage*:*Eine Uebersicht über die Tendenzen der modernen Landwirtschaft und die Agrarpolitik der Sozialdemokratie*,Stuttgart 1899.,S.260-261.

考茨基更指出农业的工业,因技术的进步,有一部分更达到"由工业驱逐农业的地位"。因为工业技术的进步:第一,是能够比较善于使用原料而由同量的原料产出更多的生产物;第二,其中,因为废物的利用与代用品的生产,可以不使用高价的原料,而使用低廉的原料;第三,从来农业所供给的生产物,现在工人自己可以生产——结果农业遂不得不陷于苦境,有许多的农业部门,不得不趋于凋零。

考茨基关于这点,还给了详细的实例,这里仅绍介他的结论如次。

"农业的生产,现在刚才开始转化为工业的生产。大胆的预言者,特别是想象力丰富的化学家,早已梦想着以石片制造面包而一切食料品都由化学工厂制造的时代。不待说,这里自然不能把这种未来的音乐,置诸考虑之中。

"但是有一件事,是确实的。就是在许多方面,农业生产,已变为工业生产,还有许多方面,这种变化,在最近的将来,也会快要实现的。无论在哪一方面的农业生产,想完全脱离这种变化,是不可能。一切向着这方面进展的结果,一定会增加农业者的困难,扩大它对于工业的隶属,减少其生存的安全的。

"虽说如此,但还没有说起农业不一定没落的必要。在近代生产方法确立的地方,那保守的性质,是向着哪方面的,这是难以取消的事。农业者固执旧来的习惯,就要陷于灭亡,这是确实的。因此,他们就必须不断地追随于技术的发达,必须不断地使其经营适应于新的状态。农业者就是在已经得到的地盘上,也没有什么休息的。农业即令相信克服了某一敌人,但新的敌人,就发生出来。他们从来在田园上很严格地单调地永久活动于同一轨道的全体经济生活,仍然不陷入那成为资本主义生产方法之特征的不断的革命化。

"这种不断的漩涡,把那些不能显现那异常幸运、异常无思虑、异常的营业才智,或异常的资力的一切人们,都卷入了它的波涛底下去。

"照这样,农业的革命化,就开始对于他们的追猎,到他们力尽而毙之时为止,都无慈悲地驱逐着。——但是踏在最下层的人们之上而上升为追猎者——即升于大资本家之列而成功的少数冷酷的暴富者,却是例外。"[①]

---

① Karl Kautsky, *Die Agrarfrage: Eine Uebersicht über die Tendenzen der modernen Landwirtschaft und die Agrarpolitik der Sozialdemokratie*, Stuttgart 1899., S.289.

七、将来的展望

考茨基基于上述各点的研究,引出了什么结论呢? 换句话说,马克思主义者的考茨基,怎样证明农业社会主义化的必然性呢? 这是我们一定要知道的。

考茨基的回答,首先论到"发展的动力",其次论到"社会主义农业的要素",这里把他的理论,比较详细的介绍如次。

"有一种动力,存在生产方面使生产必然要发生一种革命的变化,我们现在应在什么地方去探求这种动力呢?"①考茨基自己发出这样的疑问以后,他自己的回答,大概如下。

据他的见解,工业不只是促进他自身的发达,并且是农业发达的动力。都市的工业,破坏了田园的工业和农业的统一,使农民变为片面的农业者,又使农民变为隶属于变幻莫测的市场——创造了农民无产阶级化的可能性——的商品生产者。

当封建时代的农业,陷于进退维谷的苦境,不能以自己的力量,摆脱这种羁绊的时候,创造了一种能够打破这种封建制度,而为工业和农业打开一条新出路的革命力的,也只是都市的工业。又,创造了新式合理的农业之技术的及科学的诸条件,并依机械及人造肥料。显微镜及化学实验室以变革农业而引起资本家大经营对农民小经营之技术的优越的,也是都市的工业。

同样的经济的发达,于大经营和小经营的质的差异之外,还创造了一种差异,即是以自己的家庭消费为目的的经营,与主要的或大部分的为市场而生产的经营的差异。这两种经营,都隶属于工业,所不同的只是方法罢了。在前者方面,产生了一种因劳动力的出卖,即因工资劳动或家庭工业以取得货币的必要,因此,小农业者,日益隶属于工业,日益接近于无产阶级的状态。在商品生产经营的方面,亦是同样的使小经营者不得已从事于工业的副业,不待说,这种工业的副业,因采用进步的技术,固然有可以减低生产费的倾向内着着,但是这种倾向,在资本主义的农业方面,又是相反的倾向,就是说这种倾向,又因

---

① Karl Kautsky, *Die Agrarfrage: Eine Uebersicht über die Tendenzen der modernen Landwirtschaft und die Agrarpolitik der Sozialdemokratie*, Stuttgart 1899., S.295.

负担的地代日益增大,因一方面的佃租的增大和他方面抵押负债的增大,因继承法而促进的抵押负债的增大或土地愈加零细化,因都会对农村的剥削的增大,因地力的愈趋于枯竭,因饲养家畜及栽培植物的愈加困难,最后因工业对农业劳动者的渐增的吸收,而减低生产费的倾向便被减杀了。即是说,这些要素结合起来,无论技术怎样的进步,却反而更加增大农业的生产费。

因此,农业次第陷于困难,特别是在农业者只成为名义上的土地所有者的地方,更加厉害。结果,或回复从来最粗率的放收经济,或选择最集约的园艺经营,但是最后,无论什么地方,毕竟要发见工业和农业的结合,成为最合理的手段。

照那样,近代的生产方法,依着小农民之工业的工钱劳动和大农业者之农业的工业这两个形式,在辩证法过程的终点,再回复到它的出发点——工业和农业分离的撤废。于是在原始的农民经营方面,农业在经济上确实是主要的元素,是决定的而且是指导的要素,现在则不然,其关系恰恰相反。现在资本家的大工业,占着支配的地位,农业要服从它的命令,适应它的要求。假如前者向着社会主义的路上前进,那么,后者亦不得不随着它的后面,这是考茨基的见解。

然则纯粹的农业地方,即是因那地域和住民难于接近而未受工业侵入的地方空间怎样呢?这种地方的人口,以及他们的力量、智识和幸福,只有一天天地减退,土地也同时陷于贫瘠,结果,农业经营,遂不得不日趋于衰颓。纯粹的农业,在资本主义的社会,已不能成为幸福的要素,农民阶级,再没有繁荣的可能。

他们现在的状态与封建时代的农民一样,陷于进退两难无法摆脱的苦境,充满着痛苦与绝望。现在也与18世纪末叶的情形一样,只有都市革命的民众,才能救济他们,为他们开拓今后发达的出路。

资本家的生产方法,在农村方面,使构成革命阶级的条件,明明陷于困难,都会却不然,有很多机会,可以促进这种条件的构成。换句话说,资本家的生产方法,在都市方面,可以集中劳动群众,对于团体的组织,精神的发达,阶级的争斗,可以创造有利的预备条件;反之,在农村方面,人口只有一天天减少,农业劳动者散布于广大的地面,彼此互相孤立,夺去了他们发展其精神的手段与对付剥削的反抗手段。资本家的生产方法,在都市方面,资本日益集中于少数人之手,促进掠夺者的掠夺;反之,在农业方面,集积的经营,不过是一部分,另一方面,反惹起土地的零细化。无论在哪一国,生产方法进步的结果,工业不仅仅满足于国内的市场,一定要进到以全世界市场为目标的输出工业,这种倾向,愈加发达,纯粹的农业,愈趋于衰落,对于世界的生产愈加减退,成为一种不能维持国内市场的产业。

如此,资本家的所有形态与获得形态及其利益,越是和农业的需要相冲突,越发对于农业课重税而加压迫,在农业方面,对于资本家形态的破坏,与资本家利益的克服,越发迫切,那么,农业所需要的力量与组织的萌芽,就越发不能发展,对于工业革命力的冲动,越发成为必要。

但是这种冲动,是不会没有的。因为工业无产阶级,如果不与农民共同得到解放,他们自己也一定不能得到最后的解放。

人类的社会,是一个有机体。它和动物或植物的有机体虽属不同,虽属一种特殊的有机体,然而总是一个有机体,不是单的个人之聚合,并且较一般的有机体更有统一的组织。假如有人相信,在一个社会里面,有某一部分,向着某一方向发达,而其他同样重要的部分,却能向反对的方向发达,这真是愚笨。一个社会,只能向着同一的方向发展的。但是这个有机体的各部,不一定自己要拿出促进其发展所必要的动力,只要有机体的一部分,能够为全体创造一种必要的动力就够了。

大工业的发展,是向着社会主义的方向前进的,并且大工业在今日的社会,已成为一种支配力,又会为社会主义牵入那对于不能创造这种变革的预备条件的领域,并使其适合于它的要求。大工业为着自己,为着统一,为着社会的调和,非这样进行不可。

像凯歌一样,宣告工业的道路或许走向社会主义,农业的道路走向"个人主义",这是资产阶级经济学者的说法,对于近代的社会,总不会有说出更坏的预言吧。假如这种宣传,当真与事实相符合,证明农业有充分的力量,可以防止社会主义,并且工业亦当真没有力量能够强制这种"个人主义",那么,这不是救济社会的意义,而是社会没落和永久内乱的意义了。

在人们的社会,差堪告慰的事情,就是资本家的剥削最后可靠的铁锚,没有发见可以投下的任何的地盘。

如上所述,考茨基所谓"发达的动力"大概明白了。即,考茨基把大工业看作是现在社会一种支配的指导力。这种大工业,是向着社会主义的方向前进,这种倾向,经过工业与农业的结合过程,影响到农业方面,如此,今日的工业与农业,毕竟都是向着社会主义的方面前进。这是考茨基的见解。

考茨基更进而论到"社会主义的农业之各种要素"。据他的见解,无产阶级政权的获得,以及其后工业的社会化,对于农业,有什么影响呢? 换句话说,在新的社会中,农业的社会主义化,以什么要素为基础,才有可能呢? 这是我们应当研究的。

即使假定无产阶级国家的社会化,最初只限于资本家大工业的范围内,那就明明把那专靠农业得不到生活而不能不寻找副业所得的农业者,也变成社会的劳动者——即假令社会化,对于他们的所有地,毫没有着手。例如矿山及炼瓦工厂的社会化,把几十万的小农业者(即因为要补足农业经营所得的不足而不得已从事于矿山劳动或炼瓦劳动的几十万小农业者),由被资本家所雇佣的工钱劳动者,一变而为社会的劳动者。在他方面,例如从来直接供给资本家经营的栽培芜青的农民,虽然没有受到什么社会化的影响,但是因为制糖公司社会化的结果,关系于资本家经营的劳动者,也就一变而为关系于社会经营的劳动者了。现在对于不得不采取资本家性质的黄油及乾酪工厂的牛乳生产者,其关系亦是同样的。但是大工业经营的社会化,也会由于结合这些经营于一个人之手,才能在今日竞争之下,使独立出现于市场的农业者,变为社会化的劳动者。例如一切啤酒酿造所,一经被结合于一个人之手,那酵母草及麦芽的生产者,对于酿造所的关系,就立刻和芜青栽培者对于制糖工厂的关系一样。同样,谷物生产者和社会的磨粉厂,葡萄栽培者和社会的葡萄制酒公司等等的关系也一定成为同样的关系。

现今农业生产者对于这种大经营的隶属关系,是很显著的,因此,由资本家的所有变为社会的所有一事,与矿山以及其他的社会化之对于工资劳动的零细农业者同样,当然是对于农业者,特别是对于小农业者,有一种救济的意义。

如果农业的工业化,向前进展,同时,对于资本利润的地租之独立化,与对于农业的所有地之独立化——一方面,在佃租制度的形态,他方面,在借款负债的形态——,也都向前进展。无产阶级制度,一定是实行这两种形态的所有地的社会化,即进行佃租的土地及抵押负债的社会化。大所有地(在佃农制度的各国)愈加发展,抵押借款愈集中于少数人之手,这种社会化过程,与农业的工业之社会化一样,在农业者愈看作是一种救济,特别表示欢迎。

但最后,在无产阶级制度之下,那以剥削工钱劳动者为基础的农业大经营,一定会达到社会化。农业的大经营,确实是不及工业的大经营那样的发展。但是我们希望以农民的经营,来驱逐大经营,却是一种错误。在资本主义的农业上,大经营与小经营,是彼此互相限制而结合的。因此,在农业方面,大经营想很快地吸收小经营,固属不可能,但是期待反对的过程,亦没有理由,实际的统计告诉我们,各个大小经营间的移动,只是很少的,而且这种移动,也不是表示经济的退步,而经常要由经营方法的变动(即经营集约度的增大),才能说明。在德意志,农地总面积中 50 公顷以上经营的比例,从 1882 年起到 1895 年止,由 33% 到 32.56%,仅减少百分之半弱。但在法兰西,从 1882 年起到 1892 年止,耕地面积中,40 公顷以上经营的比例,由 44.96% 到 45.56%,仅增加百分之半强,由这种统计看来,无论哪一国,这样程度的移动,是全然不成问题。但是大经营在耕地总面积中所占的比例,在德意志,约 1/3,在法兰西约 1/2,这是显著的比例。这种经营的所有者,法兰西在 1882 年,仅有 13900 人(在农业者总数 5672000 人之中,占 2.51%),到 1892 年,更加减少,仅有 13900 人(在农业者总数 5703000 人之中,占 2.42%)。德意志在 1882 年,有 66614 人(5276344 人之中,占 1.20%);1895 年,有 67185 人(5558317 人之中,占 1.21%)。因此,这些经营,一到工钱制度不能维持时,一定会移归于社会的所有。单就这点看,社会就已经得到农地 1/3 乃至 1/2 的处分权。

如上所述,可知考茨基的意见,农业大经营所占领的面积的广大,佃租及抵押借款之增加,农业的工业化等等要素,都是准备农业生产社会化的基础——这和工业生产的社会化一样,确实是由无产阶级的支配,发生出来的,并且农业的社会化与工业生产社会化,结合起来,达到高级的统一。

社会主义的农业,展开各种社会的要素,同时又展开各种技术的要素。近代的科学及技术,促进农业的变革,上面已经讲过的,但是变革的作用,不是普及于一般的,因为资本主义的诸制度,对于农业的发达,愈加以压迫的作用。但所谓无产阶级的胜利,就是废除军国主义和大都市集中的意思。大农地的社会化,从继承权和已故地主重荷中,把农业解放出来。还有,那以自由的合作社社员的劳动代替工钱奴隶制度一事,对于农业大经营发达所必要的要素,例如理智的、自发的、注意周到的劳动力,就可以充分发展起来——现在因为这种要素的缺乏,所以农业的发达,受到莫大的阻碍。

然则"田园逃亡"的现象,到底是怎样呢? 据考茨基的意见,以为劳动者在农村方面,如果可以找到充分的劳动,并且这种劳动,能够给劳动者与都市的劳动,以同样的幸福与文化的设备,那么,"田园逃亡"的现象,自然会停止的。越是工业和农业互相结合,越是生产场所,能够平等分配于全国,以代替那促进大都市经济的集中之商品生产及商业,而消灭大都市人口拥挤不堪的现象,像这种由社会去为社会而行的生产越是进展,就越是能够停止"田园逃亡"的现象。

还有,小农经营又是怎样呢? 工业与农业结合的结果,独立的小农经营自然会失掉其最后的根据。现在小农的存在形式,或是依据工业的副业而存在,或是依据大农经营的工钱劳动而存在,或是这两者都缺乏,因而在小农成为纯粹农业者的地方,就依据于过大的劳动和过小的消费而存在。在这三者之中,必得要采取一种,这是上面已经讲过的。但是资本家的经营如果移转为社会的所有,那第一第二两种小农经营,就会隶属于社会的生产而为所吸收,或变为附属物。至于纯粹独立的农业小经营,到这时,对于那所有者就会失却一切的牵引力。即如现在,都市无产阶级的状态,比较小农的野蛮状态较优,所以农民的子弟,与农业劳动者一样,也实行脱离田园。如果在小农经营的周围,成立一种社会主义的大农场,不以憔悴不堪的工钱奴隶来耕作,而以自由的、快活的、优裕的合作社员来耕作,那么,零细地的农民,一定不逃亡到都市那方面去,而要跑到合作社的大经营这方面来,这样一来,在今日文明之中,这种牢不可破的野蛮状态,一定会从其最后的要塞被驱逐了。

考茨基的最后结论是:"社会的发达,无论在农业方面与工业方面,都向着同一方向前进。社会的必要和社会的条件,无论在什么地方,都追随于社会的大经营——那最高的形态,就是把农业和工业结合为确实的统一。"①

第三节　考茨基的农业政策

考茨基大概以上述的农业理论为基础,进而论到"社会民主主义的农业政策",他说得非常详细,这里只介绍那政策的条项,并附述那农民政策的要点。

一、社会民主主义的农业政策

考茨基的农业政策,大概有如次的条项。

(一)对于农业无产阶级的政策

1. 撤废仆婢规则;在农村方面,完全保证自由团结,与自由转移。

2. 禁止未满 14 岁的少年从事于工资劳动;对于一切的少年及青年,从晚上 7 时起到翌晨 7 时止,一律禁止为农业的劳动;禁止未满 18 岁的青年往外地劳动;强制他们入小学校及补习学校。

3. 保护往外地的劳动者;禁止未满 21 岁之少女往外地劳动;禁止往外地的劳动者之结队制度;废止募集员派遣制度而以公共的劳动介绍制度代替之。

4. 采用规则的劳动时间制度;野外劳动,一年平均一日 8 小时,但在收获期间以及因自然现象工作紧急的情形,许可超过时间的劳动,确立婢仆星期日休息制度。

5. 对于农业劳动者的住居,确保其健康上及道德上不可缺乏的各种条件,农村应设立精壮的住居警察。

6. 设立特别裁判所,以减低过重的佃租。

(二)保护农业政策

1. 撤废世袭财产。

2. 撤废私的领地,编入于共有地。

---

① Karl Kautsky, *Die Agrarfrage：Eine Uebersicht über die Tendenzen der modernen Landwirtschaft und die Agrarpolitik der Sozialdemokratie*, Stuttgart 1899., S.300.

3. 撤废大地主的狩猎区,编入于共有地。

4. 为促进以下各项事实之实现起见,限制土地私有权。

(1)分离或撤废混杂的土地。

(2)土地耕作。

(3)预防传染病。

5. 由国家经营霰灾保险,有时家蓄保险,亦可由国家经营,但对于后者,国家不补助。

6. 制定法律,以促进合作社之容易结合。

7. 国家对于农业教育制度的奖励。

8. 森林及水力的国有化。

(三)对于农村人的政策

为排除都会对于农村的剥削,及撤废都会与农村的文化对立,要努力实现以下的方法。

1. 在市村州县,实施最完美的自治制度。

2. 以义勇兵代替常备兵。

3. 国家负担教育费、救贫费及道路费。

4. 由国家经营医疗制度。

5. 诉讼免费。

6. 废止现行租税制度,代以累进所得税、财产税、继承税。

有利于私人的独占业及"加迭尔",以低廉的代价,变为国有或自治团体有。

关于这些政策,考茨基有以下的注意。

"这些要求,虽然可以说是社会民主主义的农业纲领,但是我相信这个名称,是不适当的。总括在第一项目下面的各点,已经包括现在社会民主党对于保护劳动者主要的要求;同样总括在第三项目下面的各点,是目前政治的要求。在第二项目下面各点之中,最紧要的森林及水力的国有化,不专是农业的要求,而且是工业及国民卫生的要求。至于其余的各种要求,无论怎样重要,把它看作是一个大政党纲领的基础,我以为过于琐细。并且这些'琐细的手段',在先进各国,早已实行过的。社会民主党关于各点,与别的政党不同的地方,就是:在私有财产制度和合理的农业的一般利益如果发生冲突的地方,只对于那私有财产制度不加顾惜罢了。因此,社会民主党不能不公开地说,这些'琐细的手段',对于农业的进步,虽是必要,但对于土地私有制度及资本家的商品生产所加于农业的重税,仅以这种'琐细的手段'来救济,无论如何,是不够的。

"我毫没有想到要提出一个毫无遗漏的纲领,对于特殊事件及特殊地方,我以为一定要有一个农业的行动纲领,但这种行动纲领,不是理论家能单独制造得好的,一定要有实际家的帮助。

"我的目的,是就我所述的农业发达过程,举出具体的实例,以表示社会民主主义在农业政策方面应采取的一般方向。实际的利用,依据这倾向,就容易在各方面实行。"①

二、社会主义和农民

考茨基的农民政策,是所谓中立化政策。据他的见解,社会民主党要获得农民大概是很困难的,不过要使他们采用中立的态度,却不是不可能,只要能够做到这种程度,就有非常的利益。不待说,经济的发达,可以使农民飞跃的前进,如果农民发生反抗时,社会民主党也有处置的方法。总而言之,农民是一种不可轻视的力量,如果我们能够废除这种力量的阻碍作用时而又加以忽视,这真是愚不可及。

农民最害怕的,就是没收他们的所有地。他们对于社会民主党,总有这种怀疑,这是驱使最多的农民变为社会民主党的敌人的原因。据考茨基的意见,这种怀疑却是不对的。他在其最后的理论,已经指出由资本主义的农业转移到社会主义的农业,即不没收农民所有的土地,也有可能,这在上面已经讲过的,他在农业政策的末尾,再提起这个问题,详细论到小经营在社会主义社会的地位及其运命。他说:"不仅小农,就是一般小经营的所有者和手工业的所有者,对于无产阶级的胜利,不仅一点也不要害怕,并且应当欢迎。"然则他们

---

① Karl Kautsky,*Die Agrarfrage:Eine Uebersicht über die Tendenzen der modernen Landwirtschaft und die Agrarpolitik der Sozialdemokratie*,Stuttgart 1899.,S.436-438.

在社会主义的地位,到底怎样呢。这是由于寄生的小经营和不寄生的小经营,而各有不同的。这里所谓寄生的小经营,是在技术方面早已落后而在经济方面又完全归于无用的所有者,就是害怕他自己变为纯粹无产阶级而固执于其所有的一种小经营。这种经营的所有者,越是到了社会主义大经营的劳动者的地位改善,劳动时间缩短,工钱增加,所得确实之时,他们就越发要放弃其旧式无用的经营而变为这种近代大经营的劳动者了。

其次,在这种寄生的经营以外,还有一种在未经应用机械和实行大量生产的地方还成为必要的小经营。这种小经营,在社会主义社会,仍然有存在的理由,或因为民众幸福的增进,个人需要的增加,它的地位也会跟着繁荣起来的。但是它在社会上的性质,和现今的全然不同。因为大部分的生产手段,特别是在经济上已经确定的部分,成为社会的所有,生产成为社会的生产,所以这种小经营也会全然隶属于社会。它所需要的原料及工具,社会是唯一的供给者,它的生产物,社会是唯一的需要者,所以它毕竟是不能不适合于社会的生产组织,成为实际上社会的劳动者。

以上所论,是一般小经营的所有者在社会主义社会的运命,考茨基更进而论到农民的运命如次。

"农民的发达,也会和这相同。许多寄生的零细经营的所有者,只要社会主义的大经营,能够给他们以确实的利益,他们一定很愿意放弃其外观的独立及所有。

"在经济生活上还能够完成重要机能的非寄生的农民小经营,即令在表面上是独立的,但是实际上亦同样的成为社会的生产之一部分。社会依着抵押借款之收归国有和农业者所隶属的农业的工业之收归国有,对于这些小经营的农民,比较对于手工业经营,还能获得更大的权力。

"但农民却没有耽忧了因为这种隶属而有所损伤的必要。只要是在民主主义制度之下,隶属于国家,无论怎样,比较隶属于二三的砂糖公司,是要好得多。国家对于农民没有取得什么东西,只有给他们很多的东西。农民与农业劳动者,由资本主义社会,到社会主义社会的过渡时期,是一种特别贵重的劳动力。……

"无产阶级的制度,是要使农民的劳力,尽可能地变为生产的,供给他们以最优良的技术补助手段,为其利益。社会民主党不徒不剥削农民,并且供给他们以最完全的生产手段,这种生产手段,在资本主义时代,他们是全然得不到的。

"不待说,最完全的生产手段,只有在大经营,才可以应用,因此,社会主义的制度,不可不努力向着这方面急谋扩大。但是要督促农民整理耕地,以便移转到合作社或自治团体的经营,不一定要采用没收的方法。若一旦证明合作社的大经营对于合作社的劳动者有利,那么,国有大经营的实例,更足以成为农民的模仿。……

"虽然社会主义的制度是以农业生产的进行无碍为利益,虽然农民在这种情形的社会的重要性增大,但要给农民阶级以较完全的经营方法的利益,若说一定要采取强制没收的方法,那就完全不能想象的事情。"①

考茨基于 1902 年,在所著社会革命里面,也明显地论到同样的事情。他断定地说:"如果是真实的社会主义者,他决没有要求过必须掠夺农民甚至必须没收他们的所有地的事情。他反而要许可各种农民依然照旧继续耕作的。因此,农民对于社会主义制度,没有什么害怕的必要。"他又说:到了国家、自治团体或合作社所经营的社会主义的农业,代替了资本主义的农业时,或许有许多小农,会放弃他自己的所有地,而加入社会主义的农业,但是在另一方面,一定还有许多农民,想在他的所有地上面,继续从来的耕作,这也是可以想到的。社会主义的社会,对于这种农民,不但不加以阻止,并且对他们的经营,还要极力予以援助。即一方面,军国主义的撤废,租税的免除,由国家负担学校及道路的经费,救贫税的撤废,押抵负债的减低等事,开始给予农民以许多的利益;他方面,社会主义的社会,因为要增加粮食的生产,对于这种尚未社会化的经营,一定设法贷以家畜、肥料、机械等,以促进生产力的增大。考茨基还说:"这些援助,并不是国家直接给予各个贫农,而是以农民团体及合作社为媒介而行的。这些事情,只有委诸自然的发达。就是从纯粹实际政策的理由来说,对于农民的所有权要加以强制干涉的一切思想,都是应当排斥的。想得

---

① Karl Kautsky, *Die Agrarfrage: Eine Uebersicht über die Tendenzen der modernen Landwirtschaft und die Agrarpolitik der Sozialdemokratie*, Stuttgart 1899., S.442-443.

到更多的闲暇和参与一般文化的机会的冲动,特别是能够促进农民的子弟加入于生产合作社的。这样,私有财产最后的避难所,一定会归于消灭。"①

考茨基在 1919 年出版的《农业之社会化》里面,也再三说到同样的事情。他说:"得到胜利的无产阶级,有应当顾虑到不须妨碍食料品生产而进行的理由。掠夺农民的结果,这生产部门的全体,即会陷于凌乱无秩序的状态,并且他们以饥饿来恐吓新的制度的。因此,农民尽可放心了。最单纯的智慧的法则,已经告诉我们,对于这样庞大的人口阶层,不可使他们变为我们的敌人。我们对于这种法则,即不加以注意而单从经济方面来看,他们在经济上是一种不可缺乏的要素这一点,也可以阻止对于农民一切的掠夺的。"他接着又说:"小农不会因社会主义的胜利而有何等的损失的。他们只有借这个胜利而得到利益。"于是更说到农民在社会主义制度之下,能减轻种种负担的事实,作了最后的结论:"我们所以期待这种事体不至于从新确立小农的生产方法,是因为无论怎样免除他们的大负担而给以援助,而对于小农经营,也不能使其完全接近于近代的技术的。因而我相信:社会主义的生产方法,一经确立,小农一定会自发的放弃其在将来成为向上发展的桎梏的经营方式。"②

但是这种对于农民的非掠夺主义的政策方针,并不是考茨基独创的,而是马克思主义传统的政策,这一点,由上面叙述马克思、恩格斯、李卜克内西的地方看来,就会明白的。

---

① Kautsky, *Die Soziale Revolution*, S.33–34.

② Kautsky, *Die Sozialisierung der Landwirtschaft*, S.71, 72.

第五章　列宁的农业理论及其政策

第一节　列宁与农业问题

"列宁最初的论文,是致力于农村问题。1893 年,他起草的《农民生活的新经济运动》,经过了三十年之久,才公诸于世。他从这时起,一直到死,对于农村问题,给了最大的注意。"①俄罗斯劳农革命之父尼古拉·列宁,对于农业问题,无论在理论上与政策上,也都有卓拔的成绩。在理论方面,正当马克思主义的农业理论——即从马克思起至考茨基止关于农业的资本主义法发展法则论——嚣嚣然成为资产阶级的、小资产阶级的非难的中心之际,列宁对于最近现实的农业过程,以周到的分析,为透彻的研究,由事实的证明,再建设马克思主义农业理论;在政策方面,把马克思、恩格斯所建筑的马克思主义农业理论及农民政策,应用于实践的方面,促进其发展,以证明它适合于世界史。这样,马克思主义的农业理论及政策,到列宁时代,才达到完成之域。

第二节　列宁的农业理论

列宁在 1899 年所著的《农业的资本主义》里面说,"资本主义在农业方面的发展过程,有不能想象的复杂,带着各种各样的形态"②;在 1908 年所著的《十九世纪末叶俄罗斯的农业问题》里面又说:"资本主义在农业方面复杂的发展过程,只有研究各种农业现实的特殊性,才能了解,如果以农业有各种特

---

① Martinow 著,高山洋吉译:《列宁与农业问题》,第 1 页。
② 列宁著,直井武夫译:《农业方面的资本主义》,第 6 页。

殊性为理由,就主张农业的发展,是不依照资本主义的法则,那是完全错误的。"①由此看来,就可以知道列宁在农业理论方面的成绩,是在把资本主义在农业方面极复杂的发展过程,一一为现实的研究,以证明马克思主义农业理论的妥当性。

在列宁的方法论中,以其透彻而且实证的眼光,使农业问题,能够一目了然的,是他在1913年所著的《关于资本主义在农业方面的发展法则的新材料,第一分册,亚美利加合众国的资本主义与农业》一书。这本书是利用亚美利加合众国从1900年至1910年的农业统计,阐明美国资本主义化的各种形态,借以证实马克思主义农业理论的妥当性,并且暴露资产阶级的统计是怎样蒙蔽事实的真相,嘲笑资产阶级的与小资产阶级的农政学者机械地应用这种统计的解释,是怎样的肤浅。

各国的农业统计,普通是把农业经营依土地面积或耕地面积的大小去分类,普通的农政学者专以此为根据,来讨论农业发展的倾向,但是仅仅这样,决不能把农业经营的大小及资本主义的意义,直接指明出来。固然,土地面积,确是关于农业经营的一个极重要的标准,但是仅仅这样,是很不够的。第一,因为只知道土地面积,其经营到底是依着自己的劳动呢? 还是依着雇佣的劳动呢? 依着雇佣的劳动又到什么程度呢? 毫不能得到正确的反映。第二,关于农业集约化的过程,例如一个单位面积所投下的资本的程度,以及役畜、机械、种子的改良、栽培方法的改善等,丝毫不能指示(在经营面积减少的情形之下,我们看到资本主义的农业有多大规模发展的实例)。② 并且这种过程——除掉极少数进行原始的、粗放的农业地方及国家以外——是在资本主义国家里最重要的特征。因此,以土地面积的大小,为经营分类的方法,在许多处所,不过是表示农业一般的发展,特别是农业资本主义发展的大概情形。

然则大经营与小经营的更正确的比较,怎样才有可能呢? 现在来叙述列宁关于这点的见解,借此,便可以窥知列宁是怎样拥护马克思主义的农业理论。

---

①　N.Lenin, *Die Agrarfrage in Russland am Ende des* 19.*Jahrhunderts.*Berlin 1920. , S.71.

② 　参见列宁著,直井武夫译:《农业方面的资本主义》,第147页。

"关于农业的进化与法则的一切论文里面,大生产与小生产这个问题,特别成问题。

"不仅如此,在这种处所,农业的进化,或是资本主义的,或是与资本主义相关联的,或是受资本主义影响的,这种农业进化,常常成为问题。因为要测定这种资本主义的影响,首先就要努力去区别农业的自然经济和商业经济。所谓自然经济,如一般所知,不是以市场为目的的生产,而是以经营者家族的消费为目的的生产,这种生产,在农业方面,虽曾有较大的作用,但是它渐渐地把它的地位让给商业的农业。在经济学上所确立的理论问题,如果不是很呆板地很机械地去理解,而作有意义的理解,那么,例如大经营驱逐小经营的法则,就只能适用于商业的农业。对于这个问题,在理论上,恐怕没有人反对的。但是同时,经济学家、统计学家,对于证实那由自然农业转变为商业农业的征候,应怎样去指出、去研究、去计算的事情,在意识上,差不多完全没有注意到。除掉家畜的饲料以外,依照生产物货币价值的大小,为经营的分类(1900年亚美利加的农业经营统计),对于满足最重要的理论上的要求,有多大的贡献。"①

"这里所要指摘的是:在说到工业所上所谓大生产小生产这种确定的事实时,常使用那以生产额或工钱劳动者的数量为标准的工业企业的分类。在工业方面,因为那技术的特殊性之故,问题是很单纯的。在农业方面,因为各种关系非常复杂,互相交错,要想决定生产的规模、生产物的货币价值及工钱劳动的使用范围,更是困难。并且在最后这种情形,工钱劳动一年中的使用量,实有计算之必要。因为农业特别有'季节'生产的性质,仅仅以调查当时的工资劳动为标准,是没有用的。还有,在农业方面,单是计算经常雇佣的工钱劳动者,是不够的,还必须计算在农业上占极重要地位的日佣劳动者。但是困难的事情,不一定同时是不可能的事情。我们必须应用那适合于农业技术的特殊性的合理的研究方法,应用那依照生产的规模、生产物的货币价值、使用工钱劳动的程度及数量的分类方法,以突破一切想粉饰资产阶级现状的资产阶级的,小资产阶级的偏见及倾向密集的罗网,以打开自己的去路,我在这

---

① 列宁著,直井武夫译:《农业方面的资本主义》,第184—185页。

里敢大胆保证的:如果适用合理的研究方法,每进一步,那么,在资本主义的社会中,不仅在工业方面,即在农业方面,那大生产驱逐小生产的真理,也是被证实的。"①

普通资产阶级的统计照原样子所表示的东西,与应用合理的研究方法以利用这种统计时所表示的东西,两者间到底发生怎样相矛盾的结果,这是列宁利用亚美利加 1900 年的农业统计所已得到确实的证明②,这里只把它的结论,介绍出来,对于统计数字,则不列举。

"资本主义的农业,其发展主要的倾向,有以下各点。有许多小经营,在土地面积上,虽依然止于小规模的生产,但在生产额上,在牲畜的发达上,在肥料的使用量上,在机械的应用等事上,却已转化为大经营了。

"因此,依土地面积的大小,以比较各种类的经营所得到的结论——即随着经营的增大而农业集约性的减少的结论,无条件地是错误的。反之,依生产物价值的增大,以比较各种经营所得到的结论——即依着经营增大而农业集约性亦增加的结论,却常常是正确的。

"因为土地的面积,关于经营的规模,只是间接地证实。并且这种证实,因为农业集约化愈加广泛迅速,愈加不确实。但是经营的生产物的价值,在一切方面,不仅间接地可以证实这种规模,并且直接地亦可证实这种规模。我们讲到小农的情形,往往是着眼于不雇佣工钱劳动者的经营。至于到剥削工钱劳动者的转移,不单是由于那在旧的技术基础上扩大经营面积一事——这种现象只有在原始粗放的经营,才可以看到——所决定,并且是由于下述数事所决定的,即由于提高现在的技术,由于旧的技术转变为新的技术,由于在同一面积上以新机械和人造肥料以及家畜的增加或改善等的形态所投下的追加资本等事所决定的。

"至于依据农场生产物价值的大小为标准的分类,是把那和农场的土地面积相分离而依同一生产额为实际区别的经营类集为一的。于是在小面积土地上进行高度集约的经营,与在大面积土地上进行比较粗放的经营,是被类集

---

① 列宁著,直井武夫译:《农业方面的资本主义》,第 197—200 页。
② 列宁著,直井武夫译:《农业方面的资本主义》,第 191—194、200—202 页。

于同一部类的,因为这两种经营,无论在生产的规模上与在工钱劳动使用的程度上,实际上都不失为大规模的经营。

"反之,依据土地面积的分类,只要是面积相近似,大经营与小经营,都归到同一的部类。即是把生产规模全然不同的经营,例如以自己劳动为主的经营,与以工钱劳动为主的经营,都归到同一的部类。照这样,在根本上就错了,在这里,变更事实真相的——这是资产阶级引为快意的——图式,钝化那资本主义之下的阶级矛盾的图式,就发生出来,在这里,那同等的虚妄同等的取悦于资产阶级小农地位的粉饰,那资本主义的辩护,就发生出来了。

"实际上,资本主义根本的主要的倾向,无论在工业方面或农业方面,都在于大经营驱逐小经营一点。但是这种'驱逐'却不可单解做是迅速地掠夺的意思。连贯了数年或数十年的零落,小农民经营条件的恶化,亦是属于这种驱逐。这种经营条件的恶化,又表现在小农民极端的劳动中,在食料品质的恶劣中,在借金的重负中,在家畜饲料以及一般给养的恶化中,在土地的取得与耕作及肥料等条件的恶化中,在经营技术的停滞等事之中。科学的研究者之任务,如果不想粉饰零落而被摧残的小农民地位而有意或无意地想博得资产阶级的欢心,那么,他的任务,首先就要努力去正确地决定这种决非单纯又非同一的零落征候,其次,就要解剖并阐明这些征候,尽可能地调查那所及的范围,调查那因时代而异的形态。但是对于这样重要的方面,近代的经济学者及统计学者,差不多完全没有注意到。"①

列宁最后的结论如次。

"农业资本主义发展的一般法则及这些法则所表现的各种形态,依照合众国的实例,是最便于研究的。这种研究就达到可以在下述简单命题中得到的结论。

"农业与工业相比,手的劳动超过机械的劳动。但是机械提高经营的技术,使经营更加大规模地转化为资本主义,而且正确地使经营增加。在现代的农业上,机械是被使用于资本主义的方面的。

"农业的资本主义,其主要的征候及指标,是工钱劳动。我们在美国一切

———————————

① 列宁著,直井武夫译:《农业方面的资本主义》,第206—208页。

的地方,在一切农业经营的部门,可以看到机械使用的扩大与工钱劳动的发达。工钱劳动者数量的增加,超过该国农业人口及总人口的增加,农民数目的增加,却不及农村人口的增加。阶级的矛盾,日益增大而且尖锐化。

"在农业方面,大生产驱逐小生产的事实,也在显现着。关于农场一切的财产的 1900 年及 1910 年的资料的比较,就完全证明着这种事实。

"但是研究 1910 年美国统计的人们——与在欧洲差不多一切国家——同样除掉以土地面积的大小,为经营的分类以外,没有一点进步,所以这种驱逐的事实,被蒙混了,小农民的状态,被粉饰了。农业集约化的进展,愈加广泛迅速,这种蒙混与粉饰的程度就愈加厉害。

"资本主义的生长,不仅在粗放的农业地方以大面积进行大经营的方法中,显现出来,就是在集约的农业地方以较小面积经营的生产规模实行较大的资本主义的经营的路程中,也显现出来。

"总而言之,大经营上生产的集中,事实上,比较普通以土地面积的大小,为种种形态的分类所搜集的资料,更加厉害;小生产的驱逐,在事实上,比较这种资料所表示的,更加广泛而深刻。

"小生产的掠夺,正在进行着。最近十年间,在农民总数中,土地所有者的比例,确实减少了。农民总数的增加,亦赶不上一般人口的增加。……

"拿同一时代的工业和农业的资料来比较,从全体看来,后者是非常落后,虽然如此,在两者方面,都表示进化的法则——大生产驱逐小生产,——显然是同样地显现着。"[①]

列宁以美国的农业统计为基础,依合理的研究,把那成为马克思主义农业理论核心的大经营驱逐小经营、农业的商品生产、资本家生产的发达、农村人口阶级分化的过程,都加以证明了。

第三节　列宁的农业政策

如上所述,列宁在拥护马克思主义的农业理论方面,已有了显著的成绩,

---

① 　列宁著,直井武夫译:《农业方面的资本主义》,第 271—274 页。

但他更加努力的地方,还是在政策方面。因为帝国主义世界战争的破局,使他成为俄罗斯无产阶级革命的指导者,使他成为马克思主义的世界政策的实际试验者。列宁很勇敢地负担这种历史从所未有的使命。在他的名著《国家与革命》里面说,"参加革命的经验,较之叙述革命更加愉快而有益"①。

在劳农革命的时候,农业问题,特别是农民问题,是一个最重要的问题,同时又是一个最困难的问题。因为像俄罗斯那样的农业国家,如果得不到农民群众的拥护,就很难取得政权,至于讲到还要维持已取得的政权,那是更加不可能了。并且农民群众,在意识上,在组织上,都是很落后的,但不能不领导他们共同去建设社会主义。正如伐尔加(Varga)所说:"无产阶级专政最困难的问题,是农业问题。"无论何人,一想到俄罗斯这样的国家,便觉得其言之亲切。

列宁对于这个困难问题,到底是怎样应付的呢?不待说,在他的胸中,是很坚决的把握着马克思及恩格斯的农业及农民政策的,但是这种政策,原是一种政策大纲的指南,应用到实际方面时,对于当时实际情形,不可不详细考虑,换句话说,即必须贯串当时的实际状况,把马克思主义复活起来。这正是列宁的苦心,亦是他的真骨骼。然则列宁到底怎样去实践这种政策呢?说到这里,我就想到拉狄克(Radek)在共产党二十五周年纪念日所起草的《列宁论》了,其中有一节这样说:"当列宁决定在卜列斯里托夫斯基(Brest Litovski)媾和之际,看到农民在战争中是占着极重要的地位,在他的心中,想起一个里亚桑(Ryazan)州的农夫就注意地去处理一切事情。列宁现在也是采取同一的态度,现在正是由内乱时期转变到经济改造时期,要成就经济改造的事业,是要劳动者来负担这种责任,于是设身处地,恍惚自己是一个这样的劳动者,以考虑一切的事情。"列宁这种态度,不是暗示马克思主义理论与实践辩证法统一的真相吗?换句话说,列宁的政策,不是机械的应用马克思主义,而是要经过为社会进化历史的负担者民众的意志与要求,使马克思主义的原理,能够具体化。列宁对于农业政策的问题,首先是注意到农民政策的问题,怎样去获得、组织并指导那为无产阶级的同盟者农民呢?这是一个先决的问题。关于其余

---

① N.Lenin,*Staat und Revolution*,1918.,S.115.

一派的农业政策的问题,可以说都是附属的问题。这里首先来概观列宁的农民政策,并关系于这个政策具体化过程而论到土地政策及农业经营政策。①关于列宁的农民政策,可参照共产国际的农民政策。

一、农民政策

列宁对于农业人口的阶级构成,有如次的分析:1.农业无产阶级,2.半无产阶级或零细农民,3.小农阶级,4.中农阶级,5.大农阶级,6.地主阶级(关于这点,详述在次章共产国际的农民政策)。列宁对于这些阶级,采取了什么政策呢?

照马克思主义者列宁的见解,"集团的资产阶级,是社会主义的敌人,集团的无产阶级,是社会主义的友人"。这种见解,不待说,完全可以适用于农村,他对于为农业资产阶级的地主阶级及其他剥削阶级,与对于工商资产阶级一样,是要彻底消灭的,其手段亦只有完全的革命一途。反之,农业无产阶级,是农村无产阶级专政的支柱,是社会主义的拥护者,因此,他对这阶级的政策,是要使其与都市的无产阶级,紧切的提携,亲密的结合。

其余的,是所谓农民阶级。列宁在1919年3月23日俄罗斯共产党第八回大会席上的演说中,引用恩格斯的话说:"对于大农,也没有使用强制手段的必要,这是可能的。但是依强制以压迫中农这个问题,我们到底想到过没有呢?这种事情,合理的社会主义者,没有一人曾经想过。至于小农,不待说,是我们的友人。"以后他再加以说明:"这是恩格斯在1894年农业问题列为大会议事日程的时候即他死的前一年的意见,这种意见,我们常常忽略过去,但这确实是指出在理论上一致的真理。"这样看来,很明显的,列宁是完全继承恩格斯的见解,对于大农阶级,不采用与对于地主资产阶级同样彻底的政策,仅仅"抑制大农阶级的反抗,镇压他们的反革命倾向"。这是因为在无产阶级专政的当初,以他们为正面的敌人,是没有利益的。但是他们多半是具有剥削阶级的实质,那剥削的要素,毕竟是不能不灭绝的。事实上,俄罗斯在十一月革

---

① 以下的叙述,大体是根据列宁著的《Bolsheviki的农业政策论》、《共产党对于中农阶级的关系》及《俄罗斯农业革命》三书。

命之后,农民无产阶级与农民阶级的全体,虽是团结一致,扫除大地主阶级,但是达到这种目的以后,运动就进到第二阶段,1918 年夏秋之顷,就开始农业无产阶级及贫农阶级对于富裕的大农阶级的斗争,这是当然的事情。1920 年,在共产国际第二回大会通过的《关于农业问题的决议》,是列宁起草的,其中,指出大农阶级是"无产阶级决定的敌人"。不待说,这种政策的变迁,要不外是适应时局的变更。其次,小农阶级是近于半无产阶级,大体上说来,是社会主义的友人,列宁的政策,是在于唤起小农阶级的阶级意识,使其与纯粹的农业无产阶级及都市劳动阶级,互相提携,进而使其参加社会主义的斗争与建设。贫民委员会的构成,是其主要的具体政策之一。

最成问题的是中农阶级。据列宁的见解,中农阶级是"动摇不定的,一方面是有产者,他方面又是劳动者。这种阶级是不剥削劳动阶级的。他们亘数十年之久,都不得不以非常的努力,去维持他们的地位。并且他们自己经验过地主与资本家的剥削,备偿一切的痛苦。但是不管这样……他们还是有产者"。中农阶级有这样的地位与特质,列宁对于他们的政策,想依照恩格斯的方针,现实地贯彻马克思主义的农民政策,是极有兴味的问题。

像俄罗斯那样的国家,中农阶级是很多的,中农的向背,对于无产阶级革命运动,予以决定的影响,其意义非常重大。因为在无产阶级专政的当初,不待说,都市的无产阶级与军队的粮食,是最迫切的需要,在这种时候,如果中农阶级一致起来反抗,都市的粮食问题,即刻濒于危险。加之,在政治方面,如果他们加担到反革命方面,无产阶级的新政府,就不能不陷于很大的苦境。因此,中农阶级至少要使其站在中立地位,这是绝对必要的。从他们的经济地位讲来,不一定是社会主义的敌人,但是他们富于保守性,在长久的期间中,是拥护资产阶级的统治,这种根深蒂固的因素,很难一时铲除尽净。

中农的问题,是这样重大而且复杂。列宁对于他们的政策,始终是妥协政策,是非强制主义的中立政策。他说:"我们对于资产阶级与中农阶级的态度,不同的地方,一方面,是宣言对于资产阶级完全的消灭,他方面,对于中农——只要他们不是剥削者——承认与之提携结合。……在后者一方面,强制是没有一点用处。对于中农的强制手段,只有惹起很大的祸害。……这里成为必要的,是继续的教育事业。"即尽可能地为他们改良农具,提供他们所需要的一切东西,以表示社会主义决不是他们的敌人,他们并不因资本主义的消灭,而有所失,反而有所得。对于富于保守性的,没有加入到社会主义方面希望的人们,照列宁的见解,也只有施行继续的教育事业。这里所谓教育事业,不只是理论与演说,而是农业公社及合作经营的创设与奖励。对于中农,不要依强制或暴力,使其加入,只要举出实例,使他们知道他们自己的经营方法,远不及农业公社经营之有利益,他们就会自动的来参加,这种方法,不待说,是要经过很长久的期间。"只要我们采用正确的政策,毫无疑义地可以阻止他们的踌躇与动摇,中农毕竟是要与我们结合的",这是列宁所确信的地方。

如上所述,列宁对于中农政策,是绝对排斥强制政策。他再三说:"对于这个问题,如果我们使用暴力与强制,本质上就决定是一无所成,这是一个真理,决不可背此而驰的","如果使用暴力,就会把一切的事情,根本破坏。"他用这些话去警戒急于事功的共产党员。我们在这里可以看到不是空想主义者的列宁,常常只对于能够完成的事情去竭尽全力做去的列宁,马克思主义者的列宁活跃的面貌。

二、土地政策

土地问题的解决,是俄罗斯农民多年的翘望,这是一般人所知道的。列宁早已看到这点,曾经说过:"工业革命政府,首先必须解决农业问题。要使贫农群众安静而满足,其关键就在此。"所以获得政权以后,他立即接受农民的希望与要求,以解决土地问题,这实在是工农革命得到第一步成功的原因。

1917 年 11 月 8 日即获得政权第二日,劳农政府颁布有益的《土地布告》,以表明关于土地问题的根本政策,这布告是以列宁所起草的原文为基础,制定出来的。

《土地布告》之第一条及第二条如次:

> 无赔偿废除地主的土地所有权。
> 地主的所有地和皇室、僧院、教会的所有地,以及一切家畜器具、房屋、一切附属物,在宪法会议召集以前,由乡村农业委员会及农民代表县

苏维埃管理之。

但本项没有讲到的土地，即"不没收农民及服务于兵役的哥萨克人的土地"，规定在这布告第五条里面。

列宁在这种处所，不适用社会主义一般的原则，所有地的没收，仅限于地主，不及于农民，这就是列宁具体地适用农民政策的地方。一般的农民，原来为顽固的土地私有欲所拘束，如果对于他们，采取没收的铁腕，我们不仅逼迫他们走到反革命阵营去，并且使他们投到扰乱与动摇的旋涡中，这是农业大生产重大的障碍。在这种处所，适用一般的原则，不徒无益，反为有害。

因此，成为实际政策的问题而极重要的，就是在无产阶级专政的时候，没收究竟要达到什么范围？私有地移归公有，究竟要达到什么程度？这个问题，不待说，是要看当时国家所有地的分配状况以及农业阶级因此而发生的分裂状态为标准来决定，在一般的情形，地主及其他大所有地，对于一国土地的总面积，所占的部分愈大，农业无产阶级及半无产阶级的数量愈多，大地主与农业无产阶级的对立关系愈尖锐，无产阶级专政，在农村的基础，愈加巩固，那么，没收的范围，自然可以深入而且广大，反之，所有地的分配状况愈平均，纯粹的无产阶级的数量愈稀少，阶级对立关系的发展愈迟缓，一切的事情，对于无产阶级专政愈不利，那么，没收的时候，愈加要考虑慎重。马克思主义的农民政策，在原则上，对于农民，特别是小农阶级的所有地的没收，是除外的，列宁不过把这个原则，应用到实际方面罢了。

但是一般终极的原则让步，当然不是原则的放弃。1918年2月19日《关于土地社会化的布告》，对于《土地布告》所承认的农民私有权的除外，至少在形式上，是取消了。这布告之第一条及第二条如下：

> 永远废除在俄罗斯联邦社会主义苏维埃共和国的土地、地下埋藏物、河川、森林及对于自然力一切的所有权。
> 自后土地无赔偿地（直接或间接）概归劳动民众使用。

一方面，以法律决定废除一般的土地私有权，以实现社会主义纲领的根本要求,他方面,依地主阶级的扫除而归于社会所有的土地,首先移转到以自己的劳动,耕作土地的农民阶级之手,以适合农民群众的要求。结果,没收的农场,其中86%,是交给劳苦农民,11%,以苏维埃农场的形态,归于国家,3%,归于农业合作社,农业公社等。从1917年起,到1920年止,农民保有的土地,在欧俄方面,由全耕地70%增加到96%。在乌克兰方面由55.5%增加到96%。交给农民的土地,除西伯利亚以外,约值5亿卢布。同时,他们又得到价值3.1亿卢布的牧场。此外除乌克兰及高加索以外的欧俄,农民由1.5亿卢布的抵当借款及每年支付2亿卢布的地租,解放出来。农民群众狂热欢迎列宁与工农政府,决不是偶然的。

但是这样断行土地的分配,纵令不是归于农民的所有,仅委任以使用权,但是从社会主义经济的见地来说,决不是一种好现象。只是迫于俄罗斯实际的情形与必要,不得已而出此,只有这样,才能建立工农政权,才能维持这种政权,在这意义上,正如马尔索尼所说,这是"在俄罗斯不能不认识而且不能不实施的自然法则"。列宁也曾说过:"单就以均分土地使用为主眼的土地社会化布告来说,这种理想,的确不是我们布尔什维克的理想,因此,我们虽是不赞成这种标语,但是这种要求,既是农民群众的要求,那么,实行这种要素,是我们的义务,这样的要求,是不应废弃或回避。我们布尔什维克不可不诱导农民,使其埋葬小资产阶级的标语,尽可能地迅速而且容易地移到社会主义的标语。"

然则列宁到底采用怎样政策,诱导农民经营到社会主义方面呢?于此,我们便要研究列宁的农业经营政策。

三、农业经营政策

以列宁为首领的工农政府,于1919年2月14日,发布了《关于土地的社会主义组织的规定》,其中心的目的,说明如次。"打破人对人的一切剥削,组织农业于社会主义基础之上,应用一切进步的科学及技术,以社会主义的精神,教育劳动群众;因为对于资本的斗争,要使都市劳动者与农村贫民,相互结合,就必须由个人利用土地的形态推进到共同的形态。苏维埃农场、农业共产社、进行共同的耕作,以及其他一切共同的土地利用形态,都是达到这目的的最善的手段。因此，一切种类的个人利用土地的形态，要看作是一时的陈腐的东西。"

如上所述，列宁农业经营政策的大纲，大概可以知道了。然则其中所述的各个共同的农业经营形态，到底是怎样的呢？

首先来说苏维埃农场吧。苏维埃农场，是在被没收的地主的大所有地之上，由苏维埃政府自己或公共团体，直接来经营管理，是一种最完全的社会主义的农业大经营。在这里，应用最高度的近代科学及技术，设置附属的农事试验所、农业用工厂、农业学校、博物馆等，以图农业生产力最大可能的发展。在这里劳动的，有长年工、日佣工、季节工，均隶属于它，其生产物，不仅满足在那里劳动的无产阶级的需要，并且经过政府的分配机关，以供给都市及军队的粮食需要。这样看来，苏维埃农场，是最进步的最典型的社会主义的农业经营形态，同时，它的发达，是促进无产阶级的发达，因此，社会主义，在农村里面，可以得到确实而强固的基础。加之，苏维埃农场，其组织、活动及管理，亦使都市的无产阶级参加，因此，可以得到都市田园间紧切的联络结合。如此，只有苏维埃农场，对于农村社会主义的到来与发达，负有为其真实基础的使命。

其次，农业公社是以共同的大经营为目的的农民自由团体，把各个农民的土地，并合起来，成为共同地，农业用的机械及工具是共有的，家畜亦是共有的，耕作劳动当然也是共同进行的。

列宁诱导农民，特别是中农阶级进到社会主义的手段而加以奖励的，就是这种农业公社。在这时候，不强制农民，使他们创设及加入这种团体，而采取一种方针，使他们以自由的意志去自发地组织这种团体，这是前面已讲过的。但是一般农民是保守的，非等到他们确信农业公社之有利益，是很难使其投到这方面来，其发达势必迟缓。加之，农业公社，从其本质的组织来说，比较社会一般的利益，首先注重属于团体的农民的利益，在这意义上，便容易流于利己的倾向，因此，农业公社的发达，不一定就是共产主义的发达，它虽可以为共产主义的辅助机关，但没有为共产主义的基础之效用。不过它是一种比较发达的社会主义的农业经营形态，能够领导几百万的农民集团，慢慢地走向真正社会主义之王国，因此，这种过渡阶段的农业公社，亦很有重要的意义。

关于这点，列宁在《农业公社及农业"亚尔特尔"（Artel）第一回大会》的演说如次：

"农业公社这个名称，是与共产主义的概念结合的一个伟大的名称。如果公社实际能够表示这种团体能努力改善农民经济，那就毫无疑义地可以增高共产主义者及其党的声望。可是公社不仅惹起农民阶级拒绝的态度，并且'公社'的语句，往往有时成为对于共产主义斗争的标语。这种事实，不仅限于强制农民加入公社这样愚笨的情形，才是这样。这样愚笨的方法，无论是谁，都是很注目的，苏维埃政府方面，早以此为戒，现在虽还有这种强制的方法，可是稀少得很了，我希望本大会有所贡献，要使这种恶习，在苏维埃共和国里面，消灭到没有一点痕迹，使农民对于强制加入公社的旧观念，在事实上，得不到一个证明。

"但是假如我们即令能够除去这种旧缺点，克服这种旧恶习，这也只是我们应做的事情中单单的一小部分。国家对于公社还有给以援助的必要，如果我们对于土地集合耕作的制度，而不与以国家的援助，那我们就或许会变成不是共产主义者，或许成为不是社会主义经济组织的信仰者。这是我们不可不实行的任务，这种任务，与其余一切的任务，是一致的，是一个理由，还有一个理由，就是我们早已知道这种合作社、'亚尔特尔'以及集合的组织，是一种新的事业，假如得不到掌握政权的劳动者方面的援助，就不能建立基础。因为要建立这些事业的基础，国家是与以财政或其他的援助的，万不可因此而惹引农民的嘲笑。我们常常要注意，不可使农民有所借口地去指摘公社、'亚尔特尔'、合作社的社员，是国家财库的寄生虫，而说他们和别的农民不同的地方，仅仅他们得到特权罢了。……这问题实际解决的要谛是：我们不仅要避免这种危险，并且要发现使农民不致于这样着想的手段，要用国家的权力，奖励一切的公社和一切的'亚尔特尔'，使其对于农民，教以新的土地耕作方法，这不是以书籍或演说所能了事（这些事情是极容易），而是要在实际生活中，指出新的耕作方法是优于旧的，使农民能够了解。这问题的难点，就在这里。各个公社，各个'亚尔特尔'，实际上，到底优于其他一切旧式的经济企业与否呢？劳动者的权力，在这点，对于农民，实际与以援助与否呢？我们只有凭干燥的数字的材料，才能勉强得到判断。……

"……我确信现在数千公社及'亚尔特尔'的各个组织，在农民之间，是普及共产主义思想的栽培地，这些公社的各个组织，纵令现在还是微弱的一个小的萌芽，但如果得到诸君共同一致的援助，以实例证明这不是温室的植物，而是新的社会主义秩序真实的自然的萌芽，我想是可能的。到这时，我们才能永远克服黑暗、贫穷与艰难，到这时，在我们面前，无论有怎样的困难，我们也没有退却之必要。"[①]

最后讲到农业合作社（是上述的列宁的演讲中"亚尔特尔"之一种），这种农业合作社，是小农乃至中农，在相互扶助的精神与组织之下，以保持乃至改善经济地位为目的的团体。这种团体，如一般所知，有很多种类，例如贩卖、购买、信用等的协和组织，这种组织，在共同组织之中，要算是社会主义的色彩最稀薄的，但可以做一个农民到公社的基础，在这种意义上，这种组织，是决不可轻视的。在俄罗斯，以生产物的共同贩卖或必要的工具类的共同购入为目的的农业合作社，原来是很多的，这些团体，因资本制度的崩坏，渐次失却其意义，以共同耕作为目的的团体以及从事于生产物的共同加工的团体，主要的是得到苏维埃政府的庇护。但是这个团体，其社员仍然是独立的维持其个人的经营，与社会主义的经营，相距太远，对于农业的社会化，只有补助的意义。

列宁对于这种农业合作社，与对于公社一样，亦加以奖励，这是由前面所引用的列宁的演说看来，就可以明白，自采用新经济政策以后，俄罗斯一般的合作社，就有根本的意义了。关于这点，列宁在1923年做一篇《合作社论》，与以详细的解释，其中有一段如次：

"现在，十月革命以来，不管新经济政策的实施（在这点，恰恰相反，恐怕不能不说是正因为新经济政策实施的结果），我国的合作社，却有异常重要的意义。……

"以前合作社论者的梦，完全是一种空想，其空想往往至于滑稽的程度。但是他们的空想在哪里呢？这是由于他们完全不理解劳动阶级为压服剥削者的政治斗争之基本的原因的意义。在我国，这种压服，既已完成，在以前合作社论的梦中。以为是空想的，甚至以为是浪漫的、愚劣的许多事实，现在已成为真实的，现实的事实了。

---

① N.Lenin, *Über das Genossenschaftswesen*, 1925., S.76–77, 81.

"现在我国在实际上，国权已归到劳动阶级的手中，一切的生产手段，已收为国有，但是促进人民组织合作社的任务，依然存在。只有组织人民于合作社到最大限度的时候，为确信阶级斗争即为获得政治的权力而斗争的必要不可缺乏的人们所嘲笑所侮蔑所轻视的社会主义，自然可以到达的。我敢说，一切的党员，对于组织俄罗斯于合作社这件事，在我国看来，究有怎样伟大而广泛的意义，还没有充分的自觉。由于采用新经济政策，我们对于那为商人的农民即私的商业，已为原则的让步，正因为如此，合作社便发生伟大的意义（与普通一般的见解正相反）。无论在深刻与普遍的两方面，组织人民于扩大了的合作社一事，在根本上说来，是我们在新经济政策支配之下所必要的全部。因为我们现在发见了把以前许多的社会主义者以为障碍的私的利益，私的商业利益，结合起来，由国家的监督与管理，使其隶属于一般利益之下的阶段了。事实上，握着一切重要生产手段的国家、在无产阶级手中的国权、无产阶级与几百万的小农及极小农的结合，以及保障无产阶级对于农民阶级的指导作用等等保证，到底是不是以合作社——即以前我们说它是小贩商，在新经济政策施行中的现在，到某种程度，还有这种权利的合作社——为基础，作为建设完全的社会主义的社会所必要的全部呢？这当然还不是社会主义的建设，不过是为建设社会主义的社会所必要的充分的全部。

"这种事情，许多实际活动的党员，还没有充分的估价。在他们中间，有许多人，轻视合作社制度：第一，在原则的关系上（生产手段的所有权，在国家的手中）；第二，尽可能地以简单而且容易接近农民的方法转移到新秩序的意义上，这种合作社究有怎样独占的重大性，他们还没理会到。

"我们目前有两个伟大的，划时代的任务。第一种任务，我们要完全改造由旧时代继承的没有价值的装置。第二种任务是农民阶级间的文化事业。农民阶级间的文化事业，在经济的目的上，正要依合作社运动来实行。如果我们已经能够使人民完全参加合作社组织，那么，我们或许已经很稳当的站在社会主义的地盘上了。但是完全的合作社化这种条件，是以农民阶级（特别是有广大群众的农民阶级）的文化阶段为前提，这种合作社化，如果没有文化革命，是不可能的。

"现在只要我们能进行文化革命，就能够达到完全的社会主义的国家。

但是文化革命,对于纯文化的种类(这因为我们是文盲者),与物质的种类(因为要谋文化的生存,必须物质的生产手段,有一定的发达,有一定物质的基础)必要有空前的努力。"①

以上是列宁的农业经营政策之具体的形态之主要部分,列宁一方面奖励这种形态,以进行为其理想的农业社会化的准备,同时又注意于旧来的小农经营的保护与改善,这是不可轻轻看过的。列宁预料达到社会主义的社会,小农还有长久存在的可能,因此,为增加其生产力起见,遂请求种种政策:即改良种子及人造肥料,以供给农民;普及科学上的知识;给农民以科学的助言及援助;在地方苏维埃修缮工厂改良农民所用之农具等这些都是主要的东西。这些政策,一方面固然以增加农民生产力为目的,同时,也是使一般农民,特别是小农为社会主义的友人极有效的手段,因为这些政策,可以使他们体验他们不仅不受到社会主义的损失,反而得到利益。

列宁这样采用援助小农的政策,当然不是奖励小农经营形态的意思。他当然是确信小农经营与近代的科学及技术,距离太远,是不生产的东西。因此,无论怎样采用援助他们的政策,一定不致使他们有大的跋扈。结局,他们看到社会主义生产方法确立在农业方面,同时,看到大生产的利益,早晚会放弃他们旧的经营形态,而投到公社及其他新的社会主义的经营形态,这是列宁所期待的。

道途虽远,不可性燥,这是列宁的苦心。他在 1921 年 5 月俄罗斯共产党第十回大会的报告中,发表当时感想如次。

"共产主义者如果以为小农经营经济的基础,经济的根基,在三年之内可以灭绝,他的确是空想家了。这样的人,在我们中间,不知道有多少,这是没有隐讳的必要的。但是这样的人,不见得是怎样坏的。在这样的国家,假如没有空想家,怎样能开始社会革命呢? 实践告诉我们,在土地共同经营的领域内,种种的经验与尝试,能演出怎样伟大的作用。——但是同时,事实又告诉我们,有一种人,以最善的目的与愿望,到农村方面去,不懂一点经营的方法,而想在那里创设公社或共同的形态时,那样的经验,也演出了消极的作用。……

---

① N.Lenin, *Über das Genossenschaftswesen*, 1925., S.98–99, 103.

关于小土地所有者的问题,以及他们健全的心理问题,只有依物质的要素,才能够解决。只有依靠技术,只有依靠大规模的应用耕地机或机械于农业,只有依靠广泛的进行电气化,才能够解决。只有这样,才能使小有产者根本的迅速的转变。

"但是诸君很知道的,制造耕地机或机械以及在非常广大的土地上进行电气化——,无论怎样,都需要十年的工夫。"

第六章　共产国际的农民政策

第一节　马克思主义和列宁主义

"列宁主义是帝国主义时代的马克思主义"①,这句话的意思,从政策方面来说,是因为资本主义的发展,已进到帝国主义的阶段,为适应这种迫切的现状起见,由比较原理的马克思主义,进展到比较具体的实践的列宁主义。这里所讲的农民问题,我们也看出一个显著的例证。如伐尔加说:"为对付支配阶级的斗争,创造劳苦农民与劳动阶级的结合一事,是列宁主义的一个基柱。"②其实这种工农结合的政策与战术,并不是由列宁创造的,在原则方面早已为马克思及恩格斯所提倡所确立了。不过这种原则,中途为社会民主主义者所壅蔽,能够很明显的把它表彰出来,更加以具体实践的规定,把马克思、恩格斯所创造的原则方针,活用到现实方面,在这一点,要算是列宁在历史上赫赫的功绩。如此,为列宁主义所指导的共产国际农民政策,毕竟不外是马克思、恩格斯农民政策的延长、发展、与具体化。然则马克思主义关于农民问题指导的原理,共产国际是怎样把它具体规定的呢? 研究共产国际的农民政策,其意义与兴味,即在于此。

第二节　共产国际与农民问题

共产国际在大会及扩大执行委员会,每每论到农业问题。

---

① J.Stalin, *Probleme des Leninismus*, 2 Aufl, 1927, S.10.

② E.Varga, *Materialien über den Stand der Bauernbewegung in den wichtigsten Ländern*, S.5.

第一回讨论到农业问题，是在 1920 年夏天第二回大会，这大会在列宁指导之下，以列宁的草案为基础，通过了《关于农业问题的决议》①。这决议确定了共产国际关于农民政策的指导原理，占有极重要的地位，其内容下面还须详细研究，这里就那主要的部分简单说来，不外以为农民阶级，决不是一个统一的阶级，事实上，与大地主有共同利害的，只有大农阶级，中农阶级当支配阶级与无产阶级斗争之际，在其利害关系上，至少不得不中立，至于大多数劳苦农民（小农、零细农、贫农），是站在无产阶级的阵营的，共产国际以这种认识为基础，确立了农民政策。以后共产国际讨论农业问题的时候，都是以这决议为基础。

第二回是在 1922 年夏天第四回大会时讨论的。在这次大会，关于农业问题的讨论，在原则上，和上述的决议，当然没有什么出入，但在政治方面，顾虑到世界革命浪潮趋于低落的事实，特别讨论了在无产阶级专政前期共产国际的农民政策。纲领的要点，不外：为要获得农民群众，不可不尊重他们现实的要求而常常支持它，为它而活动，以证明在资本主义时代对于支配阶级，能够真正代表劳苦农民利益的，只有我党；同时，要指明事实给农民阶级看，使他们知道在资本主义之下，他们的要求，因为与支配阶级的利益相冲突，是决不能贯彻的，借此，以诱导他们走上革命的道路，这是纲领的决定。

第三回是在 1923 年 1 月的扩大执行委员会时讨论的，这时，为谋工农两者斗争的结合，成为具体化，把工农政府的标语，代替工人政府的标语。

第四回是在 1924 年第五回大会时讨论的，这时，农民问题，特别与农业恐慌问题相关联，有详细地讨论，决定各国共产党，一定要帮助劳苦农民，使他们从大地主及大农阶级的精神及组织的影响，解放出来。

第五回是在 1925 年春天扩大执行委员会时讨论的，在这时，对于农业及农民问题，再加以详细而有组织的讨论，以布哈林的草案为基础，表决了《关于农民问题的纲领》②。这个纲领的重要点，首先服从于列宁的教训——即所谓在斗争中发生的过失，大抵是由于把在某一定时期本是妥当的标语及方针

---

①　Resolution zur Agrarfrage.本文所介绍的，根据上揭的 Varga 所编书中的 Anhang, Leitsätze des 11.Kongresses der Komm.Internationale über die Agrarfrage。

②　Thesen zur Bauernfrage.本文所介绍的是依据 N.Bucharin, Über die Bauernfrage。

机械地应用于其他时期的教训——,不仅因时代的区别,明示问题的要谛的所在,并且特别确定了农民运动的策略。

其中最重要的,不待说,是第二回大会及第五回扩大执行委员会的《关于农业问题的决议》及《关于农民问题论纲》这两者。前者主要的是关于原则方面,后者是其补遗及应用方面。我们把这两者作为互相补充的统一的东西而综合观察,在大体上就可以了解共产国际农民政策的全面。因此,这里首先研究前者,再说到后者。

第三节　关于农业问题的决议

这个决议是共产国际确立农业问题原则的方针,其内容分述于下。

一、解放运动的第一原理

这决议劈头就规定解放运动的原理说:只有共产党所指导的都市的及工业的无产阶级,才能从资本与大土地的羁绊,解放农村的劳苦群众,并防止资本主义制度存在时往往不可避免的破灭与帝国主义的战争。如果工业劳动者的运动,只限于基尔特的,劳动贵族的利害关系之范围内,得意扬扬地努力于小资产阶级地位的改善,那么,从资本与战争的羁绊解放人类的任务,是不能完成的。无产阶级只有成为一切劳苦者及被剥削者的前卫,成为对于剥削者斗争的指导者而行动的时候,才能成为真正革命的,真正社会主义的行动的阶级。如果不发展农村的阶级斗争,不以都市的无产阶级的共产党为中心去集合农村的劳苦群众,不以都市的无产阶级来教育农村无产阶级,这种任务,亦是不能完成的。

以上所介绍的,是"决议"第一项的要点,这里所规定的解放运动第一原理,不过是把马克思、恩格斯以来的信条——即在由共产主义所指导的工业无产阶级的霸权之下,动员都市及农村劳动阶级全体,进行对于剥削阶级斗争的信条——从新确定起来罢了。

然则适用这种原则的规定,究竟怎样?"决议"第二项以下的全部,不待说,都是讲到这点。

二、农业阶级构成的分析与对于各阶层政策的根本方针

"决议"第二项至第六项,分析农业人口的阶级构成,并规定对于各阶层所应采取的政策,以构成本决议的中心部分。

都市无产阶级可以诱导加入斗争的,并且可以成为自己友人的农村劳苦及被剥削的群众,有次述三者:

(一)农业无产阶级。即从事于农业企业及与此相结合的工业企业的工钱劳动,借以维持其生计的工钱劳动者(季节工、外出工、日工)。对于这阶级主要的任务,是要造成这个和其余农民集团分离了的阶级之独立的组织(政治的、军事的、工会的、合作社的、教育的组织等),并且在这阶级间,进行活泼的宣传及鼓励,使拥护苏维埃政权及无产阶级专政。

(二)半无产阶级或零细农。就是他们生计的一部分,靠农业上工业上资本家的企业上的工钱劳动来维持,另一部分靠耕作自己所有的,或佃租地主的一块小土地——只能得到家族所必要的食料的一部分——所得的收获来维持的人们。这阶级的地位,非常困难,苏维埃政权及无产阶级专政,对于他们所给予的利益大,而且立即见效,革命的工作,只要正当的组织起来,就确实可以得到他们的拥护。

在许多国家中,上述的两个阶层,不能严密的划分,在这种特殊的情形之下,他们可以为共同的组织。

(三)小农。即是小土地所有者或佃户,不雇佣他人的劳动力而恰恰可以满足家族及经营的必要的农业者。无产阶级得到胜利以后,即刻可以供给他们以下列各种利益:(A)免除对地主的交租,(B)免除抵押负担及购入金,(C)由大地主种种形态的束缚及隶属解放他们(森林及牧场的利用等),(D)凭借无产阶级国家的权力,即刻与他们以经济的援助(无产阶级没收大资本家经营地的农具及土地的一部分,有利用的可能性,在资本主义下的消费合作社及农业协同团体等,是帮助富裕有力的农民组织,这些组织,可即时用无产阶级国家的权力改组为帮助无产阶级及小农的组织)。

同时,这阶层虽在极少的程度,然因其为食料品的卖主关系上,以及拘于商业及所有的习惯,在资本主义过渡到共产主义的期间,即在无产阶级专政的

继续期间,他们想得到商业的自由及私有物的自由处分权,至少有一部分要动摇的,这一点,本党不可不知道。但是只要采取坚决的无产阶级的政策,得了胜利的无产阶级,只要决定地清算大地主及大农,这阶层的动摇,当不致十分利害,并且小农的全体,不是无产阶级变革的反对者,这种事实,亦不致有多少的变更。

上述的三阶层合并起来,在一切的国家,是占农村人口的多数,因此,无产阶级专政最后的成功,不仅对于都市,即对于农村,也可以得到保证。

其次要说的农民阶级。

(四)是中农阶级。所谓中农阶级,在经济的意义上来说,他们在资本主义之下,普通不仅足以维持家庭及经营,并且至少在丰收年成,是可以蓄积一小部分转化为资本的剩余的小土地所有者或佃农,他们又是常常雇佣他人的劳动力的小农业者。无产阶级对于这阶层的政策,是采取中立政策,他们至少在最近的将来或在无产阶级专政的初期,是不能帮助无产阶级的,所以对于他们的任务,在无产阶级与资产阶级斗争之际,要使他们能守中立,不积极的援助后者。这阶层摇动的态度,是不可避免的,并且在新时代的当初,他们主要的潮流,在资本主义发达的各国,是有利于资产阶级的倾向,因为他们的世界观及感情,主要的是私的资本家的倾向,得到了胜利的无产阶级,可依据撤废佃租及抵押负债、供给机械、农业经营应用电力等事,以改善他们的状态。无产阶级国家,将为这个阶级废撤去由私有财产所生的一切义务。无论在什么情形,无产阶级的权力,对于中小农阶层,不仅可以保证他们的土地能够继续维持下去,并且可以保证他们可以照着从来佃耕着的全地面扩大其面积(因佃租的撤废)。

一方面,对于资产阶级,进行毫不假借的革命,他方面,对付中农,采取妥协政策、中立政策的成功,固然是无疑义的。但是要使他们移转到共同农业经营,却要很慎重而且缓慢地依靠实例的力量,依靠机械的供给和采取改良的技术(电化)不需要丝毫的强勉,才能达到这种目的。

最后要说的农民阶级。

(五)是大农阶级。大农普通是雇佣多少工钱劳动者以经营农业的资本家式的企业家。只因为他们文化的低落,生活的简单,以及他们对于经营参加肉体劳动的关系,所以仍属于农民阶级。

大农在资产阶级的阶层中是占最大多数的阶层,是无产阶级直接的而且决定的敌人。因此,农村中革命活动的主要目标,要由这种剥削者之精神的及政治的影响,解放劳苦及被剥削的农民群众,以与这阶层斗争。

在都市无产阶级获得胜利后,这阶层每每得到机会,即起来反抗或怠工,这是不可避免的。无产阶级为镇压这种反抗起见,不可不即刻开始准备精神的及组织的力量。但是对于大农却不可即刻没收他们的土地。因为他们的经营之社会化所必要的物质的、技术的、社会的各种条件,还未具备。因此,对于大农的土地,一般是采取放任主义,只有在他们起来反抗时,才加以没收。

反之,无产阶级必须即刻无条件地彻底地没收其全土地的,是:

(六)大地主及直接或经过借地人以剥削工钱劳动者及周围的小农(甚至于中农)阶级的劳动力而自己不参加肉体劳动的人们。对于他们所没收的土地,或是为分配的宣传,或甚至于实行分配,无论在什么形式之下,都是不许可的,因为在欧美今日状态之下,如果这样,是背叛社会主义的意义,是对于劳苦及被剥削群众,课以新的负担的意义。"决议"并讲到没收土地的处分问题,及与此相关联的农业经营政策,现在介绍如下。

三、没收地处分策略及农业经营方针

共产国际认为在进步的资本主义各国,以维持农业大经营为主要的方针,依照俄罗斯苏维埃农场的形式进行指导,这是正当的。同时,对于共同经营(土地合作社、公社)的构成,予以援助,也认为是适切的。

农业大经营的维持,最能保护以大经营的工钱劳动为维持生计的农业人口层的利益——即没有土地的农业劳动者及半无产阶级的零细地所有者的利益。加之,大经营国有化的结果,关于粮食问题,至少可以使都市人口的一部分,由农民阶级独立起来。

在另一方面,中世纪赋役制度的残渣,现尚成为特殊的剥削形态的地方,地役及分益佃耕的制度,现尚存在的地方,也要斟酌情形,以大农场地的一部分,交付农民。

在农业大经营不占重要地位而努力想得到土地的小农所有者有多数存在

的各国及地域,大经营的维持,对于都市的粮食供给上,没有特殊的意义。大地主所有地的分配,很明显地是使农民阶级成为无产阶级的友人最确实的手段。无产阶级的政权,只有使中农阶级,能够保持中立的态度,纵不能得到小农阶级全部的拥护,而能够得到其大部分的拥护的时候,才能继续的存在,因此,无产阶级为要达到成功,决不可因生产一时的退步,而有所退让。但是在大所有地进行分配的地方,无论在什么情形,都不可不首先保护无产阶级的利益。

无产阶级政权确立以后,不仅仅在都市,就是在农村,也是一样,不可不努力招致有重要经验的、知识丰富的及有组织能力的资产阶级出身的人们,在最信赖的共产主义的劳动者的特别监视与土地委员会的统治之下,使其创设农业社会主义的大经营。

其次,"决议"第七项第一款又说:社会主义对于资本主义决定的胜利及永久的保证,要在无产阶级国家的权力,打破剥削者一切的反抗,确立完全的支配与服从,并以科学的大经营与最近代技术的效果(全经营的电化)为基础而改建的时候,才能开始。只有如此,都市对于残余的分散的农村人口,在技术方面,在社会方面,才能予以非常有效的援助,其结果,为促进农业生产力及农业劳动为大规模的发展起见,才能造成物质的基础。如此,小土地所有者,为实例的力量与自己的利益所刺激,自然会移转到使用机械而劳动的大共同经营。

决议第八项又说起那些因为资本主义的缘故,在精神上还未发达的农村群众,涣散而被压迫,往往处在半中世纪的隶属状态,对于这些群众,会讨论到怎样组织并引导他们参加斗争的战术,这里不说及了。

以上,《关于农业问题的决议》的主要部分,我想大概是已经介绍了。其中应特别注意的,是农业阶级构成的分析以及对于各阶级的政策方针之原则的规定。现在我们可以进而研究《关于农民问题的论纲》是怎样加以补充的。

第四节 《关于农民问题的论纲》

《关于农民问题的论纲》(以下简称《论纲》),是以前述的《关于农业问题的决议》(以下简称《决议》)为基础的。这个论纲的结论,劈头就说得极明了。即是说:"在共产国际第二回大会,依照列宁同志起草的关于农业问题的指导原理,确定了'共产党对于农民阶级一般的方针',……第二回大会的指导原理,即在今日,凡属加入共产国际的一切的党,是都有实行的义务的根本原则。"然则在确立这个指导原理前项《决议》之上,何以还有制定这个《论纲》之必要呢?我以为,如读者所知,因为这个《决议》,是专从无产阶级专政的见地,来讨论农业问题,主要的是规定并宣言无产阶级专政后,应采取的农民政策。然以后因现实状态的变迁与实际经验的结果,共产国际感觉到有从全般历史详细来讨论农业问题之必要。这种情形,从《决议》的结论中一段看来,便可以知道。譬如说:"现在我们的问题决不是在于宣传我们在获得政权以后的政策,是在于依现实的经济和政治标语的帮助,与农民阶级以有效的影响,使其积极的参加斗争,我们对于这点,是不可不理解的。"并且战后农民问题的重大化(其中殖民地问题已成为具有世界规模的农民问题),与资本主义社会之不安定,于是各国的支配阶级、资产阶级及大地主,都以种种的形式和方法,想去努力获得农民阶级到他们自己的阵营。这样看来,"现在的历史的时期,正是无产阶级与资产阶级互相决战,以图获得落后的无产阶级的各层与广泛的农民阶级的各层的时期,下这样的定义,是很正当的。"因此"对于农民及农业问题,现在比较以前,在理论上更加与以明白的解释,在实际上更为积极的活动,这是我党将来的成功所必要而不可缺的条件"。

一、无产阶级与农民阶级的关系

《论纲》第一节,首先根据《决议》上对于农业阶级构成的分析阐明各个的农业阶级与无产阶级相互的利害关系,作为对于各阶级所应采取的政策之理论的基础。

(一)无产阶级。无产阶级是资本主义社会的基本阶级之一,没有生产手段,为工钱而出卖劳动力,所以在许多处所,他们是团结在资本主义生产全构造之下,从事劳动。因此,无产阶级依其社会的生存条件(如他们的利害对于资产阶级的利害之两极的对立、私有财产之缺乏、劳动集团之性质,数量不断地增加),成为担任变革社会的阶级。

（二）大农阶级。使无产阶级与大农阶级的利害关系发生最深刻的分离之根本原因，是资本家所有的利害关系，即劳动力的卖主与买主、资本家与工钱劳动者之间的对立关系。因此，大农阶级在他们的运命上，是反无产阶级势力的预备军，但是对于封建的土地所有，进行农业革命的各国，这阶级也能够反抗地主的。

（三）中农阶级。使中农阶级与劳动阶级的利害发生分离的根本原因，是基于私有财产——即令这种财产主要的是用以使用自己的劳力的情形——的私的商品经济之利害。谷物贩卖者（农民）与谷物购买者（劳动者）的利害，在这根线上，发生内的分裂。但是中农阶级，转入资本家剥削过程中所生的其他许多的要因（高利贷、因工业托拉斯所施行的高价政策、租税、帝国主义的国家机关之压迫、战争等），比较使中农与无产阶级分离的原因，更加厉害。因此，这阶层，可以使其中立。并且在资本的压迫特别利害的地方，或在它和封建的压迫相结合的地方，中农阶级可以与无产阶级相提携。

（四）小农阶级。小农阶级与无产阶级分离的要因，也是发生于私的商品利害关系。但在这种情形，分离要因与结合要因的比例，与中农阶级的情形，全然不同，小农常常是谷物的购买者，即是工钱劳动者，被雇佣的事情，亦复不少。因此，其根本的利害关系，是在于与大资本的斗争，所以小农阶级是无产阶级的友人，是他们的决定的提携者。

（五）零细农民（原文是用了"有很少的所有地的农村人口"，其意义，与上面的《决议》所谓"零细农"相当）。零细农与无产阶级的分离要因，是由于他们的私有财产发生的。但是这种分离要因，极其微弱，因两者有共通密切的利害关系，完全被打消了。这阶层，在形式上，是独立的，实际上，是全然隶属于资本，是被资本剥削的劳动者。因此，他们是无产阶级的友人，是无产阶级的预备军——形式上虽是隐蔽着。

（六）农业劳动者。农业劳动者是无产阶级自身一部分。但在这阶层，对于资本的斗争，往往有发生困难的特殊性。这种特殊性，在客观上，是由农业劳动者在劳动过程中的分散状态、与农村事情带着强度的"家长的"性质两事所决定的，这种特殊条件，使阶级利害关系的认识，发生困难，使农业无产阶级成为劳动阶级落后之层。不待说，无产阶级党的任务，首先要获得这阶层。

《论纲》还接着说："无产阶级对于小农阶级的关系,甚至对于中农阶级的关系(特别在农业国),总要是在提携与指导的关系",更进而论到这种特殊阶级间关系的将来。

要之,关于各点,暂且不论,从全体看来的时候,农业阶级构成的分析,与对于这种阶级在原则上的政策方针,只有统一《决议》与《论纲》这两部分,才可以称为完璧无瑕。在这意义上,《论纲》对于《决议》,不能不说是极有益的补遗。

二、资本主义发展时期的农业问题(到 1914 年的战争止)

《论纲》分为:(一)资本主义的发展时期,(二)劳动阶级夺取政权以前,(三)夺取政权以后的三个时期,来讨论农业及农民政策。

在第一时期,即在无产阶级还没有获得政权的时期,马克思主义者的任务,在资本主义各国,首先要打破在资本主义的发展过程中小资产阶级的幻想、理论的偏见以及错误的见解。马克思主义者反对机会主义者,而常常拥护在农业的大规模生产之技术的经济的优越、积集及集中的法则、农民阶级之阶级的发展之必然性以及农业生产的资本化。在这时的根本的见地,是资本主义发展过程将来的预料。马克思主义者,首先必须打破所谓农业"非资本主义的发达"论,这种发达论是主张农业与工业的发达,有完全不同的特殊发达过程。

在这时期,马克思主义者应采取的实际政策是:(一)在资产阶级革命的任务已经大体解决的各国,如恩格斯所述,"断然要获得小农群众";(二)在资产阶级革命还没有完成的各国,要保证封建的土地所有之完全的废除,与农民所要求的土地之没收。

三、劳动阶级夺取政权前的农业问题

无产阶级党的任务,在前一个时期,因为要使阶级斗争尽可能地得到充分的发展,对于资本主义自由发达的障碍物,尽量地除去,以集中自己的阶级力量,现在问题进展,政权的获得,无产阶级的专政,成为问题的中心,同时,工农提携的问题,亦成为特别紧要的问题。

在进行资本主义大生产的各国,不可不努力使那靠工钱劳动者耕作的大所有地,变为国营。但在时局迫于必要的情形,要毫不踌躇地分配大所有地一部分(其范围的大小由各国的情形决定之)于小农甚至中农。因为在许多国家里面,如果没有小农阶级直接援助于中农阶级确守中立,无产阶级想获得政权,是不可能。我们在消极方面,可以看到匈牙利、意大利、波兰的经验,在积极方面,可以看到俄罗斯的经验。

四、政权获得后的农民政策

无产阶级党取得政权后最重要的任务,是与农民阶级的调和。我们要明白认识这个问题是不能回避的。因为农民阶级,占地球上人口的大多数,他们在生产上,依然有特殊的重要性。只有无产阶级的国家经济政策,对于小生产者私经济的动机,加以考虑,渐渐地团结有这种动机的小生产者,引导他们到完全的共同经营形态的时候,无产阶级与农民阶级的调和,才有可能。

无产阶级的国家及支配的无产阶级党,对于农民阶级的分化过程,必须很注意的考察,并且不断地保证社会主义经济要素的生长。就是说,对于各种共同化的形态,必须与以财政的援助,对于由资产阶级的影响解放出来的合作社制度,必须用一切方法促进其生产。这样去团结农业日佣劳动者、没有土地的农民以及中农的组织,作为从新发生的农民阶级对于资产阶级及资本家的各层之对抗力,必须用一切方法去援助他们。

对于劳动阶级与农民阶级,或与其一定阶层之经济的提携,必须根据工业上之积极的援助。于是工业对于农民阶级,比较资本家的工业,要在更有利的程度,以促进生产力的发达。

劳动阶级与农民阶级的相互关系,在无产阶级专政的时期,是互相提携的,所谓与农民阶级的合作,决不是权力分割的意义。不过农民阶级,现实地被引入到社会主义的建设过程,随着接受社会主义的变化,其最进步的要素必然被引导而参加的国家机关的过程就会发生了。

我们还要明白认识这全部时期是以特殊的发达法则,为其特色的。换句话说,当特殊的发达顺利进行的时候,阶级的对立,虽说是在仅少的程度,到一定的时机,一定要再生产,社会主义的经济要素,踏着进化的过程生长起来,无产阶级的政策,不是在于社会全体的破坏,而是在于社会全体的保障。在这时候,敌对的资产阶级的形态,渐次被驱逐了,小经营形态,一方面因为合作社制度的发达,他方面,因为一切共同的结合形态的长成,亦渐次变更其原来的形态。这种特殊的发达法则,在这时期,是构成我们全战术的基础。

这样,运动的终极目标,是组织农业共同的大生产,除去都市与农村的对立,克服在资本主义下农业发达法则的落后状态。

*　　　　*　　　　*　　　　*

《论纲》会再进而论到现在农业问题的状态,详细规定对于各种农民运动的政策与战术,借以补充《决议》之不足,但本文是以研究共产国际关于农业一般的理论与政策为主要目的,对于这一部分,不及赘述。

第七章　批评与反批评

第一节　反马克思派的批评

以上关于马克思主义农业理论之发展史的研究,大略讲完了。世间对于马克思主义的农业理论,有怎样的批评呢?我们最后要把视线移到这方面来,首先倾听批评者的理论,再来研究马克思主义者对于这种批评的反批评,以期对于马克思主义的农业理论,达到充分的理解。

原来所谓马克思批评者,为数甚多,著书亦是汗牛充栋,他们对于马克思主义非难攻击最厉害的方面,即是农业理论的方面,只有这方面在批评者看来,以为是最易攻击的所在,是确信自己的胜利而不疑的方面。

然则对于马克思主义农业理论的批评者,到底以哪一点为攻击的焦点,并且以何种理论为根据,很得意扬扬地以为克奏凯旋呢?我们首先必要正确地把握这一点。因此,只要举出批评者两三种代表的著作来观察,就够了。现在举出塔特(H.Derde)、宗巴特(W.Sombart)及达维特(E.David)三人的见解来看。

首先来说塔特的见解。他是历史派经济学的大家洛雪(Roscher)所著的《农业经济学》的校订者,他在第14版的附录,增刊自己所著的《农业与社会主义》一章,对于马克思主义农业理论的"批评",要算是极得要领的代表之作。现摘记其要点如下。

"大经营驱逐小经营,亦可以适合于农业,这种由马克思传来的旧社会主义的学说,已被德意志小经营增加的事实以及农工业生产性质相异的认识所否定了。

"农业的小经营,在今日的交易及贩路的关系之下,与大经营同样有利益,或者比大经营更加有利益,所以国家及个人就兢兢以维持及增加小农经营为

164

务,不仅有利于社会,并且有利于经济。在这一点,社会主义从来的学说,无异
等于死刑的宣告。

"于此,社会主义遂陷于困难的地位。如果承认农业小经营的生存力,那
么,从来的学说,就要崩坏,如果不承认,又与现实的事实相矛盾。若果一方面
在原则上在理论上都主张小经营的没落而同时又同情于保护农民政策,这就
是矛盾,社会主义决不能长久这样拖延下去;若果在他方面固执从来的立场而
非难一切保护农民政策,那么,社会主义将永远绝对没有得到农村地盘的希
望……"①

一言以蔽之,塔特所非难的焦点,以为马克思主义所谓小农经营必然没落
论,是与现实的事实相矛盾的谬论,因此,马克思主义,无论在理论方面,或政
策方面,其议论都是没有成立的余地。这是资产阶级的学者相信而不疑的
议论。

其次,《社会主义及社会运动》的著者有名的宗巴特也提起同样的问题,
在其第1版(1896年)采用疑问的形式,否定马克思主义的农业理论,在第7
版(1919年)以后,更确定地否定了。他在19世纪的社会主义及社会运动上,
作如次的叙述。

"假如在经济生活上,有不依照社会化过程的方面——并且在这里,小经
营形态比较大经营形态有时更加重要,更加是生产的——然则将如之何呢?
现在农业问题,为社会民主党当面问题的全部,就是这个以大经营为基础的共
同经济的理想及以此为基础所制定的纲领,实际应用于农民阶级的时候,有没
有原则上的变更呢?假使他们认识了农业的发达,在事实上,没有大经营的倾
向,并且认识了在农业生产的范围内,大经营决不是一般的最高的经营形态,
那么,就不能不碰到下面决定的问题——现在我们是不是承认小经营的存在,
放弃共同经济的目标,变更从来的纲领,采取民主主义的政策呢?或者我们依
然为无产阶级的政党,确守这个共同经济的理想与目标,从我们的运动中,把
这种要素除外呢?……

---

① Wilhelm Roscher, *Die Nationalökonomik des Ackerbaues und der verwandten Urproduktionen*,
14.aufl.,1912.S.279,880,881.

"我在这里所以不能不用'假如……'这种疑问的形式,因为农业发达的倾向到底怎样?在农业生产上到底哪一种经营形态是优越些?在农业生产上某一定的经营形态要占优越地位的事实到底有没有?这些,就我所知道的,现在还不能有何等确实的决定。但依我所见,马克思的学说,在本质上被否定了。就是说,据我所知,马克思在农业方面的演绎,是不能照着他原来的主张进行的。诚然,马克思关于农业方面,虽发表过重要的意见,但是他以大经营的增加,民众的无产阶级化为基础的发展理论,以及他以这种发展为基础所演绎的社会主义必然性的发展理论,很明显的,只适合于工业的发展,不适合于农业的发展。据我的观察,要弥补已有的缺陷,只有科学的研究。"[1]

这里还采用疑问态度的宗巴特的见解,到第7版以后,遂采用确信的态度了,他的议论如次。

"马克思的积集说,大概不适合于农业生产的领域。统计告诉我们,在田园方面,农民经营废除的倾向,农地经营扩大的倾向,都是完全没有的。我们反而得到正相反对的倾向——即经营单位缩小的倾向。……就是在资本主义的亚美利加合众国,——在那里,没有什么东西,足以妨碍历史传统的进化,合理主义的精神,也可以支配农业——事情也没有多大的变化。在那里,我们可以看到农场缩小的倾向。各农场耕作土地的平均面积,从1850年,1860年,顺次(依照各人口调查年次)到1900年,是61.5,51.9,53.7,53.1,57.4,49.4英亩,"积集的倾向"的痕迹,一点也找不到。

"或者有人这样说——虽大部分是正当的——,农业者只是在表面上独立的,实际上,一切的形式(高利资本、商业资本以及其他)是剥削他们资本的傀儡。但剥削不是集积。这种集积的现象,很明显的是被限定了。简直没有随便说的余地。这种集积,在农业范围内,是不成立的,至少在以狭义的农业经营为问题时是这样,关于这层,没有一点可疑的余地。"[2]

以为"没有一点可疑的余地"而否定了马克思主义农业发展论的宗巴特,虽是属于修正派,其实关于这点,对于马克思主义,为最尖锐的对立的,还是修

① Werner Sombart, *Sozialismus und soziale Bewegung in* 19.Jahshundert, S.111.

② Ders.6.Aufl.S.85—86.林要氏译:《社会主义及社会运动》,第100—101页。

正主义。然则修正主义怎样批评马克思主义的农业理论,而敢于"修正"呢?我们不可不进而研究修正派的农业理论的代表者达维特的理论。

达维特的农业理论,在其所著《社会主义与农业》里面,说得很详细,这本书在马克思主义农业理论的批评著书中,早有定评,是首屈一指。原来这本书,在 1893 年到 1895 年德意志社会民主党内,关于农业纲领运动引起激烈争论时,以驳斥马克思主义农业理论为使命而产生的,在第 1 版(1903 年)中带争论性质的部分,到第 2 版(1922 年)大半都削去了,或很和缓了。但这不是屈服于马克思主义的农业理论,恰恰相反,他们以为早已没有论驳之必要了。然则达维特何以这样大胆确信自说的胜利呢? 这是专以农业经营统计的数字为根据的,这些数字,完全否定马克思主义的见解。即"小农经营,到底有没有生存力这个问题,在理论上,引起非常激烈的争论,但是根据最近的农业经营统计,给了决定的回答。小农是不灭亡的。不仅如此,凡属没有被大地主政治的特权及利益所壅塞的地方,小农无论在数量上,在面积上,都有发展"。"农业经营统计,对于经营积集进展说,不适合于农业一层,提供我们以无辩论余地的实证。"①达维特更进而比较研究,1882 年,1895 年及 1907 年德意志农业经营统计,无论在经营数量上还是在经营面积上,在农地总面积上,都是证明小经营(2—20 公顷)是逐渐增加,大经营(20 公顷以上)是逐渐减少,于是对于马克思主义的见解,加以正相反的断定说:"小经营驱逐大经营,是德意志的经营调查表现得最明显的农业发达过程。"②修正派的始祖伯伦斯泰因,在其所著《社会主义的各种前提与社会民主党的任务》里面,引用德意志、荷兰、比利时、法兰西、英吉利等的农业经营统计,加以一种断定说:"由农业方面看来,关于经营的大小,在现在的欧罗巴,是全部的,在亚美利加是部分的,与社会主义学说一切的假定,很明显的表示矛盾的运动。在工商业方面,大经营的上进运动,不过比假定要缓慢些,至于农业则完全相反,不是表示经营规模的停止,就是表示直接的缩小。"③

---

① Eduard David, *Sozialismus und Landwirtschaft*, 2.Aufl, 1922.Geleitwort, IV, XI.

② Eduard David, *Sozialismus und Landwirtschaft*, 2.Aufl, 1922.S.36.

③ Eduard Bernstein, *Die Voraussetzungen des Sozialismus und die Aufgaben der Sozialdemokratie*, 2.Aufl., 1921.S.102-103.

达维特一般的结论,与伯伦斯泰因的见解,是同样的。他说:"马克思所谓大经济压到小经营的预言,就工业生产最重要的各部门说,大体上已被证明是真理,但在农业的范围内,则与此相反。就是观察农业进化的全体形态,也全然没有经营集积的特征。反之,在农业集约方法进步的地方,到处都是表现反对的倾向,即是大经营减退、小经营繁荣。"①

以上所述,其结论都是以农业经营统计的数字为唯一的根据。但达维特仍不以此为满足,更进而探求事实实质的原因,以为农业的生产过程,与工业有不同的特殊的本质,是其决定的原因,断定"在社会主义文献中,关于农业的发达倾向,占重大部分的谬见,其原因是由于他们不知道农业的特质"②,对于马克思主义者,大有一蹴而倒之概。

然则达维特所谓农业生产过程特殊的本质,是什么呢?要而言之,他以为工业的生产过程是机械的,农业的生产过程是有机的,其区别在此。就是说,"农业所从事的,是生物的发展,工业所从事的,是死物的加工。在工业方面,人们的意志,以直接的冲动,即是利用无意志而被移动的中间物,以进行生产物的制成所必要的物质之分离与结合。反之,在农业者方面,对于这种分离结合的动作,不能不委诸生的自然的独立作用。这种生的自然,是直接的生产者,人们的劳动,不过勉强站在第二位。人们的劳动,不可不适应于生的自然之法则及机械,换句话说,只能间接地参与于生产物形成的过程。这样,工业的财货生产,是机械的过程,农业的生产,是有机的过程。"③然则基于机械工业的生产与有机农业的生产间这种本质的差异,在两生产之间,还有什么技术的差异呢?达维特举出其主要的数项如次:(一)在有机的生产上,完全没有在机械的生产所见的那样劳动过程的连续性。(二)在有机的生产劳动因时间中断,劳动的种类,遂不断的变化。(三)与以上两者,有密切关系的,是农业劳动的场所,不断的移动。(四)农业生产过程的开始期及终结期,以及进行的速度,依自然而决定,人们无论怎样劳苦,不能在本质上变更自然的步骤。(五)土地不仅是农业的立脚地,同时是其生产手段与原料,因此,在一定的耕

① Eduard David, *Sozialismus und Landwirtschaft*, 2.Aufl, 1922.S.40-41.

② Eduard David, *Sozialismus und Landwirtschaft*, 2.Aufl, 1922.Geleitwort VII.

③ IEduard David, *Sozialismus und Landwirtschaft*, 2.Aufl, 1922.S.44.

作集约程度之下,经营面积,虽比例于可获得的生产物量而扩大,但是劳动场所愈加扩大,对于劳动者的监督,不仅比较对于工业,要很多的时间与费用,并且对于农业劳动的量与质的监督,比较工业,特别困难,因此,在农业经营,劳动者对于生产的结果,必要有很大利己心的刺激。(六)在农业经营,人们消费生产物以排泄物为肥料的关系上,是实质的参加物质的生活(在自然经济之下,农民的家族经营,比较市场经济关系不便利的处所,还能保持强固的国民经济的抵抗力,就是这个缘故)。(七)农业生产量的增加,只能比较的缓慢而且受一定的限制。(八)农业生产为收获递减的法则所支配。(九)这种法则支配的结果,在新的、较有利的自然及社会的生产条件之下的地域,与旧耕地的集约经营,发生竞争。这些事情,对于一国内大小经营间的竞争关系,与对于全世界经济的生产发达,同样有深刻的意义。① 农业生产,因为有这种特质,所以小农经营,不仅决不劣于大农经营,并且在许多地方,反占优越的地位,达维特因为要证明这点,不惜以其所著的大部分,都贡献于此。以为维持小农及创设政策之理论的根据,并且对于农业经营统计的数字,想与以理论的保证。

批评者对于马克思主义农业理论的批评,其要领大概如上所述,他们以马克思的资本集中及积集,为问题的中心,一见就可以明白。他们从这点出发,其批评,一方面是形式的,他方面是实质的,从这两方面攻击马克思主义的农业理论,而加以否定。因此,他们的批评,概括来说,一个是方法论的非难,一个是实质的非难,其要点如次。

一、马克思主义照原样子拿工业的发展理论应用到农业。因此,没有认识两者本质的差异,忽视农业的特殊性。

二、马克思主义所谓小经营必然的没落论,不能适用于农业。在农业方面,大概发生反对的倾向,这是由农业经营统计可以证明的。

此外,与此相关联的农民政策,不待说,在两者之间,亦是互相对立的。

第二节　马克思主义者的反批评

马克思主义农业理论的批评者,从形式与实质两方面,加以驳斥,自以为

---

① Eduard David, *Sozialismus und Landwirtschaft*, 2.Aufl, 1922.S.45−51.

足以慑服马克思主义者,师奏凯旋了。但是马克思主义者,对于反对论者这种批评,到底有什么反驳没有呢?关于这点,已散见在本书的各处,读者诸君,大概可以知其梗概,这里只对于马克思主义的见解,为系统的说明,虽不免有多少的重复,却决不是无益的,并且借此可以补充本文叙述的不足。现在首先来介绍马克思主义者对于批评者方法论非难的反批评,再研究他们对于实质的批评的反批评。

现在来说反对论者的方法论。反对论者,常以马克思主义照原样子拿工业理论应用于农业为非难的出发点,但是马克思主义者,到底是不是果如反对论者所说,敢于以这样肤浅的研究方法,把农业的特殊性,完全抹杀呢?这是一个问题。列宁全然否认马克思有这缺点以为这是资产阶级的学者的曲解,其说如次。"假如读者诸君在资产阶级色彩最浓厚的经济学者、统计学者的著作里面,读到他们关于所谓农业与工业的条件不同,或关于所谓农业的特殊性等问题那些冗长的议论时,诸君会常常注意到下面的事情。姑请少待!关于农业进化单纯的大概的见解,加以拥护与宣传,诸君的责任,是不是比任何人都要重大呢!试想一想马克思的《资本论》罢!诸君在这书里面一定会看到他所指摘的资本一旦出现于历史的舞台,同时遇到了农业上各种各样的形态——封建的,民族的,共同体的,国家的,及其他种种的形态。资本把各种农业形态,隶属于自己,塑成自己的姿式。要理解并估评这种过程,而且表现于统计,一定要提起各种问题,依照各种问题,而变更研究方法,并且必须适应过程中各种形态,以变更研究方法。"[1]

考茨基在其所著农业问题里面(1899年),再三地说:"农业和工业不是以同一的形态发展,而是依照特殊的法则,这是毫无疑义的,我们以为这种事情是早已证明的"[2],或者说"农业的运动,全然是特殊的,与工业资本及商业资本的运动,完全不同"[3],他这样的意思,到处都可以看得到。

---

[1] 列宁著,直井武夫译:《农业方面的资本主义》,第1835页。

[2] Karl Kautsky, *Die Agrarfrage：Eine Uebersicht über die Tendenzen der modernen Landwirtschaft und die Agrarpolitik der Sozialdemokratie*, Stuttgart 1899., S.5.

[3] Karl Kautsky, *Die Agrarfrage：Eine Uebersicht über die Tendenzen der modernen Landwirtschaft und die Agrarpolitik der Sozialdemokratie*, Stuttgart 1899., S.174.

　　由此看来,批评者与反批评者对于方法论的对立,不在于认识所谓农业特殊性与否的问题,而在于研究方法之不同。在反马克思主义者方面,不在于演绎农业的特殊性,而在于演绎农业非资本主义的发达论,以进行单独的研究方法;反之,在马克思主义者方面,一面考虑农业的特殊性,一面研究资本主义发达的形态,而常从一般的观点来研究农业问题。关于这点,考茨基述之如次:"想观察农业的发展,仅仅注意于大小经营间的斗争,是不够的。人们离开社会生产的全体构造,仅仅观察农业,亦是不够的。……

　　"农业虽是依从与工业不同的特殊法则,然而农业的发展,决不是与工业的发展相反而彼此不能调和的。我们相信,如果不把工业和农业看作是互相对立的,而看作是全过程共通的分支,就可以看到两者都是向着同一的目标前进。……

　　"我们如果站在马克思的方法之意义上去研究农业问题,单是以农业小经营将来存在与否的问题为问题,是不够的。关于农业在资本主义生产方法过程中所受的变化,我们也必须都加以研究。我们必须去研究资本怎样支配农业,怎样变革农业,旧的生产形态及所有形态,怎样很难维持,新的生产形态及所有形态,何以必然要发生。"[1]

　　列宁在其所著《十九世纪俄罗斯的农业问题》里面说:"资本主义在农业方面很复杂的发展过程,只有在研究农业现实的特殊性,才能把握。因为农业有种种特殊性,就说农业不是依照资本主义的发展法则,这是完全不对的。"[2]

　　这样看来,批评者对于方法论的非难,可说是"以子之矛,攻子之盾"了。

　　批评者第二种非难,以农业经营统计的数字为根据,把马克思主义的小农经营没落论,完全加以否定,这是批评者确信没有错误的地方,马克思主义者,关于这点,又有怎样的反批评呢?

　　马克思主义者,当然是大农经营优越论者。但他们不像批评者那样大声主张,不以文明各国的农业经营统计,就推翻自己的主张。因为19世纪末叶以来,各国的农业经营统计,大概都是面积别的经营统计,以经营面积为分类

　　① Karl Kautsky,*Die Agrarfrage:Eine Uebersicht über die Tendenzen der modernen Landwirtschaft und die Agrarpolitik der Sozialdemokratie*,Stuttgart 1899.,S.5,6.

　　② N.Lenin,*Die Agrarfrage in Russland am Ende des* 19.*Jahrhunderts*,S.71.

的唯一的指标,这种分类方法,固然有相当的意义,但决不能说明一切。因此,反批评者首先批评批评者的研究方法,再论到批评者实质的见解。

考茨基在《农业问题》里面,对于根据这种统计数字来下论断的危险加以注意。"用数字证明! 确是这样。但这种数字,到底证明什么呢? 这是一个问题。数字不过证明其直接所说的事情。"①但是农业经营统计数字,它直接所说的事情,不是关于生产的规模,而是关于经营的面积。"采取集约方法的小农场,比较粗放的大农场,能为更大的经营,仅仅表示经营面积的统计,其经营面积不时的缩小,到底是由实际的经营规模缩小呢? 还是由于集约化的结果呢? 却毫没有说明。"②然则考茨基对于在资本主义社会的农业经营发展倾向,是怎样观察呢? "在农业方面,我们固然不相信大经营,以迅速地吸收小经营,但是期待那反对的过程,其理由却更加缺乏。"③就是无条件地采用经营面积别的实际统计,数字亦没有指出"小经营驱逐大经营"的结果,如批评者所大声疾呼那样,只是指出大小经营之间,有极小的移动罢了。并且"今日小农存在的形式,或是依工业的副业,或是依大农经营的工钱劳动,或是为纯粹的农业者,以过大劳动与过小消费,维持生活,三者之中,必居其一"④,这岂仅不是如反对论者所说,不是小农经营的胜利,在实质上,反而是"小农经营必然的没落",考茨基的见解如此。

对于批评者以农业经营统计为根据的论证方法,列宁所著的《关于农业资本主义发展法则的新材料,第一分册,在亚美利加合众国的资本主义和农业》⑤,曾加以最痛快的驳斥。列宁指出普通所用的研究方法的缺陷如次。

"以农业所占的土地面积或耕作地的大小,为农业经营的分类,这是 1910

---

① Karl Kautsky, *Die Agrarfrage: Eine Uebersicht über die Tendenzen der modernen Landwirtschaft und die Agrarpolitik der Sozialdemokratie*, Stuttgart 1899., S.135.

② Karl Kautsky, *Die Agrarfrage: Eine Uebersicht über die Tendenzen der modernen Landwirtschaft und die Agrarpolitik der Sozialdemokratie*, Stuttgart 1899., S.146.

③ Karl Kautsky, *Die Agrarfrage: Eine Uebersicht über die Tendenzen der modernen Landwirtschaft und die Agrarpolitik der Sozialdemokratie*, Stuttgart 1899., S.298.

④ Karl Kautsky, *Die Agrarfrage: Eine Uebersicht über die Tendenzen der modernen Landwirtschaft und die Agrarpolitik der Sozialdemokratie*, Stuttgart 1899., S.299.

⑤ 前文译为"《关于资本主义在农业方面的发展法则的新材料,第一分册,亚美利加合众国的资本主义与农业》"。——编者注

年亚美利加的统计所采用的,也是欧罗巴许多国家所采用的唯一分类方法。大概讲来,就是把国费上及行政上的事情,置诸考虑之外,我们对于这种分类方法,到底是否认为必要而且正确,在科学上,还有多少考虑之余地。这种方法,很明显的是不充分的。因为这种方法,关于农业集约化的过程,关于在役畜、机械、种子的改良,栽培方法改善等形态上的每一单位面积所投下的资本增大的过程,并没有给我们以何等的指示。并且只有这种过程——除掉在极少数的地方及国家进行原始的粗放的农业以外——在资本主义国家看来,是最特征的过程。因此,以土地面积的大小为经营分类的方法,在许多的情形,一般的说来,对于农业的发展,特别的说来,对于农业资本主义的发展,只能表示大概的情形。"①"假如各个经营之间,在土地的耕作方法上,在农业的集约程度上,在耕作制度上,在肥料使用上,在机械的应用上,在牧畜的牲畜上,有了许多本质上的差异,那么,土地面积决不能如实地表示经营的规模。并且这种差异,在一切资本主义国家,或在资本主义刚才接触到的国家,都可以看得到。"②"依据土地面积的分类,只要土地所有的大小相近似,大经营和小经营,都是归纳于同一部类的。是把生产的规模全然不同的经营,例如以自己劳动为主的经营,与以工资劳动为主的经营,都归纳于同一的部类。因此,遂产生根本错误的,变更事物实际状态的——这是资产阶级引为快意的——图式,遂产生混淆资本主义的阶级矛盾的图式。因此,遂产生小农地位的粉饰,这种粉饰,无异于虚妄,无异取悦于资产阶级,于此,遂产生资本主义的辩解。"③"例如有名的达维特的著作在'似是而非的社会主义的'言辞掩饰之下,隐藏着资产阶级的偏见和虚妄的清算的。诸君试回想,《社会主义和农业》罢。在这里,也是以同样的材料,证明'小经营'的'优越',或'生活力'等等呵。"④

然则大经营与小经营的比较,怎样才得正确呢?

"说起工业上大规模生产驱逐小规模生产的这种确定事实时,往往使用那以生产额或工钱劳动者的数量为标准的工业企业的分类。在工业方面,因

---

① 列宁著,直井武夫译:《农业方面的资本主义》,第184—185页。
② 列宁著,直井武夫译:《农业方面的资本主义》,第204页。
③ 列宁著,直井武夫译:《农业方面的资本主义》,第207—208页。
④ 列宁著,直井武夫译:《农业方面的资本主义》,第195页。

为技术的特殊性,问题极简单。在农业方面,因为各种关系非常复杂,互相交错,想决定生产规模、生产物的货币价值以及工资劳动的使用范围,是很困难的。在使用工钱劳动一方面,工钱劳动每年的使用量,有计算的必要。因为农业特别有'季节'生产的性质,仅以调查那一日所得到的工钱劳动的调查为标准,是没有用的。并且在农业方面,仅仅计算常佣的工钱劳动者,也还不够,必须更计算在农业方面占重要地位的日佣劳动者。但是困难的事情,不一定同时是不可能的事情。我们必须适应农业技术的特殊性、应用合理的研究方法、依照生产的规模、生产物的货币价值以及工资劳动使用的程度及数量,以适用分类的方法,去冲破一切想粉饰资产阶级现象的资产阶级的,及小资产阶级的偏见及倾向密集的网罗,打开自己的出路。我在这里敢大胆保证的,就是在资本主义的社会,不仅在工业,就是农业也一样,如果适用合理的研究方法,每进一步,大生产驱逐小生产的真理,每每多得到一层保障。"①

1900 年,亚美利加的农业统计,除采用以土地面积为分类的方法以外,又采用以生产物的价值及以主要收入的源泉为分类的方法,并且在第一英亩土地单位,对于工钱劳动的支出、农具及机械的价值、一切家畜的价值,调查其平均数,因此,在评定各个经营真实的规模之上,提供很有力的材料。列宁主要的是利用这种材料,并且与 1910 年仅以土地面积为分类的方法的统计,比较对照,详细研究亚美利加的资本主义农业的发展情形,就得到了以下的结论。

"手足的劳动,在农业上,比较工业更超过机械的劳动。但是机械提高经营的技术,使经营更加大规模地转化为资本主义,而且正确地使经营增加。在现在的农业,机械的使用,是资本主义的。

"农业的资本主义,其主要的征候及指标,是工钱劳动。我们在美国一切的地方,在一切农业经营的部门,可以看到机械使用的扩大与工资劳动的发达。工钱劳动者数量的增加,超过农业人口及总人口的增加。农民数量的增加,却不及农村人口的增加,阶级的矛盾日益增大,而且尖锐化。

"在农业方面,大生产驱逐小生产的事实,也在实行着。关于农场一切财产的 1900 年及 1910 年的材料的比较,就完全证明了这种事情。

---

① 列宁著,直井武夫译:《农业方面的资本主义》,第 198—200 页。

"不仅在粗放的农业地方,在大地面上,进行大经营的方法,可以促进资本主义日益生长,就是在集约的农业地方,在小地面上,进行较大的资本主义的经营,亦可以促进资本主义的日益发展。……

"关于在同一时代的工业与农业的材料的比较,在全体看来,虽然后者是非常落后,但两者都是向着进化法则——即大生产驱逐小生产——前进的。"①

最后,关于小农经营没落的情形,列宁的见解如次。

"实际上,资本主义根本的倾向,无论在工业方面或农业方面,都是在于大经营驱逐小经营一点。但是这种驱逐,不可单解作是迅速地掠夺,且数年或数十年之零落,小农民经营条件的恶化,亦是属于这种驱逐。这种经营条件的恶化,往往在小农民极端的劳动中,在食料品质的恶劣中,在借金的重负中,在家畜的饲养及一般给养的恶化中,在土地的取得、耕作及肥料等条件的恶化中,或在经营技术的停滞中,也都表现出来。科学的研究者,如果不想粉饰零落而被摧残的小农民地位,不是有意或无意地想博得资产阶级的欢心,那么,他的任务,首先就在应当正确地决定这种决不是单纯也不是同一的零落征候,其次,就要解剖这些征候,加以研究,尽可能地调查其所及的范围,调查各时代的形态。但是对于这样重要的方面,近代的经济学者及统计学者,差不多完全没有注意到。"②

这样看来,被反对论者"宣告死刑"的马克思主义的农业理论,依列宁的反驳,更加发挥其本来的面目了。

最后是农民政策问题。批评者把马克思主义者,看作是不赞成保护小农政策的人,因而说马克思主义者,既然拿这种态度对付农村,就绝对没有在农村获得地盘的希望,所以他们自己的态度,就以保护小农政策相标榜。但是马克思主义的农民政策,却并不是那样简单,这在本文中,特别是在恩格斯及列宁等的农民政策项目中,已经讲得很详细,没有再述之必要。无产阶级与小农阶级的提携问题,在马克思主义者以为是最高的实践的战术,是他们视为非常

---

① 列宁著,直井武夫译:《农业方面的资本主义》,第 272—274 页。
② 列宁著,直井武夫译:《农业方面的资本主义》,第 208—209 页。

重要的问题,并且在实际上,如俄罗斯的工业革命所示的实例一样,他们的农民政策,决不如批评者所说的那样单纯,实在是很复杂而精细的问题,我们只要注意到这一点,就很够了。这里还要附带说一句,关于这个问题,樸樸夫在其论文《马克思、恩格斯关于阶级的及无产阶级的同盟者的农民阶级之见解》①,发表了很有益的研究,很可以供我们的参考(有齐藤铁也氏的日文译本,书名《马克思、恩格斯关于农民的见解》)。

    *   *   *   *

  以上是以马克思主义的农业理论为中心所展开的批评及反批评的大纲,在批评者方面,以为在农业的方面,大经营是不发展的,因此,遂达到社会主义的农业不可能的结论;对于这层,马克思主义者怎样论证农业社会化的必然性的问题,不仅饶有趣味,并且在马克思主义的理论上,也是极重要而有积极的意义,最后,我想关于这个问题,再说几句,决不是无益的事情。

  关于这点,列宁是怎样考察的? 由上面的叙述看来,大概可以知道,他比较研究亚美利加的工业与农业的发展阶段,看到美国的工业,小企业比较中企业,有多少的增加,至于农业,在统计上,却证明反对的事实,因此,指出"合众国的农业,不仅是照着大生产驱逐小生产的法则进行,并且比较工业,有更合理的更正确的进行"。关于集中化的程度,以及农业社会化的可能性,列宁更得到下面的结论。

  "集中化进行到什么程度这个问题,在农业方面看来,是非常的落后。在工业方面,11%的大企业,占总生产 8/10 以上。反之,小企业的作用,微弱不足道,占企业数 2/3 的小企业,不过占总生产 5.5%。农业与工业比较来看,农业是非常分散的,占 58%的小企业,领有总财产的价值总额 1/4,占 18%的大企业,其领有的财产,不及半数(47%)。农业的企业总数,比工业的要多 20 倍。

  "以上的事实,早已给我们结论了,就是说,如果比较农业与工业的进化,农业的资本主义,比较大规模的机械工业,更加接近于手工工场工业的阶段。

------

  ① Popow, *Die Bauernschaft als Klasse and als Verbundete des Proletariats nach Marx und Engles*, *im*, *Unter dem Banner des Marxismus*, Jahrgang 11, Heft Nr.36.

在农业方面,手足的劳动,现在还占优势,机械的应用,比较工业,极其微弱。但是我们所得到的材料,就是现在农业的发展阶段,也毫没有证明农业生产的社会化是不可能。有银行的人们,直接占有亚美利加的总农场 1/3,间接是支配一切。在今日的状态之下,一切种类的公司,是这样的发达,交通运输的技术,是这样的敏捷,以唯一的社会的计划,组织一个占总生产的总额一半以上的百万的大经营,是无条件地可以实现的事情。"①

照列宁的见解,对于批评者所喜欢主张的农业和工业的对立,不仅完全不承认,并且以为至少在亚美利加的今日,农业与工业,大概是同样的,都有达到社会化可能的阶段。

其次,考茨基与列宁之间,关于农业的发达法则之把握,有多少的异议,注意很深的读者,从上面叙述的经过,大概可以看得出。考茨基的《农业问题》里面,以为社会主义的农业,有三种要素:一是农业大经营所占的面积大(在德意志,1895 年,50 公顷以上的大经营,占耕地总面积约 1/3,在法兰西,1892年,40 公顷以上的大经营,约占半数);二是佃耕及抵押制度的增大;三是农业的工业化。他说:"这三者是准备农业社会化的基础的要素——农业的社会化,与工业生产的社会化,是同样的,确实是从无产阶级的支配发生的,并且与后者相结合,达到更高的统一。"②这种思想,在他以后所著的《农业的社会化》(1919 年),也是照原样踏袭的,但是在这里,对于农业与工业的发展过程的差异,更加强地认识,同时,对于农业工业化,在社会化的意义上,亦更加重视了。他说:

"在都市方面,社会主义是由大经营的发展所准备,并且是不可缺乏的东西。这种大经营,逐渐使无产阶级变为最大多数的阶级,同时,使各个无产阶级想变为小经营的私有权者的努力,更加绝望而且没有意义。大经营的力量,是使在阶级斗争上的工业生产阶级发达的。并且阶级斗争的出发点,是为劳动条件而斗争,其最后目的,是由社会对于资本家的没收。

"在农村方面,无产阶级的阶级斗争,没有这样的广大与强烈。这里的无

① 列宁著,直井武夫译:《农业方面的资本主义》,第 263—269 页。
② Karl Kautsky, *Die Agrarfrage；Eine Uebersicht über die Tendenzen der modernen Landwirtschaft und die Agrarpolitik der Sozialdemokratie*, Stuttgart 1899., S.298.

177

产阶级,其数量没有显著地增加。并且无产阶级想获得小经营的努力,也不见得像在工业上那样的绝望与无意义。无产阶级对于大土地所有的斗争,与其说是以国有化为目标,还不如说以分配为目标。就是说,他们的目标,是在于土地私有的加大与加强,却不在于以社会的所有来驱逐私人的所有。

构成这种努力的反对作用的东西,是农业急进的工业化。这种工业化,有两种形式:一个是使农业经营与工业经营结合;一个是使小农业者变为正在农村中发达的工业的工钱劳动者。这样,工业的社会主义的倾向,便接近于农村了。"①

*　　　*　　　*　　　*

现在搁笔了。马克思主义的理论是正确呢? 还是反马克思主义者的批评中肯呢? 著者不敢有所主张,只有任事实的推移,为最后的判断。历史一定有一天,对于这种长期的论争,施以彻底的清算,予以极明快的结束。到了那时,"宣告死刑的",在两者之中,到底是谁呵!

---

① Kautsky, *Die Sozialisierung der Landwirtschaft*, S.67—68.

经济学入门[*]

（1930.4）

　　* 《经济学入门》系原苏联米哈列夫斯基所著，原书名为《政治经济学》，李达据其日译本译成中文，于1930年4月由上海乐华图书公司出版，至1933年5月共印行3版，各版内容相同。——编者注

上　篇

实际之部

第一章　资本家社会的生产

第一节　机　械

"区别经济上的各时代的,不是说能够制造出什么,而是说怎样去制造,用怎样的劳动工具去制造。"(马克思)

在近代资本家社会中最典型的劳动工具,就是机械。

任到一个工场,譬如到毡呢场去看吧。先从机械部去开始考察。于此,我们就会看到大的蒸汽机关,或一系列的蒸汽机关。在那里,无论是纤维,是绒线,是织物,都不能看见的。在那里,各种机械,并没有干什么特别的纺绩作业。这些机械,只是把潜伏于燃料(薪木、石炭、泥炭)中的能力,变为运转的能力,因而蒸汽机关,只不过是一个动力机(我们在后面,就会晓得其他一系列的动力机)。试再参观工场内的其他部门。到纺绩部,我们会看到纺绩机械。那些机械,是把纤维变为绒线的。到织机部,绒线就被用织物机械变为织物。到完成部,织物就因为完全的机械组织装载好了。再关于织机部之前的还有:第一个机械梳理毛纱;第二个机械,使毛纱匀净;第三个机械,使毛纱舒展等等。

纺绩机械,织物机,完成机——这一切,都叫作作业机。作业机直接和加工的材料发生关系,因而使材料发生必要的变化。传达动力于作业机上面的,为皮带轴齿车连杆等等,但发动这些东西的实为动机力,故作业机借这些东西,而与动力机连接着。那么,我们在毡呢工场所见的各种机械的组织,可以分之为动力机、作业机及传力机,或配力机。

作业机的本身,我们往往可以把它分为直接对于加工物体(纺绩机械的纺绽,裁缝机械的缝针)动作的器具和指示这些器具的构造两类。

纺绩,在纺绩机械出世之前,好久就已存在;又衣服也是一样,在缝衣机械出世之前,好久也就已存在。生产着生产物的器具,以前不是由机械发动的,而是由工匠的手转运的。手工业的技能。第一,究竟在什么区处? 那是拿着器具动作,也就是使器具正常动作的技能,人类的手足及指,是能够动作于一切方面的。工匠在这个时候,他必得于无数的动作中,只选择一个必要的动作而加以学习。熟练和心得,在这是必要的。迨作业机出世的时候,作业机的力,就在于那作业机能够在这样的情形把这种器具传送到一定运动。

正因为那个缘故,在学习操纵机械的,实较学习以器具而动作的,更为容易。在手工业的劳动中,生产过程对于动作的手(工匠)的依靠,是很重要的。但在机械之下,劳动者就代替了工匠。于是经验与熟练的必要程度,在劳动者也认为无关轻重了。关于这点,马克思申述如次。

"人类能于同时使用的劳动器具的数目,为他们自然的生产器具所限制,即为他们自身的身体器官的数目所限制。在德国曾经试验过要使一个劳动者踏两部纺车。这即是要使一个劳动者同时用两手两足去劳动,但这是要很大的努力的。往后,那具有两只纺锭的踏纺车被发明了,但同时学会了纺着两根纱的纺绩厂,却如两头人一样不是容易找得着的。可是自从所谓捷利的纺绩机(Mule-Jenny)——1764—1767 年,为海格利夫(Hargreaves)所发明的纺绩机——出世以来,其开始的装置,差不多就是以 12 至 18 的纺锭纺绩的;又织袜机,其装置也是一次要用几百根袜针去编织的。这样,用同一作业机而使其同时运转的工具的数目,就是最初从那限制着手工劳动者的工具的身体器官上的限制解放出来的。"

器具的数目之多,对于能够设置机械的一切产业部门的大量生产,即刻给予了一个强有力的刺激。

作业机之出现于纺绩生产(纺绩机与机构的织物机),是在第 18 世纪的末叶和第 19 纪的初叶,这事对于以前被发明了的蒸汽机关的发达,给予了很大的刺激。

蒸汽机关在第 19 世纪一切资本家的产业上已经使用过了。这世纪中工场建筑物之最特色部分的巨大烟筒,就是属于蒸汽机关的一部分。

最初把蒸汽机关应用于生产的,是英国的铁工刘库门(Newcomen)。刘库门的机械,是因为从矿坑把水汲出而使用的机械。在 1712 年的刘库门的机械,蒸汽不过是运转了半面的活塞(Piston),而其回行,是由大气的压力引起的。到瓦特(Watt)的蒸汽机关(1784 年)出世,才成了往复自如的东西。蒸汽使活塞前后运动,又能够交互的使用活塞的两面。瓦特的机械,比较刘库门的,可以节省许多燃料。瓦特把自己的机械,无偿地贷给矿坑所有者们,而他的所得,就只是矿主所省的燃料的 1/3。迄今具有若干马力(1 马力,是每秒将 15 波特(Pud)升至 1 尺高所必要的力)的蒸汽机关最大限的力,自瓦特时代以来,已达到数千匹的马力了。如在巨盘中,业经装上了具有约 2 万马力的蒸汽机关。在近代的蒸汽机关中蒸汽的压力,较瓦特的蒸汽机关之最初的蒸汽压力,要大 12 倍,用一个作业汽筒,就可使用于机械的全部组织。蒸汽从汽罐出来,进到最初的最小汽筒中。迨完毕了这里的工作之后,蒸汽就被移送于较宽的其他汽筒中,因为它在较宽的汽筒,压力就随之减少了(压力的差异,迫使蒸汽从小的汽筒突进于大的汽筒)。蒸汽在第二汽筒完毕工作之后,又被移送于更大的第三汽筒,蒸汽在那里又完毕工作之后就被移到冷却部放出去。像这种机械,就是所谓三重扩大的机械。像这样反复的利用蒸汽,就可以大大的节省燃料。基于这种目的,故于锅炉的建设及发出蒸汽的汽罐自身的建设上,需要很多的改良。由是,在瓦特的机械上,对于每一时间的马力要使用到 3—4 启罗瓦的,而近代的经济的机械,就只要使用 1/2 的启罗瓦了。

蒸汽机关,也有许多根本的缺陷。因为,在设备上,是复杂而且笨重,并且对于汽罐的荣养上,又必须继续贮水。若在工作期中也有不得不停工作的事件,就得胡乱的要蓄留着蒸汽,无益的要浪费着燃料;否则于重行开始工作的时候,为使机械重行运转起见,就不得不浪费很大的时间与燃料。因为蒸汽机关在加上燃料的热量时,只要用极少的热量(要 6%—9%,但反复扩大机,却需 15%—17%),就可运动了。蒸汽机关
的缺陷

在第 19 世纪末叶,瓦斯机关开始与蒸汽机关竞争了。瓦斯机关

瓦斯机关之沿着汽管运动,而完成活塞的工作,也和蒸汽机关一样。在瓦斯机关中的,不是由水蒸气所运转的,而是从燃料的燃烧中发生的瓦斯所运转的。这些瓦斯之紧压着活塞,也和枪中的火药爆发时所发生的瓦斯之紧压着子弹一样。在蒸汽机关中,水蒸气是燃料与活塞之间尽媒介的职务的,然在瓦

斯机关,就不必要这个媒介了。在被焚于汽筒中的燃料,全部都是要使之燃烧的,所以这个燃料,必须是瓦斯状的东西,成是液体(挥发油、重油、石油)。为使燃料完全能够燃烧,就必须通必要的气流(透入空气)使和燃料一同流向汽筒。

瓦斯机关,有的是二冲程,有的是四冲程(冲程即膨胀机关,冲程数与汽筒数为正比列)。在二冲程的发动机中,对于活塞的各两个冲程,须将可燃性的东西,使之一度发火。这个发火,是始于第一冲程之特别的燃烧装置所引起的。两个冲程中,一个是运动着(流向于汽筒中的瓦斯的压力,运动着活塞),另一个是停止着(活塞在汽筒内的复归运动)。并且这个停止着的冲程,是由惰性车的惰性所完成的。在四冲程的发动机中,同一作业运动都被耗费于四冲程。如是,就沃特(1870年)的发动机说,在第一个冲程,是将可燃物与空气的混合物吸入于汽筒中;在第二个冲程,是将刚吸入的混合物加以压缩;在第三个冲程(作业)是由电气的火花,使可燃物发火;在第四个冲程,是将工作完毕了的瓦斯放出。于是在四个冲程中,就已经有三个冲程,是为惰性车的惰性所完成的,因此,这惰性车是很重要的。

瓦斯机关,最初仅只使用于小规模的装置之间,还没有从大产业中驱逐蒸汽机关。但是瓦斯机关经笛塞尔(Diesel,1894年)完成之后,情势就变了。笛塞尔的四冲程发动机,是如下述的运转的:为惰性车的惰性所显现的活塞之第一个冲程,是吸入清净的空气;第二个冲程——基于同样的惰性——是以很大的强力压缩空气的,所以它灼热到650度。在活塞的第三次冲程的开始,刚燃着的石油,就被注入于汽筒中,这石油与灼热了的空气一接触就发火。因燃烧而发生的瓦斯的膨胀力,完成第三的作业冲程。第四个冲程,就将完毕了工作的瓦斯放出。

笛塞尔发动机,在燃料一方面,不需要特别的燃料(这个发动机,多使用各种液体及半液体燃料)。这个发动机,是极经济的。因为全热量约35%变成工事,在汽筒的燃料燃烧着的时候,这热量就昂腾起来。笛塞尔的发动机,既有这样的便利,故在第20世纪中,许多大企业都把蒸汽机关驱逐了。

蒸汽卧轮　　他方,蒸汽卧轮也与蒸汽机关的汽筒竞争起来,蒸汽卧轮,是蒸汽从汽锅直接向着卧轮周围的辐装叶片,恰如水使磨房的水车迥转一样,而使卧轮迥转着。在单轮的卧轮,因为要很迅速的迥转(每秒达500回),故至于为多轮的卧轮所代替。并且那一切的轮,都是固着于一个共同的车轴的。由特别装置了的辐状叶片,蒸汽就从一个轮移向他一个轮,紧压活动着的辐状叶片。使那些辐状叶片同车轴一块儿迴转。蒸汽卧轮,可将25%的热量变成工事,这热量,不外就是燃烧了的燃料。蒸汽卧轮,到现在可以生出几万马力的力来。在发电所和军舰等处,蒸汽卧轮,完全驱逐了蒸汽机关。

第二节　燃料、电气

在热气发动机(蒸汽的并内部燃烧的)中,还有无从补足的缺陷。　　　　热气发动机的缺陷

各发动机得能使用的范围,都不怎样大。配力机(就是很好的装置,也是把蒸汽从中央的汽锅导向作业部中的各个汽筒的一个管)要吸收极高率的能力,在工场中也要占着很宽阔的地位。又热气机关可使空气腐败,屡屡成为惹起事变的原因。

因为热气发动机的量与力,有了长足的发展,故在近代资本主义的诸国家之前,出现了燃料饥馑的妖怪。

矿山、工场、都市及铁路近边的大部分的森林,在好久以前就被采伐净尽　　　木材燃料
了。森林彻底地被采伐一事,会使河川浅涸,砂地扩大,并发生种种不好的气候变化。因此,在欧洲各国关于森林的采伐,是计算着那因采伐所受的损失,是否可以由那因成长后所得的利益来补偿一层而慢慢地实行着。大概,关于木材的燃料已属过去,其地位已为煤所占领了。在最强的资本主义诸国(英、　　　煤
德、美)因有这种煤的贮藏,所以他们大大地赢得了产业的隆盛。但是,煤的贮藏,已是逐渐涸竭,同时代替煤的煤油的贮藏,也以逐涸竭闻。① 在汽车、航　　　石油
空输送并机械化的耕作中,无一不是使用着这有价值的多量的燃料。② 煤层

---

① 据英国的资料,世界硬质燃料的全贮藏额为7.5万亿吨。而每年的消费,为10.005亿吨。若是消费不再增大,或者够6000年之用。但若把消费当做是每年增大而加以计算,恐怕这些贮藏在最短时间会完全涸竭。这个增大率若为5%,那个期间,当为170年(据拉的库基于合成率的略式算表)。

② 据华盛顿内务部地质学局的资料,合众国每年的石油消费额为4亿箱,故专以本国的石油充用,仅仅只能支持18年。以上引用的数字,我们若想到现在的合众国,是每年12人即有一部汽车的,就更易理解了。

及煤油的源泉,竟成了资本主义列强间不和的原因。

在第19世纪的末叶和20世纪的初叶,电气发动机已普及于各处了。发电机并不是特别利用着从前所梦想不到的能力的源泉的。这发电机,只是把发动能力变为电流,其次,电流也因电气发动机而被变为发动能力。发电机,是为瓦斯机关、蒸汽机关的发动机、蒸汽并水力卧轮等所发动的。发电机,就是利用着从前为一般所知道的能力的源泉的。落下的水力,远在利用蒸汽之前,就已为制粉所和漂布场等所利用了。但是仅仅在水力源泉的区处,水的能力直接为企业所利用的时候,水力在产业上所尽的任务,还是第二位的东西。不过发电机只是把落下的水力变为"白煤"(指水力说),而这白煤是可以补充频告涸竭的黑煤的贮藏的。

发电所能够就近利用当地的燃料,如泥煤①,可燃质片岩、劣等煤及薪木等等,是极有利的,因为输送燃料到很远的区处,是极不合算的一件事。基于那个缘故,就在出产劣等燃料的区处建设发电所,传导能力于能力必要的地方,更其有利。

战前俄国产业所使用的假定的燃料②,为15亿波特(Pud 俄衡名),若是俄国的产业被集中于少数处所而使用电气能力(电气化了的)时,8亿波特就会够了。又若在仅仅利用重油取光的都会中,而建立了如笛塞尔发动机的发电所,那就都市所取的光,只要消费1/8的重油。

电气能力,是可以分作极小的东西。由于传导同一的电气,可以转运巨大的机械锤,又可以转运削铅笔的很小的器具。在一切机械和作业机中,都能设置特殊的电动机,而电流在这时只在转运之中通行。因此,配力机就可减少到最小的限度。

———————

① 自完成了泥煤采掘方法之后,泥煤更显出大大的作用。泥煤由强力的水流而被融解,随后即用唧筒吸法,再后,泥煤所含的水分差不多都没有了。

② 各种的燃料形态,当其在燃烧时,并不是发出同一的热量的。如以顿巴斯的中等石炭1波特为单位,莫斯科近郊的褐煤1波特,就成为3/7,干柴1波特,就成为9/20,但石油1波特,却为同单位的10/7。当计算一国的燃料的财富时,若只是于石油的波特量中,加上泥煤、薪柴等的波特量,是不够的,必须将以上所说的东西,综为一个单位,即必须加入于所谓(假定的燃料)之中。顿巴斯的中等煤,在俄国是为假定的燃料。

第三节　运　输

在使用热气发动机(蒸汽机关与内燃发动机)的生产中,其最重要部门之一,就是运输。运输于商品的流通上是大有关联的,它是生产过程一部分。近代的商品生产,不用说,机械生产是其最大的特色。若是近代的原料和燃料的供给,以及已成的生产物到市场上的运送,依然是沿袭手工业时代所用方法,即依然是沿袭陆地徒手搬运,水上的帆船和小舟的搬运,那就上面所说的最大的特色,怕是完全无意义了。现在由铁路所搬运的一切商品,若是用马去搬运,那就在资本主义诸国的马的数量,将是很大的数量,差不多要弄出草料的种植驱逐一切种植的光景了。

自从机械侵入生产以来,经过了数十年,机械就普及于运输方面了。克伦布登(Crompton)是于1779年完成纺绩机械的。但是机构的织物机,却在第19世纪初头,才逐渐普及于英国。那个时候,富尔登(Fulton)建设了汽船(1807年),史蒂芬生(Stephenson)制造出机关车(1814年)。蒸汽机关因为它是庞大的缘故,只能使用于巨大的运输方面。至于补助的并小规模运输的搬运,还有长期间是借助于动物之力的。但到19世纪的终期,因为轻快小规模的瓦斯机关已经发达,所以汽车也就很快的普及于世了。它不仅是和货车马车相竞争,据世界战争中的实例,它还真实的能与铁路相竞争的。

在有特殊的车轮装置的(犹之蜿蜒而行的毛虫)汽车,无论是在砂上、在石上,都是能够从心所欲的转运。像这样的汽车,就连从前专由骆驼队商所往来的大沙漠,也都可以横断。并且那种毛虫蜿蜒式的汽车,又能替马曳运庞大的大炮。

笛塞尔发动机因为过于庞大了,不能应用于汽车上面,但是可以利用于海运。备置了笛塞尔发动机的汽船,在途中不须重新添置燃料,而能航海57日,反是,用煤的(没有蒸气发动机)汽船,若航行到15日以上,而不重新添置燃料就不能航行了。

为要使欧洲和亚洲的接近,使澳洲和东部非洲的接近,开凿苏彝士运河实有重大的意义。又巴拿马运河,也结合了大西洋和太平洋的两洋。此外,更开凿了许多的海洋运河,又如许多河流的河床,也用了人工浚深并扩大了。总

運輸是属于生产部门的

汽船和机关车

摩托车

运河

189

之，这一切，都使海洋并河川的航行，发展到未曾有的规模。

汽车万能主义完成了瓦斯机关，遂至于使用重于空气的机械（即航空的飞行机）的空中飞行，也成为可能了。在航空界，推进机（Propeller）——是为摩托所运转的，并且这个推进机之活动于空中，正与汽船的推进机之活动于水中的，是基于同一的原则。最近的空中飞行，于旅客、邮件、急切需要的小货物等等的输送上，正在开始尽很大的任务。

与这同时的电气力的使用，在运输界上也在日益增大。电气力，最先本来就已普及于市内并郊外的运输（电车、地下铁路等），随后又因强大的发电所日益增加，电气才又开始驱逐蒸汽与普通的铁路。

与运输的发展相并行的，交通也有很大的发展，普通如由压榨空气的压力所运送的货物，并航空邮送的都是。又普通的海底线及无线电、电话等也是的。因为运输与交通的技术，都有了急速的进步，那戴着各资本主义国家所谓的特殊性的假面的世界经济的统一，就越加尖锐化起来了。

第四节　广义的机械生产

我们在第二节中，已经指摘了由作业机而行的生产已灭绝了从来由隶属于劳动者的身体器官而行的生产。广义的机械生产（以有利的利用物理学及化学上的法则为基础），益加进步，而生产之对于"自然的"物理学及化学过程的隶属，差不多是日趋于微弱了。

电力变换为灯火。

电灯不仅从都市驱逐了蜡烛和重油，最近就连农村都侵入了。在设备了蒸汽机关的一切大工场，现在都设立了特别的发电机去点灯了。

电气并能用来准备食料了（电气锅、烧锅等）。电热气驱逐炉灶以来，虽说为日尚浅，却已经是成了中心的采热的趋势。

在制铁产业界上，由冶金技术的进步，而有长足的发展。矿铁，是铁与酸素的化学的结合物。为要得到生矿，就须分解矿铁中的酸素。这一个分解工作，先将缜密的化合了的矿铁，使它与煤混合燃烧，随后，矿铁中的酸素，即与煤中的炭素化合，而生铁于是取出。到18世纪为止，这一作业，是在从来铁铺的化铁炉用原始方法实行的,即是从矿铁直接取出铁来。但到了18世纪初头,一般所通用的熔铁炉的方法,就已有长足的进步。如用镕矿炉或镕铁炉,就能从含煤的矿铁中,把含有炭素的2%—5%的生铁镕解出来。这生铁的一部分,即用以铸造车轮和食器等物,其他,就用以制铁。即由于减少炭素含有率,或制出钢铁(炭素的含有率为0.5%—2%),或制出可锻铁(炭素的含有率为0.5%以下)。制铁法在19世纪,已达到了高度的完成。在以前的制铁法,是用的风箱,依据这方法,生铁经过三回熔解,就能变成铁,结果,就做出铁的小片。由是,生铁就没有和可燃物接触的必要,并且炉内拥有多量的生矿的为机构的齿笆所混合的炼铁炉,也有了一个进步。贝塞马(Bessemer——1855年)的制铁方法,使劳动生产力有了显著的进步,若是用贝塞马的转炉,即以熔解了的生铁入于炉中,再通以强烈的空气,生铁中的炭素与其他的混合物,就可同空气中的酸素相化合,而成为钢铁。即以600波特的生铁,若按照贝塞马的方法,只要20分钟就可以变做钢铁。但是像上述的炼铁法,得费三天工夫,至如以前的风箱,更得费三个星期了。在19世纪末叶,关于制铁的又出现了马尔颠(Martin)的方法,那是从混有生铁、可锻铁并铁屑的当中,采取钢铁和锻铁的。这个方法已属普通的应用了。最后至杜马斯(Thomas)出,于是制铁方法中更收获了许多奇效。由杜马斯的方法,更能精制含有磷的矿铁。这种矿石,在杜马斯的发见(1878年)以前,还是无价值的,因为含了磷,就能使金属脆弱。杜马斯利用石灰和酸化镁,一方面取得不含磷的钢铁,他方面取得含有磷的酸味的矿渣。这种矿渣好似磨碎的形式(杜马斯磷粉),且为极有用的肥料。

能将熔解的生铁,直接传送于转炉,不需二次加热就能加以精制,这是有重大的意义的。再从熔矿炉分离出来的瓦斯,又可作为燃料,被利用于瓦斯发动机。

现在最优等的钢铁,是由电气能力变为热气能力的那种方法,而在加热的炉中制造出来的。电气炉也能发出高度的热度,而它这种的高度的热度,在直接从燃烧的燃料中,是决得不到的。使用电气,可以从劣等的生铁及铁的当中,生产出钢铁来,但若用其他的方法从那些东西当中生产出钢铁,就完全没有利益。用电气炼钢的事,北美合众国于1917年,已经生产出5000万波特以

冶铁法

贝塞马的方法

马尔颠的方法

杜马斯的方法

电气钢铁

191

上的电气钢铁。

电热在铝（Aluminium）的生产上，惹起了完全的变革。关于这个金属的存在，直到 1828 年才为人们所知道。然到现在，这已成为最普通的金属之一了。人们开始见着铝的矿石时，也许认作黏土（铝的矿石恰似黏土，故有呼作黏土制的银的）。这种金属，法国于 1850 年最初所采出了 30 启罗瓦，约值 72000 佛郎。铝的大量生产，要使用高热度的电气炉，才有可能。现在 1 讽脱（Funt 俄衡名）铝，约值 4 乃至 5 戈比（俄币）。铝在今日，已成为必要的东西，特别是要使用于稳固而且轻便的建筑材料（飞行机、汽车、电气诱导管）。在我们的时代，像那样价廉、轻便而且不生锈的铝的食器，已非常普通了。

电气能力，不仅变为发动机、烛光及热气能力，并且变为生产上普通应用的化学能力的东西（制革、引锡、镍镀金、引亚铅及从矿石抽出金属）。

农作方面，除机械驱逐手工器具（锄、镰、连枷等）之外，如种子的精选、播种的按期交代（多圃制度）、绿肥及人工的肥料等事，也使劳动生产力向上了。

家畜业也是一样，除机械使用于家畜业[①]生产物的精制之外，如家畜的繁殖法、饲养法、待遇法等，也逐渐在完成中。但是还不至此。农村经济的意义，是在用植物及动物的有机体来制成人类必要的物质，对于那些有机体的应用，如同在化学实验室一样。如要得着蛋白质和淀粉，人们就栽培谷类和马铃薯，人们得从甜菜和甘蔗中制取砂糖。利用牝牛的有机体，如同利用化学器具一样，使麦面（牛的饲料）能够变化牛乳。羊的有机体，可以看作是同生产羊毛的器具一样。

一般由纤维工业所精制的一切纤维物，若是除开极少的例外，可说都是起源于有机的（即植物或动物的）东西。树木在成长的过程中，就是预备为制造工具、家具、建筑物的原料并燃料的原料的。不过生产方法的步骤，是慢慢的向前转移的。我们若是除开金属工具代替木制工具的话，那技术在征服"天然"的产物的独占上，所成功了的第一个领域，就是染料生产界。但从植物和动物当中所采取的染料，好久以前，就已为纤细工业的人工的 Aniline（从烟煤

---

① 在设备完全的经营中，是以机械榨压牛乳，使 Gream（牛乳表面所生的皮膜）与牛乳分离，而以之制成牛酪（Butter）。近代的屠杀场，凡家畜的屠杀、兽肉的盐卤等一切，都是由机械完成的。

制成的人造染料）染料所驱逐。

用化学的方法，可以生产出若干的有机酸素及一系列的花和果实元素来。全体上，生产之依据于植物并动物的生活力，已是更加微弱了。

机械不仅是侵入到以前为手工业所确立了的领域，并且侵入到所谓"家内劳动"的领域了，如主要的取热、电灯等都是。并且洗衣是机械，叠衣也是机械，全如打扫灰尘等等的，无一不是机械。此外，厨房也机械化，如烹调、洗涤碗盏等等也是机械。 家内经营的机械

在生产方法改良的自身，现在差不多都带着"工场的性质"。如赌看自己的负担和危险所积聚的经验，并造出模型而从事个别动作的那些发明家们，已为那生产改良的特殊部门驱除净尽了。而这些特殊部门，都是见之于大规模的企业的，因此，发明是技师们以完全的合作才能成就的。 发明及改良的制造

第五节　大量生产

资本家的生产，是大量生产。在各种商品中，企业家每每专生产同一种类的东西，大量的投到市场去。即如他们把同一种类同一模样的几千埃徙（Archine 俄长度名）的棉布，把同一名称同一尺码的好几万食器，把同一式样同一口径的好几十万枪械，投到市场去之类。本来机械的生产，是带有大量的性质的。在美国福特汽车工厂，每日就要生产出 1000 部汽车。所谓大量生产的意义，并不只是完成许多式样复杂的制品，比如就汽车工场说，若是要他适应各自的趣味，而由 10 到 15 的模型生产着汽车，那就各种模型，第一须有各自详悉的特殊的研究，同时，也要有那些生产的特殊组织与特别的设备。我们在上面所说的福特的工场，它不过单是制造着一个模型的汽车。它与其考虑需要者一切的嗜好，还不如专就自己精研出来的一个模型，加以价廉物美的号名，使需要者认为必不可少的东西。并且像这样的做法，就是从前认为汽车的这种奢侈品只是一个梦想的人们，差不多也要同福特工场接近的。因为只是一个模型，所以福特汽车若是某部门受了损害，任凭什么处所，都可以拿新的东西来修补。即如停车器、螺旋等这些东西，随时都可以补充的。在近代的机械制造工场，一个停车器，不仅使用于同一机械的某部分，就是其他的各种机

械,也是合用的。因此,就可使各种附属部分的生产能够廉价,同时,也能使修理容易。在俄国的运输上,若是机械的各种部门,能有这样的标准化,那么,在战争破坏之后,修理就不至于那样困难了。

关于工场设置的机械的整理,在大量生产上,是有重大的意义的。在设备完全的企业中,机械不是个别的配置的,而是以缩短制造物的制造过程的目的,适应制造物的动作而加以配置的。

卡尔诺夫斯基教授,关于福特汽车工场,在其著述中,曾有这样的话。

工场内的运输机运化

"在极度发达的机构的制造场,以下述的目的,可以实行使用特殊的机械,即是同时能够实行着那互相关联的不可分的各色各样的作业,才能实行使用特殊的机械。更具体地说来,以同时能够实行的———一架机械的傍面,只由一个'半熟练'的劳动者就能济事的各种作业——方法,尽量的扩充到很广的范围,以致引起生产能率的增进,那么,特殊机械的使用,就以这一目的而显现出来。如是,在具有四组汽筒的电动机,就能一次凿开 49 个四方孔出来。操纵器具的劳动者的任务,就在于整理这完成了的铸物,并依据配力机而使机械运转。凡属备有无数之轴的开孔的机械和自动的机械以及各种工具标准化的各原则,又关于专是练习着局部作业的劳动者半熟练劳动的使用……归总一句话说,大量制造的一切方法,在此处完全可以适用。此外,还能考虑着制品的搬运,并适宜的配置着机械。由于这一切方法的适用,可以引起下述长足的进步。即从前制造四组汽筒的生产过程,本为 4000 福脱(Foot,俄尺),然现在可以减少为 334 福脱,并且干入 14 种作业的汽筒的机械的制造时间,全部只要 45 秒。"

第六节　旧生产方法的遗制

工场手工业

在工匠或店东和少数徒弟一同用工具工作着的手工业的制造场,和劳动者用机械操作的近代工场之间,有一个过渡的阶段,那就是工场手工业。[①] 这本来也是使用着手工业制造场所使用的工具的,但这种生产,就已经是立于资

---

① 工厂手工业(Manufacture),就是从拉丁语的 Manus(手)出来的。

本主义的原则之上,而为大规模组织的企业。工场手工业在其发生的瞬间,对于手工业的工匠,就已经显出是非常的优越了。在那里,就首先利用着所谓协业的利益。 协业

"在同一生产行程中,或是在各不相同,而又互相关联着的各生产行程中,那以相互协力而实行有计划的劳动的多数劳动者的劳动形态,就叫作协业。

"骑兵一中队的攻击力,或是步兵的一联队的守势力,和那由各个骑兵步兵为个别的展开的攻势力及守势力的总和,在本质上是不相同的;同样各劳动者个别的所发挥的机械的力的总和,也和许多劳动者在同一不分割的作业中同时实行共通劳动时——例如或举起一个重荷;或回转笨重的起重机;或移开某种的障碍物时——所展开的社会的效能,是不相同的。

"合多数的力而成为一全力的结果,除发生一个新效能以外,在大体上的生产的劳动上,只要有所谓社会的接触的那种事实,就已经可以造出竞争心与精神的特殊的刺激。同时,并且这又是增进各人个别的劳动能力的,所以在同一劳动日中,各自一同为 12 小时的作业的 12 个劳动者,较之个别的各从事于12 小时的作业的 12 个劳动者,或每天作业 12 小时,连续 12 日间作业的一个劳动者,当更能供给较大的总生产物。"(马克思)

这样,同时关于设备、采热、采光等,也能够节省。

"20 个织工 20 架织物机械工作着的工作室,较之使用两个工匠的一独立织工的工作室,不用说,是很宽大的。但是在为 20 人而建立的制作场,较之分别建立每 2 人一制作场的十个制作场,只要很少的劳动就行了。"

但是协业之最大规模的技术的利益,是在于涉及广汎的分业的可能性。 分业而且在这个分业当中,各劳动者只分配一个简单的作业就行。18 世纪英国经济者亚丹斯密(Adam Smith)对于当时留针制造的作业,曾有下述的话。

"一个人做铜丝,又一个人引长它,第三个人把它切成一段一段,第四个人把一端的头弄尖,第五个人磨装针头的一端。就是造那个针头,也要两三种特殊的工作。头造成之后,装这个头是一个分业,漂白这个留针,又是一个分业。又把造成了的留针插到纸上去,也是一个分业。归总说来,关于留针的生产,就是在几个工场,分开归 18 种劳动生产去制造的。"

基于这样的分业,而劳动生产力有两个原因可以增高起来。第一,各个劳

动者关于自己担任的工作,已十分熟练,极易成功;第二,劳动者没有为工具及劳动力的变更而浪费时间的必要。

工场手工业,在把工具的改良和各种复杂的劳动行程区分为一系列的简单的劳动行程上,是尽了很大的任务的。改良了的工具以及简单的行程,到后来是使作业机的设立容易的。本来,在由机械而行机械的生产之先,机械自身,最初就已准备于工场手工业之中了。

但是近代工场虽然成立,却还没有完全驱逐工场手工业。例如机械的生产虽已盛行,而裁缝、制花或家具工场等,与其说是工场的,还不如说是工场手工业的。在落后的各国,自不用说,就是在资本主义发展的各国,也还有若干生产部门,依然是保留着手工的意义。若干奢侈品的生产,在机械生产业经盛行的时候,几乎都带手工业的性质。用手工生产的那个事实自身,往往是使其生产物成为奢侈品的(例如用以装饰帽子、衣服等等的花边)。此外,如为新物品的生产界所驱逐的手工业,关于旧物品的修理,也还不能容易灭绝。

在某种情形,工场手工业要经过下述的发展阶段,才能转变为工场,即在技术上回到它旧日的形态之后,它才开始崩坏。那么,在这工场手工业的交替中,就出现了"库斯达里",或所谓家内劳动。在工场手工业附近的农民们,学会了那里的劳动方法之后,他们差不多也能在自己的家庭中从事劳动,于是一方从资本家领得原料,一方就以完成的物品交给资本家。

总之,家内生产,无论是从工场手工业发生的,或是独自发生的,在大概的情形,家内生产总是资本主义生产。为买占人的资本家,把原料给予家内生产者,于是资本家从家内生产者得着完成的物品。至于家内劳动或是领受工银,或是除去原料的价值而对于生产物领受工银的问题,本质上都没有什么不同,事实上,家内劳动者的劳动,较之工场劳动者的劳动,所支付的工银还要少。因为前者大部分还没有与农作断绝关系。他们既没有与农作断绝关系,因而他们就能够把自己的劳动力用很贱的价格出卖,而与其他的家内劳动相竞争。"库斯达理"以及同样的家内劳动者,他们那种廉价出卖的办法,还不仅他们自身,即连他们的全家族,都得放下自己的工作而帮助他们。任便怎样一种劳动法,家内劳动者的劳动,是束缚不了的,因而他们的劳动时间极长。因此,就使得家内劳动的制品增大了供给,同时,家内劳动者的劳动力也是廉价的。

第七节　生产的集积

机械增大了劳动生产力,同时又是减少商品的生产费的①,因此,机械生产就把手工业的劳动与工场手工业驱逐了。然而并不是说一切资本主义的企业,都由于和这同样的原因而有同样的生存能力的。 生产费

利润的追求,是迫得资本家去改良生产工具的。生产工具越是完备,那就每一个商品的生产费,就越发减少;商品的生产费越是减少,商品就越加很快地寻得出买主;商品越是很快地寻得出买主,企业家就越能领受很多的利润。但是要使用一切进步的技术,并一切改良的设施,在在都是需要资本的,因此,小企业家就遇着了一层重大的难关。

纵然在小企业也能备置必要的机械,然而小企业不一定能够继续的利用这机械。机械在停止不用时,是会完全引起损失的。第一,机械不使用时就生锈,而为不生产的消耗,反之在运转时机械就为生产的使用,而其价值就逐渐转移于生产物。第二,机械不论是运转与否,而机械总是由于新的发明和改良的原因,要失掉价值的,换一句话说,机械要成为废物。此外,机械即是资本。在机械不运转的时候,那为机械所表现出来的资本,就变成没有效能,就不会发生利润。资本不能引出利润来的这一事实,在资本主义的世界看来,就是一个损失(例如就装订业所使用的切纸机说,这个机械,只要在比较大规模的企业中,是能够整天继续利用的。然若在小规模的制作场备具这幅机械,那么,这个机械因没有那些工作,每日大部分怕都是停止的)。 小生产不能尽机械之用 大规模生产的优越

小规模的企业家,在原料方面也是被放在比较恶劣的条件之下。他是零零碎碎地买入原料,因而他的利益,也就准此而所获不多。他要获得信用,是比较的困难,他对于信用是要付出较高的代价的。

据以上所说的看来,在一切生产部门的小企业,就被那集积资本和劳动力的大企业所驱逐了。列宁说:

---

① 当企业主计算商品生产费的时候,即把投下于商品一切费用加以计算,即是计算着原料、燃料、补助材料、劳动者及事务员的劳动力、机械及建筑物的损耗等等。从商品的贩卖价格除去生产费所得的剩余,就构成资本家的利润。

"在德国每1000产业的企业当中,大企业——使用50人以上的工银劳动者的企业——在1828年有3个,在1895年有6个,在1907年有9个,而劳动者每百人中使用于那些大经营的,就为22人,30人,37人。但生产的集积,比较劳动者的集积还要加强,因为在大规模经营的劳动,更是生产的。这件事,我们可用关于蒸汽机关及电动机的资料去证明。

"在近代资本主义的先进国家,如在北美合众国的生产集积的增大,更其是突飞猛进。合众国的统计,是分离狭义的产业,只是就每年生产的价值总额把企业照下述的形式分类的。即1904年,有百万金元以上的年生产的大经营,在全企业21.6180万的当中,为1900,相当于0.9%。而在这些大经营中,于全企业的劳动者550万人的当中占140万人,相当于25.6%。经过5年之后,即1909年,有百万金元以上的年生产的大经营,在全企业26.8491万的当中,为33060,相当于1.1%。而在这些大经营中,于全企业的劳动者661万人的当中占200万人,相当于30.5%。而且在年生产额的270亿元当中,占90亿元,相当于43.8%。

"这一国约有全企业的生产总额之一半,当在企业总数的1%的大经营的手中;而这3000大富豪们的经营,实包括着258种的产业"。

1870年,英国纺绩业及织物的生产,每10840个纺锭。经过30年之后,这个数目已到了14474个,即已增加了33.5%。法国制糖产业的集积,更其达到了最明显的程度,即法国在1880年,为486个工场,生产出33.7万吨的精制糖,然而到了1901年,工场的数目,虽然减少到334,而糖的生产上,却增加到104万吨了。每一工场的平均生产,都是从693吨增加到3113吨,即其增加到了349%。

某经济学者以为电力是可以细分的,即认为小企业家也可以开辟出新的将来,但这种希望,是不正确的。纵然小企业所使用的发电力,是与大企业所用的为同一价格,然而大企业的一切其他的优越,是非常重大的,那就是使小企业的没落成为不可避免的一个原因。

第八节　资本主义与生产力的发展

在资本主义之下,虽然技术已达到了可惊的发达,然而资本主义除在今日已经发展了的技术之外,就阻止着那个发展了。

关于生产完全电气化（用电气能力的生产）的问题，在资本家的社会之下，是一个难得征服的障碍。

在资本主义各国，企图向这一方面的一切尝试，定会惹起个人及各个企业间的私有财产之利害的矛盾。因为他们伸手于某种能力的源泉地一事，都已经成功了，譬如在敷设铁路时，资本主义各国就不能不实行一种强制的征收。但在实行这种征收时，通常对于所有主须给予大量的金额，并且这一种支给金额的百分率，当不能劣于被征收的财产在以前所得的收入的程度。既支出了这一笔买收金，于是就会在许多处所，使电气能力的价格极高，同时，以之和蒸气或内燃机关比较起来，怕也成了完全不利益的东西。在企业自身生产着企业所必需的能力时，这个企业比较以前要和其他别的企业同向中央发电所购买电气能力时，更是独立的了。这个独立，对于要永久和自己的竞争者战争，并且对于全体生产上完全没有利害关系的资本家，是极重要的东西。

电气与私有财产

在电气化了的经营中，劳动者极容易实行总罢工。他们如要麻痹那一国中的一切生活，只要停止发电所的工作就行了。资本家们也会顾虑到这点，所以他们的广汛的电气化的计划，就不得不停顿下来。总之，电气化，在树立于劳动者的剥削和各种企业相互竞争之上的资本家的经营之下，是完全行不开的东西，那么，这种有计划的经营（社会一切生产上的活动，表现于一个计划之下的）只有在社会主义之下才有可能了。

电气与劳动者的斗争

资本主义，它是妨害广大的技术的改良并普及的。在廉价的劳动者存在着的落后诸国，许多机械（想系设置上不可不投下必要的资本的缘故）也是同样的不能普及。因为那没有利益，而且那还不能与廉价的劳动力相竞争。

若干的生产方法，殆已成为持有秘密或专卖特许①的唯一的企业独占。

秘密转卖特许

但在企业家同盟排除竞争的时候，纵然有新的发明出现，纵然他们所用的机械，因新的发明而被视为残屑一般，然而他们的办法，一面是防备着有利用

---

①　所谓专卖特许的，那就是赋予发明家于若干年间所发明的一种特别的剥削权。纵然专卖特许，即最初的发明，没有入于正在经营某种企业的资本家，然而通常，那都是出卖于资本家的。

新的发明的,即拿出一笔款先将新的发明买到手中,同时,他们又放弃那已经买得的专卖特权,他们觉得尽管有新的发明,只要发明不至为他人所利用就行了。总之在资本主义之下,想有世界规模的普遍,而使制品的样式标准化,使部分品一定化,是全然不可能的。

退一步说,纵然在工业①方面能使资本家把生产要具改良到最高的阶段,然而这件事,也决不能说到农村经营一般,尤其说不到耕作上。这是因为在土地的私有财产上,如要实行农村经营的电气化,以及适应于气候和地质之正当的耕地整理,就成为难于征服的障碍。

介于资本和土地之间的,一方是借地资本家,他方是土地所有者,平常总是借地资本家以地代的形态,将农村经营企业的利润一部分,支给予土地所有者。土地也可以出租到某种的期间,但是这个期间一到,土地又完全归于土地所有者之手。因此,借地资本家,在借地期限中,若使土地改良到充分得以利用的程度,是不合算的。多少带有普遍性的人工的土地改良(如以人工灌溉的实行,洼地填筑的正当组织等耕作条件的改善为目的的),就是大经营,都不容易实现,其他各个的小经营更无论了。例如土地改良公司及土地改良信用,不过是小部分的帮助这种事业,并不是整个的对于这种事业有什么计划的措施。

在资本主义之下,妨碍普通的耕作的机械化的,第一,是劳动的廉价。因此,镰刀就能与刈禾相竞争,锄就与牵引器(Tractor)相竞争。第二,机械不能适用于小规模的农民经营。小经营主固然在农村经营中也在逐渐减少,然而还没有像在其他的产业部门中,表现那种急速的完全绝迹的状况。这一个原因,就是因为在农村经营的工作,是带有季节的性质的,因之小规模的生产者即靠着这点机会,得于他的农闲期中,做雇佣劳动者而从事于劳动。因此,那种半自耕农就成了资本主义的农业企业之极有望的邻人。仅仅私有着少许土地的农民,就为土地所束缚,因之这种农民又常希图做工银劳动者而在资本主

① 属于工厂的一切产业,都是于工业有关系的。要把工业用其他的话说来,可称为加工的产业,至于农村经营、采矿、狩猎、渔猎等等,就称为采取的产业。马克思只把矿业、狩猎、渔猎等等,称为采取的抽出的产业。《资本论》第一卷说:"在耕作只限于开拓处女地的时候,耕作是采取的产业。"关于冶金业、机械制造、石炭、石油的采掘等等,通常都称为重产业。

义的土地之上工作。

如是,小规模的农民经营之完全的消灭,从资本家的见地说来,是不利益的。

使农村经营成为有利的设计的,在以私有财产为基础的无计划的资本主义的经营中,殆为不可能。

那么,这种问题,只有社会主义才能解决。

第二章　劳　动　力

第一节　劳动者与生产

劳动者与
工匠　　在机械之下操作的劳动者的任务,和使用工具操作的工匠的任务,完全不同。工匠是工具的主人翁,这种说法,不仅是说工具是他的所有物,而是说凭借工具的运动是从他的手的活动发生的。但是劳动者,实际不过是机械的附属物,或只是构成那工场或作坊的全生产组织中的一个螺旋。[①] 劳动者是补足那机械组织所不及,或是做那还没有机械化、自动化的事情。

劳动者与
机械

　　机械对于劳动者提出着怎样的要求? 对于这问题要作一个普遍的回答,是困难的。不过有一件既完的事实,就是机械对于劳动者的筋力的要求,始终是在减少中。固然,现在如冶金业、煤业以及其他事业当中,除技术之外,也还有以体力(徒手搬运、打大锤等)为必要的部署的,然而那限于某种作业还未能机械化的部分。

妇人及幼
年劳动　　妇人及幼年劳动之能在机械生产上有大的利用一事,就足以说明个中的情由。英国的纤维工业,在 20 世纪中,成年的男子劳动者,差不多只占四分之一强,其余都是妇女和童工。

　　在劳动者操纵机械的时候,除了技术之外,还要有严格训练的注意。即当

---

　　① 　在工厂手工业及手工业中,劳动者是使用工具的,然在近代的工厂。劳动者是伺候着机械的。在前者,为劳动工具运动的起点的,是劳动者;在后者,劳动者就不能不伴着劳动工具的运动而运动。在工厂手工业,劳动者是成为活机构的组成器官的,在工厂,死的机构就离劳动者而独立存在,劳动者成为活着的附属物而至于为它所合并了。机械劳动使神经体系疲劳到极度,同时,又束缚着筋肉上多方面的作用,而至淹没心身两方的一切自由的活动。哪怕就是轻便的劳动,毕竟那也成了苛责的手段,因为机械并不是从劳动解放劳动者的,反可说是从劳动者夺去了它的内容。(马克思)

他操纵机械之时,必须学习着把自己的注意集中于自己的拳头上,同时,又必须完全集中他的注意于机械作业上。

无论三部或四部的织机都作一次去运转的织工,就不能疏忽从事(曾为英国所研究,而只使用于美国的"诺尔茨洛普"的织物机械设立以后,美国的织工,且能运转16部至20部织机了)。同时,必须注视好几百纺锭的纺工,也是一样。劳动者必须不疏忽的时候紧张着的那种注意,是很能使他疲劳的。

我们在另一方面,还知道下述的事实,工匠,他是完全知道全生产过程的。如同早先的制枪匠,他会制出从枪的木柄到枪头的枪的全部,同样,一个靴匠,也是从剪皮以至于靴面的缀缝,依次做成靴子的全部工作的。但是机械,却使生产过程的这一"全体性"都消灭了。机械简直是把工匠分作技师和劳动者了。前者树立工作的全部计划,后者只限于实行一种作业或一种作业的小部分。

劳动者逐渐区分熟练工(已经学会了的)、半熟练工(知道大概的)以及不熟练的劳动者。而与此有关联的大量生产的发达,使劳动大众的上层部,也与下层部一样,致引起数量的减少,其重心都转移于中层部,即其重心已转移到半熟练的劳动者中了。不熟练劳动者的劳动,因为一切起卸物件的机械化、工场内搬运的机械化、土木作业的机械化等,已渐渐地被减少了那个必要。至关于熟练劳动者方面,新进技术家的一切努力,使生产过程的各部门表现出单纯化的倾向,在这个被单纯化了的生产过程之下,对于数十名的半熟练工,只要一个熟练工就够了。 熟练劳动
与不熟练
劳动

如在上文所述的福特工场中,移住民占据着主要的部分,其中并杂有从亚洲去谋工作的人,以及有色人种的移住者。而这些仅有半教育的劳动力的大众,只要有美国本国人的机械师、模型制造人等的高级熟练工数百人,就能够使他们"白化"。这种劳动组织,使得资本家一面把生产物送到未开国,一面得因市场的状况而迅速的把生产减少或扩充。在大量生产没有销场的恐慌时候,工场主就毫不客气地把劳动者投到街头去。他相信在他必要的时候,劳动者预备军在他常是必要的而且那是最丰富的所谓人类的材料。 产业预备
军

所以,资本主义,在生产的全要素中,最轻视人的材料。

在使用水银而制造玻璃和寒暑表的劳动者,他们的健康是急速地被消耗 有害的生
产

下去。因为慢性的水银中毒，他们病态的表现就是流涎。齿龈是湿肿难受，消化器就损伤不堪（下痢腹痛），骨节永久是针刺似的疼着。

在玻璃的制造上，水银本可以拿银来代替的，但是这个转换所给与于他们金钱上的利益，如果不确实可靠，他们资本家企业家，就不会急于变更制造方法。至说到劳动者的健康等等，在他们当然是无关轻重。

用野兔或家兔的绒毛制造帽子时，兔子的绒毛，通常是使用含有水银的毒药，使它从兔皮脱落的。本来也有完全无碍的别的绒毛精制方法，然而那还没有充分的普及。

在火柴的制造上，要使赤磷代替有毒的黄磷，须有法律上的干涉。黄磷的使用，在欧洲各国还没有用法律禁止以前，在火柴工场劳动着的数万劳动者，都陷于慢性的磷中毒，人身一切的骨节，都变为脆弱，齿就和骨的破片、颚骨等一块儿脱落。

在玻璃的制造上，所谓"吹玻璃"，就是用吹管吹那熔解了的玻璃块，从这玻璃块吹出各种各样的模型和有直径的食器，或是吹很大的玻璃球，把上部剪开，随后把它延展为制饰窗户，和照镜的玻璃板。吹玻璃，必须要不停气的把自己的肺张着，因此，肺扩张及肺病，在吹玻璃一事上是最容易得的病。本来在好久以前，就已发见了由机械吹玻璃的工具，但在资本主义的生产，既然有了廉价的自然工具的劳动者的肺，所以这个机械还不能普及。①

地下劳动者的生活，常为崩土、出水、失火的危险所威胁。他们最可怕的敌人，就是矿坑的瓦斯。这种瓦斯与空气混合之后，一触星星之火，就爆发起来。固然，笛维（Humphry Davy）的安全网，差不多可以使矿坑内面的灯火，不发生危险。又电气矿坑内面的灯，比较它还要安全。但是此外，如由工具碰到石上所起的火花，仍有惹起爆发的机会。

1878 年，比利时的亚巴烈的竖坑爆发之时，曾经牺牲了 121 人；1908 年，俄国的莱可夫斯基坑爆发之时，牺牲了 283 人；1906 年，法国的加克爱烈，因瓦斯的爆发，一小时竟牺牲了千人以上。

劳动者在竖坑的底下，在矿道中，在熔矿炉的旁面，在制钢工场以及铁轨

---

① 现在俄国一切玻璃企业，都要实施机构的制造法一事，已成为当面的问题。

展铁工场,消耗着自己的精力,有的变成跛子,有的早衰,有的变成为废人。其实这类灾害,只要资本家对于劳动者之正规的工作时间和强度稍稍加以规定,又如供给新鲜空气,不使他们为风邪所乘,工场内面有安全的设备,不使他们动辄成为残废,那些灾害,还可减少若干,然而资本家以为这种设置,于他是没有什么利益的。

纠缠于劳动者的灾害,虽是普通现象,却也无足惊异。大概这种事变的发生,是劳动者于精神不能集中之时,而在某种劳动的中止以前或劳动终结之时发生的。平均在欧洲的大工场和大经营中所发生的灾害数,每年几达 150 万次,其中有 16000 次以上,是成为致命的结果的。就是俄国一国,在欧战以前,每年也有 30 万的灾害数,其中有 27000 是重伤,4500 是致命的。如从死伤者的数目说来,近代"平和的"资本主义产业,不亚于早先的性质好的战争。 灾害

十月革命以来,苏俄劳动保护机关的工作,就是尽量的想完全实现每日劳动 8 小时的工作。现在这一件工作,正决定的被实行着。至于不能正确的施行一定的劳动日的产业部门(如运输卫生事业及其他),是依据法律正确的规定着那过额时间的限度。 苏俄的劳动保护

在资本主义诸国中,被利用得很残酷、被估价得很低的妇人劳动,在苏俄是和男子劳动被放在同一条件之下,对于劳动工银,不许有怎样的差异。妇人是在一切生产部门和分野中被使用着。母性保护的法律,无论哪一方面都得适用,就是个人产业及商业,也得同国家事业一样,要适用母性保护的法律。

就苏俄说,关于未成年者的问题,更有真实的注意,他们的劳动日,是被限定为 4 小时至 6 小时。他们的劳动,当然要受报酬。在企业中,为未成年者设立着工场徒弟学校。为谋做到使未成年者不至为企业所驱逐,特别于生产上不会发生什么妨碍的全企业中,规定未成年者的一定的比例是必要的(未成年者的一定数,得有参加企业的特权)。为劳动保护的根本要素之一的,就是职业卫生。如于衣食的给予,有害或危险的企业的劳动时间之缩短,劳动工银的增加之外,对于生产行程也是一样,凡属关于工场改善的一切方法,都在采用着。在需要治疗的劳动者,除与以免费治疗的援助之外,就是在都市,也和在别庄地、温泉地、海岸及其他处所一样,也有许多设备完美的疗养院。

第二节　劳动立法、劳动组合

资本的贪欲,是没有界限的。据 1844 年,莫斯科区的工场监督官叫杨捷鲁的报告书说:"好像难得使人相信的,其实有许多工场,已把成年工及幼年工的劳动时间延长到某程度了。在席毯制造场的劳动者,通常都是完全无交替的,竟于一昼夜继续劳动 16 时间至 18 时间。这样,劳动者对于睡眠、饮食、休息等所费的时间,一昼夜不过是 6 时间至 8 时间了。而且像这种可怕的劳动,还不仅是成年的男子和女子,就连小孩们也是这样做着。就是这些小孩们当中,也还有许多生下来不满 10 岁的呢。尤其悲惨的,连出生不满 3 岁的小孩,也有随同他的母亲,在帮着携取材料。"

在耶纳(德国)管理蔡司光学机械工场的亚贝教授,曾写过下述的一段话。

"我的父亲,是爱哲那哈地方的一个纺工,约莫是 50 岁的光景,他每天还必须用他那宝贵的时光,做 14 小时到 16 小时的劳动。即,他在 14 小时的劳动中,总是从上午 5 时做到下午 7 时;通常的工作时间,是 16 小时,他每天要从上午 4 时做到下午 8 时。还有在工作很忙的时候,简直没有中断过,并且连吃饭都不休息……我的父亲或是倚靠着机械,或是坐在箱子上,随即把我送去的饭盒内所盛的午饭,急忙地吃着,吃完之后,一面即开始工作,一面即将空的饭盒给我带回,这都是我屡屡经验过的事。我的父亲,是一个负有健全体格的伟男子,所以到了 49 岁,还能耐劳工作,然倏忽之间,就老衰下去了。在比他虚弱的同伴们,却只到 39 岁,就已衰老不堪了。"

1832 年,英国矿山业的一个报告如下:"小孩也有从 5 岁就到矿坑内工作的,然而他们开始劳动的普通年龄,差不多是从 9 岁到 10 岁。小孩们照例是在矿道内守着入口的,因此,他们一开始工作,就必得往矿坑去,并且他们的工作,非待全部终了以后,不能移动。小孩们从事于这种工作的时候,是独立一个人完全地被放在寂黑之中的,所以干这种工作,简直和被幽闭于最凄惨的孤独的牢狱相同。不同的处所,只是时常在装着煤的车子通过时,稍能打破一点沉寂吧了。

"小孩们从7岁起,就同成年工一样,要搬运着载了煤的车子,或是推着车子前行。这个工作,是不断地要用尽全力的,诚如一切目击者所断言的一样。在许多地方,他们都背着煤,爬着陡竖的梯子,上下搬运着。地下的步行坑,有时非常之低,所以就是极小的小孩,还得两手两足匍匐地走着,才稍微可以前进。他们以这种不自然的姿势,还必须曳引着装满载的煤车。"

19世纪40年代,英国为劳动运动所迫胁之后,才有劳动日的缩短,幼年剥削的限制等等的规定。自1848年以来,织维工业在事实上,已实施10小时的劳动制(法律的规定,只及于妇人及未成年者)。在其他资本主义各国,也以同样的原因,趋向劳动日之立法的标准化中来了。在俄国也于1897年规定为11小时半(祭日之前为10小时)了。 法律上的限制

在许多处所,劳动日的限制,并不因之减少出产额,这是经验所表示的。劳动要不是因过度的很长的劳动日而致疲困的时候,他的劳动强度就比较要高些。 劳动时间的长度与劳动生产力

"爱尔·喀特立尔,在普列斯登地方的他的两大工场中,曾于1844年4月20日,采用11时劳动制代替12时劳动制。约一年之后,以同一生产费,而仍得着生产物完全相同的数量:又全劳动者在11小时之间,仍能作出和以前12小时同样的工作来。"(马克思)

像这种经验,当时也推行到耶纳地方的加尔·蔡斯的光学机械工场,该工场约有1600劳动者,是全世界有名的光学机械工场。依据管理者的提案,顺次从11小时的劳动日减到9小时,以后更减到8小时,至于出产额,不但没有减少,反而增加了百分之几。

但是,由资本家们自动的缩短劳动日的事情,却是很少的。就是劳动日之法律的标准,也往往因工场监督施行不周密的结果,以致不能达到目的。

在法律上决不能战取①缩短劳动日的各国中,那以团体的交涉,实行缩短劳动日的劳动组合之直接的活动,对于劳动日的标准化,却成就了伟大的任务。 由于劳动组合的劳动的直接标准化劳动组合

现在劳动组合,包括着资本主义各国中劳动者绝对的大多数,那是立在严

① 疑有排印错误。——编者注

格的职业主义的原则之上而设立起来的。在这种情形,譬如金属劳动者的组合,凡属在运送土木工业等方面工作着的锁钥匠、金属辘轳匠以及别的工人,都包含在内。又在别种情形,劳动组合就包括着从事于该工业的全劳动者,有时连下级勤务人都包含在内。在这种组织之下,如服务于酿酒场的桶工或辘轳工,就不属于木工组合,而属于酿造工的组合。[①] 各个劳动组合,就统一于国家的或国际的同盟(例如赤色劳动组合国际)。

团体交涉   组合运动之最大的胜利,就是获得团体的交涉权。团体交涉,一方是由统一的劳动者所缔结,他方是为企业家的联合(间或是各个企业家)所缔结的。而这个团体交涉,是决定劳动日的长度,工银的形态和程度,以及决定在实际的劳动契约发生效力时,即在劳动者从事于劳动时所必要的其他条件。

同盟罢工   和资本家斗争之时,组合手中最有力的武器,就是同盟罢工,即在企业家还没有应允劳动者所提出的要求之先,一致的停止劳动的事情。企业家的组

工场闭锁 合,所使用的方法是闭锁工场,这种方法,直到劳动者撤回他们的要求为止,用来对抗劳动者以停工要求改良关于劳动条件的运动。

    同盟罢工,从劳动者方面说来,是准备着不可测度的过大的牺牲的。罢工的劳动者,可说是把自己和自己的家族,放在忍饥挨饿的运命上。劳动组合的罢工基金,通常是在很短时间,就被花费净尽。所以结局弄得劳动者全部失败或局部失败的罢工的百分率,非常之大(在合众国,在 1881 年到 1900 年,罢工次数凡 22793,其中 36.19%,是劳动者全部失败,13.04%,是部分的失败)。在德国,劳动者罢工的全部失败数,逐渐在减少中(1899 年为 25%,1900 年为 15%)。

    因为要弹压罢工,全体资本家阶级,嗾使资产阶级政府实行最严厉的干涉。在帝政时代的俄国,罢工往往被用武力弹压的。即在劳动者阶级战取了罢工自由(罢工权)的所谓民主主义的国家中,政府也往往用检举的口头,逮捕罢工的组织者,想破坏那个罢工,因此引起饥寒交迫的劳动者干那不法的行动(如破坏面包制造场)。但自从资产阶级自己剥去了民主主义假面目的世界大战以来,资产阶级政府对于罢工的劳动者,就毫不假借的为所欲为了。譬

---

    ①   关于劳动组合的组织原则,为苏维埃联盟所采用了。

如合众国的官府,使用刺激眼睑和呼吸器官的特种催泪瓦斯,以解散罢工的矿夫集会,就是一例。

在许多国家,都设立得有调停委员会,该委员会的使命,是审查企业家和劳动者间所发生的纷争的。但是这个委员会的决定,无论在哪一方,都没有强制力,所以在实质上并没有什么意义(然如调停委员会的决定,在两方都有强制性的新锡兰、新南威尔士等,却是例外)。

调停委员会

组合运动,对于劳动者阶级,确有重大的意义。譬如劳动日的缩短、工银的增加、社会保险等这一切事件,都是组合运动的结果。但是在资本主义的各种关系之内的劳动组合,实际上只于资本家有利,仅仅是替资本家提高劳动的强度和劳动力的质。这诚如在下面所确实证明的一样,即一世纪间斗争的结果,由组合所取得的实际的成功,是很微细的,劳动阶级之根本的魔障如悲苦的劳动、穷乏以及社会的和职业的疾病等等,总之,在生产并没有一贯的计划,并于酷烈的劳动之后接着有生产过剩及失业的期间,而劳动阶级的剥削成为经济生活唯一原动力的资本主义社会中,上述的现象,是灭绝不了的。劳动组合之任务,与其做零碎的经济斗争,倒不如把它当作劳动者的一个政治学校,以养成可以把握权力并以有计划的经济(社会主义)去代替无政府的资本家经济的那种劳动者,却还重要些。

第三节　世界大战的初期及战后的劳动立法

当世界大战的初期,其情势如次。即在俄国,法律虽规定为 11 小时半(1897 年),但实际上在大规模的企业中,还只 9 小时到 10 小时。

在英国,法律上只规定了织维产业的劳动日为 10 小时,至于煤坑及矿山,事实上只有 8 小时的劳动日。在德国,10 小时的劳动日占着优势,在法国和美洲也是一样。不过尚有北美数洲,多少还制定了较短的劳动日(纽加西一星期为 55 小时)。

北美合众国 1914 年的调查,曾证明了在被调查了的全劳动者当中,只有11.8%,得到一星期 48 小时的劳动,其他有 61.3%,是一星期劳动 48 小时以上到 6 小时的,其余 26.9%,是一星期劳动 60 小时至 72 小时。8 小时的劳动日,事实上在战前就已有了的地球上唯一的国家,那就是隔离较远的澳洲。

关于年幼劳动,在世界大战开始之先的状态如次。如俄、英、法、意、比、瑞典、诺威、荷兰等国,最少限度的年龄,定为 13 岁,德国定为 14 岁(义务教育的结果,实际是 15 岁),瑞士、奥国定为 15 岁(奥国为手工业的企业曾设有例外,其最小限度的年龄定为 13 岁)。

在俄、德、奥、诺威、塞尔维亚、罗马利亚等国,已经实施了义务的疾病保险,又义务的废疾及养老保险,已在英、法、德、比、荷兰、罗马利亚等国推行。至义务的寡妇及孤儿保险,只有德国实行着,义务的失业保险,只有英国实行着。

保险在实际上也没有什么大的帮助,譬如在德奥两国,平均扶助费一星期约为一卢布半。

为了战争和防卫而耗费的一切工作,暂时的把关于劳动的一切的法律,都弄得无效了。自欧战平息以来,为恐怖的革命运动所迫协的资产阶级们,即在一系列的好多国家①,都制定了 8 小时的劳动日。而且这 8 小时的劳动日,还有许多国家虽没有看见革命运动,也由非常法的布告而推行起来了。1919 年 10 月,在华盛顿集合的第一次国际劳动会议(为《凡尔赛条约》所预定的),除开若干的例外,英国都已承认了义务的一星期 48 小时的劳动②,并最少限度的年龄定为 15 岁。但是一到革命的暴雨稍为平静时,资产阶级就急于想占领那放弃了的阵地了。

华盛顿会议的决议,仅仅是纸上谈兵,迄未实现。如德国,现在已经把劳动日规定为 9 小时至 10 小时,这是摆在我们眼前的事实。

只有俄国,自十月革命以来,马上就制定了 8 小时的劳动日,现已正确地实施着。

关于社会保险,在比较欧洲其他各国规定得更好的德国,因为马克跌落的缘故,领受社会的恩给的人所受的金额,已失掉了实际的意义。在货币价值跌落的其他各国,也是一样。又,就是在货币价值整理得有秩序的各国,也因为

---

① 法、英、德、奥、波兰、瑞典、诺威、西班牙等。

② 法律应该从 1922 年 7 月 1 日实施。

失业者的数量过大,竟至没有方法来救济。

第四节　劳动的强度、劳动的科学的组织

资本家除延长劳动时间之外,再关于劳动的强度,即劳动的紧张程度,资本家也是尽量的要把它扩大的。机械是最能加强劳动者的劳动的。即机械越是运转得快,劳动者的劳动就越加要跟着快。再如一切监督官及检查员等的直接监督,也是加强劳动者的劳动的。此外,如某工场乙组的若干劳动者,要与甲组的若干劳动者保持极紧密的联络,这也是增加劳动强度的方法,因为有了极紧密的联络,就不仅没有甲组劳动的迟缓,致引起乙组的不活动而切断生产的联络,像这样的工场和职场的劳动的组织自身,也是加强劳动的。

生产额的增加,由科学的劳动组织的方法,也是可以达到的。这一个方法,就是对于劳动者的劳力的动作,加以充分的研究之后,随即排除他们在动作中的一切不必要的动作。由精准定时器(Chronometer)的测定,就可以决定各行程的平均时间。脱勒姆技师曾发表下述的两个表格,那表格,是计算以锄掘土的不熟练劳动者的全劳动的动作的。甲表计算着普通量,乙表计算着基于科学的研究而被变化了的数量。

由该两表所示的比较看来,在第二表的被变化了的行程上,只要较少的时间就够了。因此,在劳动日的一般的生产力,或是说一日的劳动量上,就可以增加到50%了,至今于劳动能力的消费,以及劳动者的疲劳,却没有增加,反而减少了。

但是,在资本主义的条件上,劳动之科学的组织,只变成加强剥削的工具。如合众国的铁勒技师,他的科学的劳动组织之有名的方法,结果却使得劳动者的劳动特别加强,使得劳动者完全疲敝了。铁勒用精准定时器实行试验时,是使用最强壮的劳动者的。像这样在希求获得最大限度的生产力的他(铁勒技师),就把所发见的标准,强制的行使于全劳动者了。然在苏俄劳动的科学的组织,第一步,就踏进了劳动生产力之真正的(不是剥削劳动者的)方向。在劳动的科学的组织全活动之先,即成立中央劳动研究所。中央劳动研究所的研究部门,是详细的调查劳动行程,随即研究那些行程的单纯化和改良的方

法,而成立的一系列实验室。

甲　　表

劳动行程　1　　　土　工

锄的样式六号　锄的容量 5 启罗瓦　温度 18 度（列氏）

场所　　　野外

号次	到变化的劳动作	时间（秒）
1	锄立在土上 ……………………………………………	0.4
2	脚踏在锄上 ……………………………………………	1.8
3	弯曲体的上部 …………………………………………	0.2
4	脚向后伸 ………………………………………………	0.2
5	以锄掘地层 ……………………………………………	2.8
6	扬起锄来 ………………………………………………	1.8
7	伸起弯曲的体来 ………………………………………	0.4
8	转过身来 ………………………………………………	0.6
9	引锄于后 ………………………………………………	0.8
10	掀开土的动作 …………………………………………	1.8
11	水平的引着锄 …………………………………………	1.8
12	身体还原 ………………………………………………	0.6
	计	13.2
	余裕时间	1.3
	全时间	14.5

10 小时中的全生产力　　　　　　　　　　　　　　　　7000K.G.
最初 1 小时的全生产力　　　　　　　　　　　　约　1000K.G.
最后的 1 小时的全生产力　　　　　　　　　　　约　500K.G.

乙　　表

劳动行程　2　　　土　工

锄的样式六号　锄的容量 5 启罗瓦　温度 18 度（列氏）

场所　　　野外

番号	变化后的劳动的规准	时间（秒）
1	锄立在土上 ……………………………………………	0.4
2	脚踏在锄上 ……………………………………………	1.8

番号	变化后的劳动的规准	时间（秒）
3	弯曲体的上部 ……………………………………………………	0.2
4	以锄掘地层 ……………………………………………………	2.8
5	利用脚要同利用杠杆一样，而把锄举起来 ……………………	1.8
6	以弯着的身体转弯 ……………………………………………	0.6
7	直接把土块掀起 ………………………………………………	1.8
8	转过身子来的时候，就转过锄来 ……………………………	0.6
9	伸起体的上部 …………………………………………………	1.2
	计	10.2
	余裕时间	2.55
	全时间	12.75

10 小时中的全生产力	10488K.G.
与行种工比较的生产力的增加	3488K.G.——50%

在某种情形，也有用活动照相的方法，撮出劳动动作的影片来。只要是看见过活动照相的感光膜（Film）的断片的人们，都会知道在感光膜当中的各种动作，是能够分解为各个部分的。比如走着的人、动着的马，又如把手和足或是逐渐的移下，或是逐渐的移上，以及移动身体等等所表现出来的若干连续着的小照片，都可重行表现出来。劳动行程的活动照相的摄影，也能同样地把劳动者的手和工具的动作中之一切阶段，连续的表现出来。照这样，就能够看出某种动作是必要的，某种动作是多余的了。

研究劳动动作的其他方法，那就是运动记录线的方法。这个方法，是把渺小如豆的电灯，密接于劳动者之手或器具中，工作是在暗室中开着的照相机的前面实行的。劳动动作，就用白线映在照相的干板上，由那个线的记号，就可正当的研究出劳动者手和器具所表现的一切路径。如要断定手在何处动得快，何处动得慢，就在照相机之前，预设一个附刻痕的黑色的快转轮。那么，就可以表现出一系列的点（点线）来，而代替以前没有中断的线。由于点与点之间的距离，动作的速度就被决定了。点若是接近的被配列着，那就证明是缓慢的动作（轮的回转数多，结果就是点表现得多）。反之，若是点从一点到他点而远隔的被配列着，那个动作就是敏活的。

第五节　劳动工银

劳动的强化之最大的根据,即是所谓劳动者自身,对于自己的劳动生产力,具有怎样的利害关系的这一点。对于工作之一般的紧张以及热心的程度,可以增加生产额,同时,还可时常增加机械的速度。

因此,为使劳动者的劳动强化,而玩弄其狡诈手段时,那最大的部分,是在劳动工银制定的领域中实行的。

劳动者们对于自己的劳动力所获得的工银额,因国度和地方的不同,因生产部门的不同而各有差别,就是同一生产,也因劳动组合的不同而有差别,就是同一劳动组合,也因熟练程度的不同而有差别。女子劳动力所领受的工银,比较男子劳动力的更低,而未成年劳动者的劳动力尤其低。在工银的主要形态中,有时间工银与包工工银之分,在第一种情形,如为时间单位的时、日、星期等,直接成为劳动力的天秤。在第二种情形,如为完成的生产物单位的 1 埃徒印花布、1 波特钉等,也是劳动力的天秤。资本家不仅是在劳动日最大的生产力上,并且在劳动最大的强度上都有着利害关系,所以在劳动者自身基于一时利害关系而增大生产额的那种包工,实际在资本家看来,却是势动工银之最便利的形态。包工,就是从后方鞭抽劳动者,使他在其能力以上劳动的把戏。

包工如遇着原料及补助材料等都为粗恶的品质,于劳动者是最不利的。譬如织工用粗恶的纺纱,那经纬线就时常中断,因而那制品的品质亦必低落。但是最坏的,包工还能使劳动者之间发生歧义,而增长相互间的竞争心。在资本家为达到自己的目的,而由劳动者的竞争提高到平均的生产额的时候,就会生出以下的结果。

(一)使资本家得到减低包工工银的根据。

(二)劳动者在企业中成了非常的过剩,他们很忠实的为企业家服务所得的报酬,就是被摈弃于街头上。因此,凡有劳动组合成立的区处,都不愿得着包工工银,比较的是时间工银。

此外,还有由包工工银和时间工银所组合的混合的形态。

(一)课业工银。那是课责课业于劳动者的。即劳动者在劳动日中,不能不督责自己制出若干东西来。以"科学的组织"方法规定课业的，我们在上面已经说过。那不是以中等劳动者的劳动为标准，而是以优等劳动者的劳动为标准的，因此凡属中等劳动者，感于罚金和解雇的迫协，就不能不绞出全力来劳动。劳动工银的这种形态，实际就是合着时间工银和包工工银的缺陷的。

（二）赏金制度。这与课业虽然相同，然如有了课业以上的制品，就有报酬，即被给予赏金。报酬不是工银，而是赏金。赏金的法则很多（哈尔塞、罗完、叶眉孙、达文、罗协等等的方法，就中如哈尔塞（Halsey）式、罗完（Rowan）式是最典型的，迄今欧美最为通行。考哈尔塞式的要点有三：第一，基于多年经验，于一定作业上定一标准劳动时间；第二，对于劳动实际的时间，定基准工资；第三，劳动者于标准时间以内完成其作业时，就其所生的利益 1/3 给付劳动者。至美人罗完氏却以为哈尔塞式，时间节省越多，给付于劳动者的赏金就更多，所以罗完氏的赏金，是以基准时间与其所节省的劳动时间相比，而乘日给额的所得。如以 1 小时工资 3 角，成品 1 个为标准，依哈尔塞式，1 小时成品 10 个时，当给劳动者计时工资 3 角，与其所节省的 2.7 元（利益）的 1/3，即 9 角；然依罗完式，当 1 小时成品 10 个时，其赏金为 3 角的 9/10，即 2.7 角)，然而总之都是归之于过额的制品，并没有过额的支付，仅仅是一小部分的支付罢了。若要说包工工银是"正当的"剥削，对于额外制品的工银，即是造成了超剥削的东西。

还有像下述的劳动工银形态。

（一）利润参加的组织。是于劳动工银之外，在一年的终了，把由企业所得的纯利益之一部分给予劳动者的。

这件事，通常是要劳动者等着一年完满之后，才能得到这极细微的工钱的追加，只此一点，就已经失掉了那本质的意义。因为只是在一年以内（未满一年）劳动着的劳动者，那利润分配的享受，就完全被剥夺的缘故。这点极细微的工钱的追加，往往只有在企业中连续劳动到两三年以上的劳动者的老资格，才能享受。并且这一种的组织，要使劳动者对于企业家负责任，即在这个期间中，劳动者不能有半点过失。再，劳动者既是参加了利润的分配，往往损失也是要他们参加的，即是在没有利润的时候，就说不上什么追加了。其实就是说追加，也不过是从前未给于劳动者的普通工银之一部。考利润参加的组织，开

赏金制度

利润的参加

始发生于 19 世纪 40 年代。在开始的时候，那是被看作很大的希望的。某德国学者曾以极本色的言调，写出关于这种劳动工银形态的讲义说："社会问题已经告一结束了，那可说是完全能够解决社会问题的。"但是劳动者参加利润的这回事，因为劳动组合的反对运动，也不很普及。

（二）从价制度。在这个方法，劳动工银额是依据于劳动者所生产的生产物的价值的。若是生产物的价值好，劳动工银就高，要不然的时候，劳动工银就低。规定劳动工银的时候，往往不仅注意到生产物的价格，就连生产费上也是要注意的。这件事，就是使这个制度接近于利润参加的方法的。但是，这个时候，不是关于劳动工银的追加部分依据于价格与生产费的相互关系，而是全体的全劳动工银所依据的，并且那个计算，并不是由于总体的一年的平均，而是由于各个货物卖出的成本费的总额。

从价制度的组织，实行于英国及美国的制铁业和煤业。关于这个制度，资产阶级经济学也鸣着不平地说，在这个组织之下，不论劳动组合对此曾有许多警戒，劳动者还是会受欺骗的。真的，表示于劳动者的价格，比较实际的价格还要低，而资本家们所表示的生产费，反比较实际的还要高。并且从价制度的组织，在企业家与其竞争者斗争时，不仅牺牲他自己，并且牺牲劳动者而减低其价格，这是有可能的。实在，劳动者无论在什么价格上，却被规定出应得的某种最低限度，并且只有这最低限度的增率是依据于价格的高低时，这种组织之比较不正的程度，是很少的。

在企业家与劳动者之间，往往有中间人存在，他获得若干分成的报酬，他自己遂按日为劳动者清算工银，其差额即为他所有。就企业家说，中间人能使企业家解放对于劳动的监督这一点，企业家利用中间人是有利益的。其实，包揽人的利润，就是从劳动者的工银克扣下来的，所以中间人的所得，恰是劳动者的所失。

尤其包揽人（中间人），常常介于企业家与家内劳动者（在自己的家内劳动着的）之间，他们家内劳动者因为各个分离居住的缘故，所以完全没有力量。他们所在的区处，就是工场监督，也无从统制劳动日的长度。结果，劳动者的剥削，就达到未曾有的程度。中间制度，在英国和北美合众国，都是流行，尤其在这两国，这个制度竟在血汗制度的名义之下，普及于裁缝业了。

　　劳动工银,是与劳动者的最低生活限度有密切关系的,这不仅在各国各地方如是,就是在同国同地方的不相同的产业部门也是一样。又如气候条件,一国的文化水平以及那些劳动者的劳动性质等等,在在都有关系,它不仅能变更必需品的价格,且能变更那些物品的数量及性质。北美合众国对于劳动力的支付,虽比较他国为高,但我们也可以知道,北美合众国的劳动者也只有极少的部分能够稍为如意地过着比较好一点的生活罢了。

　　在马沙抽塞州(产业关系上最发达的一州),1922 年有从事于生产的成年男子约 436576 人,据斯各脱·梁林格调查的资料,每周的工银如下:

10 金元以下	126,011	即 28.26%
从 10 金元到 15 金元	166,440	即 31.13%
从 15 金元到 20 金元	98,839	即 22.64%
从 20 金元到 25 金元	31,416	即 7.20%
25 金元上	13,780	即 3.17%

　　梁林格这样的说:"若是从失业疾病等而除开平均一年的劳动期中不能劳动的 1/5 至 1/3,那我们就知道全体成年劳动者的半数,一年只获得了 600 金元以下(且还包含着 400 金元以下的 1/4)的工银。然而这个数字,在合众国的生活条件下,凡是带有家眷的,就与乞丐生活相隔不远了。"

　　劳动力在本质上,是与世界经济的生产物一样。这劳动力,并且是输入品和输出品。北美合众国就是输入他国的劳动力(从 1861 年到 1900 年的移民,凡 1450 万人)的。劳动者移民的多数,为中国人(中国劳动者多不熟练,只能做粗笨工,故被呼为苦力)、俄国人、意大利人。在生活程度低的后进国的劳动者,常是搅乱着发达中的资本主义各国的劳动工银,并且用非常的程度,破坏本国劳动组合对于提高劳动者生活条件一切战斗的活动。

　　在资本主义之下,产业预备军是不可避免的,并且是必要的东西,这在上面已经说过了。机械既已逐渐从生产领域驱逐了劳动者,同时又使小所有者零落,使他们无产阶级化(即成为劳动力的卖主了),那产业预备军实是不能避免的一个事实。但是产业预备军,在资本主义之下却又是必要的。即是说,准备出卖的劳动力的蓄积,与原料燃料的等等的蓄积,都同样是必要的。否则市场若是正确的供给劳动,那么,在商品的需要增大而市况良好的时候,资本家们就会不能迅速地扩大他们的生产了。

长期失业的结果,劳动者只有两条路,不是破灭,就是与流氓无产阶级合群。卖淫,是失业之直接的结果,所谓候鸟式的劳动者(季节劳动者),就是快要与无产阶级接近的形式。他们既没有家,又没有一定职业,满身的尽是褴褛破衲,有工做的时候才做工,无工做的时候,就做乞丐,或做扒手。他们,在一切大都会,尤其通商码头,真是特别的多。美国的放浪劳动者,更属特别,他们约有353万,时常从采伐森林而移到矿山,又从矿山移到乡村的农业劳动,又移到铁路的铺设,凡属这些区处,他们都徒步追求的。一切经营主们,最轻蔑他们的劳动,只支给极微的工银,对于他们,总是极无理的待遇。他们在工作期间中,或是住着极破烂的小房,或是直接即被暴露于露天之下。他们约略只蓄积到两块钱的光景,就从这可怕的劳动逃到草原地带去。于是在那里就掠取农家的田地,过起"自治体"的生活来。最后到身边一文莫名的时候,他们又分别的到处寻觅工作,或是沿着枕木,从这个停车场直到那个停车场,或是潜伏于货物列车中同兔儿一样的旅行。每年春季,美国的汽车搬运这种由屋顶和缓冲器跑来的兔儿,总不下50万。

世界大战发生以来,暂时的把失业者驱逐了,这就是因为到处要从事于枪炮、子弹、军需品生产的缘故。同时,又因有数千万的人们,都是在战线上使着枪和炮,或者是在战壕内麻痹了他们的身体。然而以1922年的1月1日,得到了扶助的失业者(没有得到扶助的,究不知有几许),在英国为200万,意大利60万,比利时8.5万,合众国是350万。

第三章　经营主

第一节　各个资本家和股份公司

资本家的企业,尤其是巨大的企业之最典型的所有者,现在已不是各国的资本家而是股份公司了。

股份公司

股份公司的资本之构成,虽多由于发行股票的方法[①],但往往也靠着债票(债务)的发行,并且后来还以利润的一部分编入资本。利润的另一部分,被作为债票的付息及偿还债票的某一部分之用。利润的又一部分,是以酬劳的形式给予总经理和董事人等的。剩下来的一部分利润,就以红利的形式分配于各股东(股票所有者)。法律上,股份公司的经营主就是股东。股东大会有选举理事人及监察人,决定企业的活动性质、分配利润等等的权利。可是实际上,完全不是那么一回事。股东大会,一年只开一次,而大会普通又不是全体股东所代表,仅是最大的股东代表着,那些最大的股东,便自己选自己为理事人和监察人。

分红

股东大会

此外,创立股份公司的发起人(他们以后往往又为活动的股东),普通都从募集的资本中,把构成他们的创立利润之巨额的收入,一次的扣入手中。试以纽约的"首府市街铁道公司"作为一个实例引用出来看吧。这公司的主脑者,为了以 120 万金元买占纽约的种种铁道(当时还有几部分是为马车铁道)起见,动员了 820 万金元的股份资本,内中有 700 万金元,便被主办的人们作为自己的酬劳塞进了腰包。1894 年到 1895 年之间,还有价格总计 300 万金元的两条路线,是该公司所要合并的,而该公司便借此增加了 830 金元的股份

---

① 股票是参加企业的证书。法律上,股票的所有者(股东),就是企业的参加者。

资本,800 万金元的债票资本。内中 1300 多万金元的剩额,又被主办的人们攫到手里去了。

这么一来,股东在事实上便分成两种性质了。一种是企业的实际经营主而处在自动的地位;一种是受那些实际经营主的指挥专只提供自己的资本而处在被动的地位。被动的股东,实际上不过是一个以分红来替代一定的利息之收入的企业债权者。企业的红利,是年年变动的东西,往往有降低到零点的时候。在多数股东看来,入股不是投资的方法,而是投机的手段。

在资本家社会内,个人的企业被股份企业驱逐着。铁道(国有铁道不在内)、矿山、煤窿、制铁工场等等这一切企业,除开很少的例外,通在股份公司内的掌握中。极大的纤维工业、砂糖、啤酒工场、烟草以及糖果制造工场等等,也是一样的情形。

此外,资本家的整个阶级,全体都在资本主义国家的名义之下,成了各国的运输(铁道)、交通(邮政、电报、电话也往往在内)、矿业等顷全体企业之主权者。①

第二节　资本家的结合

我们前面所说的资本之集积,那是以消灭各个企业者间的竞争为目的,而为种种资本家的结合准备地盘的。纵然同一部门的几千个企业,相互间难于成立协定,但因为竞争的小企业家之没落而地盘的情况变好了,在这地盘之上成长起来的少数大资本家,便很容易从事于结合。于是那些把小仔鱼吞下或驱往一隅的产业巨头们,便开始和协定相接近了。

资本之股份的形态,特别便于企业的结合。一个种类的企业之股份,落在某人手中的时候,事实上,已经无疑地到达了排除竞争的相同的结合了。如果股份公司拒绝加入结合而顽强的时候,便可用买占大多数的股份之方法,使它不得不加入结合。

────────

① 1895 年,德国计有 763 个国家企业,从事这些企业的劳动者,略为 13.5 万人。国家采掘萨哇拉的矿山,并管理西里细亚的煤坑之一部分。

但是以斗争和竞争为基础的资本家的生产之无政府状态,并不因资本家 "非协定"
的企业
的结合而被排除。停止了相互间的竞争而结合的企业,更加猛烈地和"非协
定的"企业(没有加入结合的)及另行结合的企业相竞争。非协定的企业,往
往固执的伸张其偏见。某结合越强盛,而且这强盛的结果,这一结合越抬高价
格,那就对它们竞争越发成了好现象。然而结合对于非协定者,起首采用极决
定的手段。对于非协定者所活动的地方,把生产物的价格为极低的规定;并且
设法使非协议者不能买到原料。例如德国的肥皂加迭尔,便和贩卖者定下契
约,要它不供给原料于非协定者。企业的结合,若无银行的援助和银行的结
合,简直是不可能的事情,所以托辣斯的敌人,同时也是银行结合的敌人,因为
它要夺去银行的信用。① 结合的企业当真和那尊崇的自己独立之一种企业相
斗争的时候,每不惜从事于使用间谍以及放火等举动。

还有非协定者为共同斗争起见,逐渐从事结合的事情。原有的结合和新
结合的非协定者之间的斗争,由是变成两个结合体之间的斗争。

协定有种种的形态和程度。除开偶发的短期协议(运输同盟、汇兑同盟、
买占同盟)以外,可以分类如次:

(一)加迭尔。这只是各个企业间,协定对于发卖的商品价格。这种协 加迭尔
定,有时也能涉及所要购买的原料价格(以调节原料的购买价格为目的的加
迭尔,一时曾在德国出现的新闻发行者的加迭尔,就是一个例子。其目的在于
反抗印刷纸托辣斯,因为该托辣斯抬高自己的生产物之价格)。

(二)新迪加。凡加入新迪加的企业,都失掉在商业上的独自性。生产是 新迪加
个别的去做,而生产物的贩卖却是共同办理,有时对于原料的购买也是共
同的。

加迭尔和新迪加的内部,对于价格的高低上,不断地发生倾轧情形。在新
迪加方面,更因对于摊派(Quota)的大小——即是共同贩卖上的各企业的生产
物之比率——上发生意见,倾轧尤为严重。

(三)托辣斯。这是各个企业完全合同了的形态。这里,生产是由整个的 托辣斯

---

① 往往也有非协定者,固守着自己的地位,成功了破坏它们所敌视的结合。例如英国汽船
公司寇拉多,终以竞争的手段粉碎了英、美、德三国的汽船公司所交换的协定(当然是在英政府
的财力维持之下)。

计划去施行的。加入托辣斯的各个企业之经营主，都成为托辣斯的组织者。在这种情形，完全加入了托辣斯的企业，往往也有不再继续其工作的事情。这便是在技术的关系上，把那发达最迟的企业，或径行取消，或一时的关闭。①不过虽是已被取消或关闭的企业之所有者，仍不害其为托辣斯的组织者。

不但同一种类的企业托辣斯化，就是制造同一生产物所必经的种种生产过程上的企业，也要托辣斯化。例如机械制造工场具有矿务局、煤油业、瓦斯工场、发电所等等，烟草工场施行烟草栽培，熔矿炉和制钢工场相联结便是。这时候，假使钢铁工场设在熔矿炉的附近，则熔解了的铣铁，便有无须再事烧热，可从熔矿炉直接移到工场的利益。熔矿炉的瓦斯，工场可以利用它装置瓦斯发动机。像那样托辣斯化的方法，便叫作结合或联合，被结合了的企业名为企业联合。

一个供给辅助材料于其他企业的那种企业，往往被它联合起来。例如煤坑与矿业，麦酒酿造工场与软木塞工场，就是被联合的企业。德国富有 10 亿的斯清列，把矿山业和供给架木等项的木材斩伐业相结合了。

前述的结合形态之间，有一群过渡的形态存在。企业也时常不把自己的全体生产物所关的一切部门都加迭尔化，只把某一部分加迭尔化。例如一时最大的俄国冶金工场，特为铁桥建设材料及铁槁建设工事形成了加迭尔，它们因此便在那一领域内，把价格抬高了 20% 至 30%。也有加入了新迪加的企业，为着兼充另一新迪加的成员，在承认某种补偿（赔偿）的条件之下，保留若干独立贩卖的权利。霍耳丁格托辣斯（募股托辣斯），是代表托辣斯的特殊性的。为着造成这种托辣斯起见，一致活动的某资本家集团，逐买占一群企业的大部分股份，并且因此对于那些企业，足可获得事实上的权力。

强有力的加迭尔化（这句话包括新迪加化、托辣斯化在内），就全体说，在成熟的资本主义上面，演着重大的任务，并且执掌着残余部门之牛耳的重工业，都包含在内。煤坑、油田、冶金工场等等，除开很少的例外，都收在资本家的结合体之手了。所以德国的钢铁生产总额的 9/10，已为"钢铁生产组合"所管理。美国的钢铁托辣斯，是世界最有力的产业同盟（结合）。全部资本家世

① 所谓一时的关闭，便是停止作业，至于机械、建筑物等项仍须保存。

界的煤油,都被少数有力的结合体(美国的"美孚煤油公司"、英国的"壳油公司",荷兰的"洛雅儿杜克")收在手中。电气产业,成为新的产业部门,也是急速的被托辣化而生长的。

产业的资本家独占,德美两国比其他任何国家都要强有力。可是凡属资本家的国家之一,并且只要是显著的产业部门之一,都没有不经过加迭尔的过程的(砂糖新迪加、烟草托辣斯、美国糖草公司、全世界的酒瓶托辣斯)。

帝俄时代,从 1905 年起,产业加迭尔化的过程,也同样成就了长足的进步。新迪加"蒲罗多阁里"(煤业),囊括了顿河盆地的煤矿。"蒲罗多美埃"(金属工业),把主要的产业地域尽握在手中。掌握重工业——铁和煤——的根干之加迭尔化的过程,又把手伸到这门工业的一切枝叶上面去,如"屋顶(屋顶铁)"、"车辆"、"铁丝"、"钉"、"铜"等等的新迪加,便是例子。更进而内河的运输以及海上运输的几分,也被新迪加化了。俄国的制糖业,当 19 世纪 80 年代的时候,即已新迪加化。烟草托辣斯①,当世界大战之初,曾支配着全俄烟草工场的生产物中之 70%。加迭尔化甚至包括了其他的许多产业部门,并且还有纤维业在内,但是因为这种产业的生产物的花样非常之多,结果,独占的结合便没有看见大利益(如罗金斯基新迪加、莫斯科地方的棉花工场之结合)。

这些结合,在高率的输入税保护它们和外国竞争的时候,最容易发生出来。往后,结果是变成了原因。资本家的结合,一旦发生之后,便利用自己对于政府的影响,获得"禁止关税"的实施。从对外竞争中被解放出来的新迪加式托辣斯,于是开始采行价格的两重政策。这便是在国内,定下能使结合体获得极大利润的高率的独占价格;把剩余的生产物输出国外的时候,又以"廉卖的"价格去卖。

例如俄国的砂糖,是曾用廉卖的价格卖到外国的。其结果,俄国的劳动者,若不是只喝茶而不吃糖,便只有望着糖而喝茶,但在外国,却用俄国糖去喂猪。德国的叶铁和铁丝,有很长的期间,在荷兰的卖价比在德国还低廉。德国

俄帝时代加迭尔化的企业

关税

① 这烟草托辣斯的中间,有巴格达诺夫、斯坦博里、霞蒲霞耳、亚士摩诺夫等工厂在内。这些工厂对于自己的制品,各保守着自己的商标。这商标是很能博得买手的信用的东西。资本家的结合,在大概的情形,都带着国家的性质。

的制钉工场的原料不能和荷兰的制钉工场相竞争,便是因为荷兰的制钉工场的原料,是以"廉卖的"价格从德国输入的铁丝。威士脱法里亚制钉新迪加,也一样的采取了廉卖的价格贩卖政策。这个新迪加,在外国施行廉卖,而在德国国内却为了要和荷兰竞争,把钉子的价格抬高起来。

和国家规模上的加迭尔化同时并进,国际的加迭尔化也出现了。各国的新迪加及托辣斯的相互间,也和分割世界一样,结着相互间的协定。

于是"世界电气公司"及西门子——哈斯开,彼此之间就分割了世界。煤油托辣斯具有国际的性质,化学及玻璃工业的加迭尔化,也具有这样的性质。国际铁轨托辣斯,掌握了全世界的铁轨生产。最有兴味的一件事,就是互相在破坏的战备品及武器的生产领域,当大战以前,也被克卢伯、亚姆斯脱伦格、西内德尔、蒲齐诺夫等工场及其他大公司之间,亲密的分割了世界的生产。

我们却不可把资本家的托辣斯及新迪加,来和苏俄的托辣斯及新迪加相混同。苏俄的托辣斯,是国家的企业结合之根本形态,它被配置着在同一地方,并且或是因为生产的类似而被结合的,或是因为一种生产物可作为别的原料或辅助原料而被结合的(联合)。

在苏俄也只有因为直接的邻接、公共发电所、燃料的共同泉源等条件而把企业间结合起来的联合存在着(如乌拉吉米尔县的格塞夫斯基纤维、水晶联合;如结合了火柴工场、造纸工场、玻璃工场、铣铁铸造工场的敏士克县的博白里梭夫士克"火柴、造纸联合")。

各个企业,在托辣斯内部,是被夺去经济独立的。在另一方面,托辣斯专为商业上的目的(原料购买、生产物贩卖),依着必要而被新迪加所结合的。

第四章　货币及信用

第一节　货币诸形态、金属货币

资本家社会内生产着的商品，是被贩卖的东西；这些商品，又是与货币相交换的东西。

货币因其铸造的材料之性质不同，分为金属货币和纸币两大类（后者又分原形纸币和信用货币两类）。货币之分类

铸造货币用的金属，最多的是金、银、铜，间有用青铜和镍的时候。金属货币，普通都采取铸货的形式，并且金银的铸造，在国际贸易上尽了显著的任务。铸货的铸造，现在在一切国家都成为国家的统辖权（独占事业）。铸造的制度，或自由或非自由，二者任人采取。例如：俄国在 1897 年至 1914 年之间，金货的铸造是采的自由制。各个人把金子（纯金 1/4 讽脱以上的重量）送交造币局，便享有换取已经变成铸货的同等重量的金子之权利。此时对于铸造的征税，是每铸纯金 1 波特抽收 42 个卢布 31 个半戈比。由是便可从每纯金 1 波特中，领回金货 21157 卢布。反之，银货的铸造是采的非自由制。在自由铸造之下，无论铸货或铸块，都和那一金属的"价格"无大差异。金属货币自由和非自由的铸造

我们且就上面括弧内的"价格"说一说，因为自由铸造的时候，关于货币用的金属价格，事实上无叙述之必要，而人们为了获得货币起见，能够把出卖货币用金属的这种事情，改为以货币用金属去换成货币的事情。

铸货在自由铸造之下，便是完全具有价值的东西。5 卢布和 10 卢布的俄国金货，就是具有完全价格的铸货。反之，在非自由铸造之下被贩卖的金属，例如铸块的银子和银货之间的成数，每有很大的差异。这种时候，铸造银货是可以赚钱的。像非自由铸造的俄国银卢布，其中所含的银质，便比那银卢布所完全价值货币与不完全价值货币

能买的银子少得多。纯银在 1914 年的市价,每讽脱为 16 卢布。卖主以含有 96 若罗丁克(1 讽脱 = 96 若罗丁克)银子的银实 1 讽脱,只能换回含有纯银 4 若罗丁克 21 陀拉的铸货 16 个卢布。换言之,卖主交出铸块 96 若罗丁克,只能领取 67 若罗丁克半的货币。

本位金属 在 1897 年和 1914 年之间,俄国货币用的金属虽有金、银、铜三种,但本位金属却只一种,即是金子。

作为货币单位而使用的,是含有纯金 17.424 陀拉的金卢布。具有无限支付能力的东西,只有金子及与金子相交换的兑换券。假使有一个商人,必须支付 10 万卢布与他人,他如按照金额以铜货或银货去支付,那债权者或许有拒绝收受铜(重 8 万讽脱)或银(重约 5040 讽脱)的权利,然而这金额若以金子计算,虽然重量在 200 讽脱以上,他便不能不收受了。

法定平价 金卢布对于重要的外国金货单位之相互关系(法定平价)如次:

1 卢布等于法国的 2.67 法郎;等于德国的 2.16 马克;等于荷兰的 1.28 格鲁丁;等于斯干底那维亚的 1.92 克伦;等于英国的 0.11 磅;等于美国的 0.51 金元;等于日本的 1.03 圆。

辅助货币 银货和铜货一样,在俄国是单纯的辅助货币。辅助货币在俄国有两种:(A)高率标准货币;此系银货(每讽脱含有纯银 83.5 若罗丁克),计分 1 卢布、50 戈比、25 戈比三种,每人一次通用不得超过 25 卢布;(B)低率标准货币,此不纯(比伦)货币 系名为比伦的银货及铜货(银货每讽脱含有纯银 48 若罗丁克,分为当 20、当 15、当 10、当 5 戈比者四种;铜货分为当 5 戈比、当 3 戈比、当 2 戈比、当 1 戈比、当 1/2 戈比,当 1/4 戈比者六种),每人一次通用不得超过 3 卢布。辅助货币的发行额,普通都极端的限制,所以俄国发行辅助货币,不能超过居民全体中每人 3 卢布的数目。①

不完全价值本位货币 非自由铸造,不一定只限于辅助货币。例如银本位的英领印度,它的主要货币单位之卢比(0.3244 金元),从 1893 年以来就是非自由铸造。本位货币之非自由铸造的结果,那些本位货币的购买力便和铸造它们的金属之价值相距离。无论货币金属的价值如何动摇,却不能直接影响于货币的购买力,那恰

---

① 1 卢布含有纯银 405 陀拉,1 卢布的重量,连同渗入的杂物计算为 466.55 陀拉。

同大洋的水准之低下,不能直接使隔绝了的湖沼之水准低下一样。隔绝,通常只存在于一方面,尤其是存在于不完全价值货币的方面。试倒过来想一下吧。假定银子的市价,因某种原因高涨至两倍。这时,在金本位制上,只具有 60 戈比至 70 戈比的价值之俄国银卢布,便享有两倍的价值,即是有了 1 卢布 30 戈比的价值。这时候,对于具有 1 卢布价值的商品,若用这个银卢布去购买,倒不如把它再溶解为银子,每 1 卢布还可获得 30 戈比的利益(实际上,俄国对于货币的再溶解,有很严重的法律禁止,不过防止再溶解的话,事实上却非常困难,法律差不多成了具文,只看齿科医生公然溶解金货镶牙齿就是一个例子)。还有一件极不利于货币的事情,尤其在世界市场方面,每有不用货币上面所标的重量去评价,却用货币所含有的金属量去评价的事实。于是价格以上的货币,马上一部分被人再溶解;一部分则流出于国外,或被人隐藏起来。铸币的改铸

所以,不管本位货币也好,辅助货币也好,凡是非自由铸造的货币,都没有完全的价值。反过来说,不完全价值的货币,必须是非自由铸造的东西,如果政府不但自己去把 70 戈比价值的银子换成 1 卢布,还替旁人代理这种任务,那恐怕想利用造币局这种好意的希望者,将多至不可胜数。作为本位金属的银子(法国、美国、意大利)所以变成非自由铸造的最大原因,就是和金子比较起来而银子的价格低落的结果。

金子表演本位金属的角色,在世界大战结束的前夜才成功。那虽是经过长期斗争之后,继把银子征服下去,然而也还没有完全征服。到了世界的经济关系达于坚固之时,各国更明白了具有完全价格的某种本位货币,确是必要的事情,于是金子便把银子完全征服了。货币只在本国通行的时候,假使它没有极大的发行额,那还可无损于它的“不完全价值”,但是货币一旦离开“祖国”的境界,情形就为之一变了。

不消说,如果该货币的祖国——例如甲国,有许多国外的债务者,那就甲国的货币,纵然是不完全价值的东西,或许在外国还找得出很多想获得它的希望者。这是因为它对于甲国的人民能够尽支付行为的任务。如果在甲国的境内,不完全价值的货币能够和完全价值的货币无障碍的相交换,这时候的景况是很好的,如战前法国当 5 法郎的不完全价值的银货以及俄国的辅助货币银卢布就是实例。但是那种好状态若不存在的时候,那流出国外的不完全价值

的货币,便只有一片金属的作用。于是甲国内的货币单位之购买力和那种货币单位在国外市场的购买力中间,便生出很大的差异。

所以,当世界的经济关系达于巩固,兼之各国都一天一天把国外市场看作重要的时候,各国就越发切实的需要这种——国内和国外的货币购买力之间没有差异的——坚定的汇兑市价。金子已经成了世界的货币,这确是由于具有完全价值的金货之自由铸造所完成。

单本位制　　然而实际上,许多国家关于金单本位制(所谓单本位制,就是单一的金属本位制)的采用,遇着了一群障碍。这第一就是因为采用了金单本位制,一些银矿经营主便为一种苦境所威胁,除了以前经造币局所使用的一切银子,除了在生产上是必要的东西以外,现在就非尽行舍弃这一销路不可,于是发生了反抗的愤怒。其次,就是一切国家内,都有那以祖国的本位货币之市价低落为极大利益的人们存在。这就是输出业者,即是地主、工业家以及把商品输出外国的商人。他们最高兴的事情,就是把自己的商品卖成外国货币,再把这种外国货币换成自己本国的货币,因此便多赚一些本国货币到手。换言之,他们喜欢本国的货币市价之低落。

复本位制　　于是,便生出对于复本位制(就是同时有两个本位金属存在,而这两个本位金属就是金子和银子)的斗争来。纯粹形态的复本位制,在 1717 年到 1774 年的英国,以及 1803 年到 1874 年的法国都存在过。

在法国——与之同时的拉丁货币同盟①也是一样——将于金银之间的价值关系,是规定为 15.5,即是从金子 1 启罗格兰姆铸出的货币,比较从银子 1 启罗格兰姆铸出的货币只多 15 倍半。大概这种价值关系,凡施行复本位制的其他各国也是同样的规定。这两本位金属中的各个本身之价格,在市场内当然各有其种种变化,例如法国便时常不能不为本国造币局施行大规模的买占,借以维持银价不至下落。总之在动摇很小的期间,复本位制是可以继续下去的。

从 19 世纪 70 年代起,金的价值和银的价值之间的差异,很快地增大了。

---

① 法国、比国、瑞士、意大利、希腊、罗马尼亚等国,在 19 世纪 60 年代结成一种协定:这些国家都相互施行同一的复本位制。他们的基本货币之法郎(意大利为里克,希腊为德拉菲玛,罗马尼亚为克郎)当俄国 0.37498 卢布。金银两货都是自由铸造。

德国从战败者法国索得 50 亿法郎的金子,便从 1873 年起,由银本位制转变到金本位制。德国为了想在那些银货对金货的交换自由——同银的铸造一样自由——显现着的拉丁同盟诸国,用本国所蓄积的银子和他们的金子相交换,便完成了这一制度。于是拉丁同盟便不能不停止银货的自由铸造。别国也就仿照拉丁同盟的成例而停止银的自由铸造了(奥国在 1879 年,美国及印度在1893 年)。

虽是那样,而拉丁同盟诸国的不完全价值之五法郎银货及美国的银圆,仍保持着无限支付力。复本位制的那种形态(两金属都有无限的支付力,其中又只有一个金属可以自由铸造),叫作跛行本位制。

跛行本位制

第二节　纸　币

大战把金子从流通界驱逐了出去,只在美国还流通,日本也还流通着几分,所有金子的地盘,都被不兑换纸币占去了。世界大战耗费了无量的货币,欧洲各国都差不多完全依赖印刷机。纸币充溢于流通界,而金子却有一部分藏入中央银行的库中,一部分隐于私人的窖内。

战争中及战争后的纸币

然而以前也有纸币流通过。俄国在 1897 年财政大臣威次迪的货币改革案实行之前,货币的流通就是纸币。只有比伦的旧铜货,是用金属(含银铜的成分很多之混合物)铸造的。

旁的国家,在某种时期也是一样。

因为政府用纸币支付一切费用并偿还国债,所以就靠发行纸币作为收入的泉源。经验告诉人在某种条件之下,纸币多少能够圆满的供流通之用,因此,便和某一类的人们所认定的一样,国库存贮的贵金属之一定量,全无与纸币发行额相当的必要。这种纸币便叫作不兑现纸币。关于纸币以国家的全体财产为保证之记载,只能在下面的意义上去理解,这就是以在国家支配之下的财产和纸币相交换的意义。在资本主义各国如国营铁道的运输、官林的树木采伐等等,都和国家财产有关系。

此外,国家对于直接税及间接税的完纳,也是征收纸币(规定征收金货的关税,普通是对外贸易)。在某种情形,我们虽也看见过载有兑换金属字样的纸币(如俄国"沙"的纸币,便有那种记载),但这种情形的纸币,已不是纸币的性质,却是信用货币时代的普通遗制。

但是假如国库贮藏室所保管的金属,因为纸币不兑现的缘故,便和纸币无关联的时候,那么,纸币所有者的心目中,果认定国库和银行的窖藏内,为了保障他所持的纸币而有金块存在呢? 抑没有金块存在呢? 这是没有关系的事情。

纸币无论多少,总之为了圆活的供国内流通之用起见,须和经验告诉人的一样,一来不发行太多,二来由国家以法律认定它的一定之支付力。换言之,须在支付的时候,不限额地收受它。

纸币制度之下,本位制不过名义上(由于名称如是)还是金属本位制。当纸币单位的购买力下落之时,关于下落的速度,要从纸币单位换金货单位所必须支出来的贴水(补足)去判断。

决定纸币购买力下落之程度,还有旁的方法,这就是指数的方法。

就俄国说,1913 年的物价,现在普通都把它作为基本指数在使用。这一年的物价便成了标准价值。指数的制定方法有许多种类,俄国用以制定劳动工钱的所谓预算指数(靠这种指数决定工钱),就是此等方法之一,其式如次。这是 1913 年莫斯科值 10 卢布的商品(劳动者的生活手段)①货单所记载的。

A   营养生产物

一、裸麦粉	1 讽脱	二、小麦粉	$\frac{1}{2}$ 波特
三、麦削	7 讽脱	四、马铃薯	0.95 波特
五、酸甘蓝	8 讽脱	六、糖萝卜	4 讽脱
七、葱	1.7 讽脱	八、肉	7.8 讽脱
九、牛酪	1 讽脱	一○、纯牛奶	5.5 瓶
一一、蛋	3 个	一二、植物油	1.7 讽脱
一三、小青鱼	3 讽脱	一四、精制砂糖	2 讽脱
一五、盐	1 讽脱		

---

①   这是 1923 年 11 月,由国家计划部所属指数委员会制定的对于战前 10 卢布的预算指数之货单。

B 生活必需品

一六、靴	0.07	一七、印花布	2.2 埃徙
一八、布	0.7 埃徙	一九、本机呢	0.16 埃徙
二〇、灯用煤油	6 讽脱	二一、粗肥皂	1 讽脱
二二、普通烟卷	0.18 讽脱	二三、火柴	3 盒
二四、薪材	0.024 晒射		

我们对于这种数字,认定那些东西腾贵了若干倍,由是制定该项数字的指数。例如 1923 年 1 月所列的上记商品之总价,是 27046.4 万卢布(以旧卢布计算),因之便是全体商品在莫斯科腾贵了 2704.64 万倍,而指数对于莫斯科的上记数字,也成了 2704.64 万。指数又因商品的性质(农业、产业、一般的东西),或价格的性质(趸卖,零卖),或地域的范围(例如或莫斯科或全俄),或计算方法之相异而不同。指示各种商品之腾贵的数字,相加起来再以种类的数字除之,便求得平均腾贵之数字;或把数字相乘而求出其根,也得平均腾贵的数字。把一切商品作为同等的商品可以求出指数;或根据它们在市场的任务计算也可以。那样,在预算指数上,裸麦粉便相当于小麦粉的 2 倍,相当于酸甘蓝的 5 倍,相当于糖萝葡的 10 倍。

耶卡帖里那二世在 1768 年发行的纸币,起首具有证券[①]的性质,这因为所有发行的纸币卢布,正和发行行以铜货(其实这种货币并不足额)保管的金属卢布同额。但是降至 1786 年,兑换券就只有半数的正货作准备金(对 4620 万卢布兑换券的准备金,只有铸货 2000 万)当耶卡帖里那二世的末年,流通界上的兑换券便只有 1/5 的金属做准备(对 15800 万卢布兑换券的准备,仍只金属卢布 2000 万)。国库遇着财政困难的时候,总是发行纸币来维持。兑换券于 1786 年停止兑现,它的购买力便越发低下了。此后银货对于纸币换算的价格,均以百分之百计算。1810 年兑换券换银是 3 卢布当 1 卢布,1817 年是 3 卢布 84 戈比当 1 卢布。1839 年是 3 卢布 50 戈比可当一

俄国纸币流通的历史

① 证券所具之目的,在于使金属货币的所有者,免除那种又大又重并货币流通时所难免的重量之磨损。发行证券的制度,为的代替铸货,把一切铸货当作神圣东西去保存。苏维埃社会主义共和国联盟交通人民委员会的无利短期债务,是以证券的名义发行的,这种证券对于运输上可以支付,因之常作金货在流通。

卢布,此时可以稍呈良好状况的缘故,可用下面的事实作主体来说明,实因 1818 年到 1839 年之间,约有 2 亿卢布的兑换券被流通界撙出来了。嗣因 1843 年施行平价办法,规定纸币换银不须尾数,换言之,就是公开的承认兑换券低落的事实。这时候,兑换券对于含纯银的 4 若罗丁克 21 陀拉之银卢布的比率①,是定为平均 2/7,即是承认银卢布平均当兑换券 3 卢布 50 戈比。旋又发行一种替代兑换的信用券,这信用券是以银卢布名义记载的,并且可以兑换银卢布。

塞巴士脱波尔(Sebootopol)战争,破坏了信用券的兑换,于是那些信用券,事实上就变成和以前一样的纸币了。

纸币流通的新期间,一直继续到 1897 年。塞巴士脱波尔之战及土耳其战争时代的纸币发行之增加,使纸卢布低落到极点。纵然它没有低落到百分之几百,也低落到百分之几十了。

从 1881 年到 1896 年,政府虽然自制过纸币的新发行,但卢布的市价却在外国受了很大的动摇。在动摇的市价之下,关于外国的契约无论是多少,而商业上的正确计算总是完全不可能。然而俄国却一天一天和世界经济密切的衔接了,于是因为纸币的流通,使俄国的国家信用在外国陷于苦境了。

"沙"的政府当前的急务,莫甚于货币流通的整理。出路只有一个,即是改为以具有完全价值的铸货去流通。金子成了世界的本位金属之后,还要移为银本位,那是毫无意义的举动。所以数十年间都是动员金子的基金(大部分由借款而来),且在 1897 年回复了信用券对金货的自由交换。

1885 年规定重量 26.136 陀拉的金卢布,此时已减少了 1/3②,只规定 1 卢布所含的纯金量为 17.424 陀拉。规定含有纯金 2 若罗丁克 69.135 陀拉的 10 卢布印白里亚,等于 15 卢布,5 卢布印白里亚等于 7 卢布 50 戈比。在这种新

---

① 这种卢布 1810 年被认为基础的货币单位。因此,当年便完成了从不定的铜本位制到银本位制的移动。

② 金卢布为了适应外国汇兑市价而采取了收缩政策,即是 1 卢布当 2.16 马克。威迪为了尽可能的不可解似的施行平价低减,用以下的人工方法,到改革市价(1 卢布 = 2.16 马克)为止,维持了若干时间。他当纸卢布价格低落的时候,便在柏林交易所收买纸卢布。反之,卢布市价若有预兆能够腾贵到他所希望的标准以上的时候,他便卖掉纸卢布。威迪把谷物运往德国出卖而获得马克,其后便防止卢布市价的高涨,以免地主利用马克兑换卢布的时候受损害。

的平价减低当中,那以辅助货币形态发行的银卢布,虽然口头上说保持了以前 4 若罗丁克 21 陀拉的内容,其实戴着几分假面具。因为 1897 年银价非常下落,所以施行上还没有遇着什么困难。

从 1897 起,到世界战争爆发之初为止,这时期中俄国的纸币历史一时中断。我们往后所说的信用券,在 1897 年之后,它已经不是纸币而是信用货币了。不过这种信用券,在世界上战争开始后,国家以取得收入为目的而再度的发行,便渐渐还原成了纸币。

发表宣战后十天,便停止了信用券的兑现。同时,会计局向国立银行极力借去了资金。国立银行之印刷信用券,它并不是和前此一样,为着自己关于产业及商业的信用上之机能而发行,乃是应会计局的需要而发行的。战争开始的时候所流通的 17 亿信用券,因此完全变成了纸币。1915 的 1 月 1 日,它的数目已是 31.25 亿;1916 年 1 月为 57.37 亿;1917 年 1 月 1 日为 92.5 亿,至十月革命之初,竟达于 80 亿以上。

一方面因战争而疲敝了的国内的商品,一天一天的减少了。纸币额既不断地增加,商品市场又日见狭小,每每自然的促成商品价格的高涨。起首只有印刷机作收入之主要泉源的苏维埃政府,为着购买极少的物品,也必须发行巨额的纸币。一经发行出去的纸币,便永无收回之望。那些纸币,就落在农村的手中,被他们收藏起来,不绝的希望其低落了的购买力之回复。但实际上,每发行一次新纸币,便越发促使卢布暴落,物价高涨到说出无人肯信的程度。1921 年 6 月的下半月,莫斯科的物价,面包涨至战前的 14 万倍,马铃薯涨至战前的 17 万倍,砂糖涨至 71.4 万倍。

同时,在市民战争的状况之下,为谋收支相符起见,每次都不得不扩大纸币发行的规模。

1918 年的 1 月 1 日,纸币流通额为 270 亿,1919 年 1 月 1 日为 610 亿,1920 竟达 2250 亿。

1920 年,纸币的发行额计 9435.82 亿,1921 年更达 16 兆以上。1922 年为了计算上的便利起见,实行德诺密那渣(改称),凡以前发行的纸币,每 1 万卢布当 1 卢布。1922 年的纸币发行之总额,据当年的记录,计为 1976.7 亿。1923 又施行第二次的改称,凡 1922 年发行的纸币,每 100 卢布

改称

当 1 卢布。

1922 年来,财政人民委员会以国家的收支均衡为目的而发行的不兑现纸币"捷立知那克",同时又有一种记载为"齐尔渥内"的银行券出现于流通界(所谓"齐尔渥内",它含有纯金 1 若罗丁克 78.42 陀拉,与 10 金卢布相等)。银行券就是信用货币。为什么呢? 因为那种银行券,是为着产业信用而由国立银行发行的东西。

在了解信用货币之先,必须了解信用一般。

第三节　商品信用

市场所做的买卖,并不是一切都要用现金计算去实行的。

商品由生产的企业家手中到消费者手中,大概是批发商人及零卖商人介在其间。零卖商人是站在结合生产和消费之立场上的。商品只有在零售商店或小商店的货架上陈列时,才能映入消费者的眼中。商品无论如何迅速地被生产出来,但因为要直接经过零卖商人或批发商人之手而售卖自己的生产品之故,所以生产企业还依靠商人。可是产业家对于商人每遇着现金不足的障碍。于是认定卖出商品于自己有利益关系的产业家,对于购买商品而无充分现金的批发商人,就以信用把那种商品量发给他;而批发商人又照样的和零卖商人去办理。零卖商人自己也常常顺次的给予需要者以信用。长期依靠信用的需要者,以劳动力的贩卖者和被雇佣的人们为最多,他们又须信用自己的买主(因为他们的劳动工钱,要等他们出卖劳动力已经消费之后才领受)。然而产业的企业,以信用承受的东西,还不仅是劳动力,他们购入原料、燃料、辅助材料,都同样地把信用作利用品,并且往往购入机械的时候也利用。

债务的支付,普通在信用流通上以汇票为保证。

汇票记入缴过汇税的特别用笺之上,并且享有一种特别权利——不作普通的借用证书。关于汇票的审判上之要求,只要被告对于自己署名的真实之点不争辩,那是无可抗争的事情。

汇票分为约定汇票和汇兑汇票两种。

期票之雏形

> 莫斯科市　1923 年 10 月 1 日开票　金额 1000000 卢布　谷物输出股份
> 公司限于 1924 年 1 月 1 日见票即以 1923 年之货币种类支付百万卢布于莫
> 斯科市谷产股份公司或其指定人
>
> 谷物输出股份公司
> 经手人（署名）

汇票之形式

> 莫斯科　1923 年 10 月 1 日开票　金额 1000000000 卢布　限于 1924 年 1
> 月 1 日据此汇票支付谷产股份公司金百万卢布（以 1923 年之货币种类支付）
>
> 谷物输出股份公司
> 经手人（署名）
>
> 莫斯科市
> 　　中央同盟公鉴

据上面的两种格式，可知期票，便是由甲交乙的一种支付的约定（期票开票人交期票收执人），汇票便是由汇票开票人命令汇票支付照票载金额交付汇票收执人。

不用说，汇票这东西，汇票支付人还无见票照付之义务。因为或许不知道开票人的来历，即令知道开票人的来历，也许没有依嘱照付的理由。所以汇兑汇票务须先送汇票支付人验明一下。如果他在汇票上签字承受，那汇票上的支付金额，他便有照付之义务。就前揭的例子说，便是中央同盟不能不负担照票付款的义务。承受的手续，便是在汇票上签明"承诺"或"照交"字样之后再加以署名。

为了保证以信用放出的商品之支付而利用汇票的时候，债权者便成为开票人。开票人或指定自己本身或指定自己所必须付款的旁人做收款人，领收商品的时候，接受汇票的债务者便是付款人。可是在俄国方面，那种时代多半用期票。

汇票得用背签的方法（在汇票的背面注明转让，可单独署名）转让给旁 人。比如批发商人从零卖商人领受的汇票，得用背签的方法，作为支付货价之用而转让给工场主。这样，汇票是和商品的行程相逆行的。工场主此时便可把汇票卖与银行（汇票的拆息），该票到期之日，即由零卖商人按照票面款额直接付给银行。如果零卖商人到期仍不应兑,银行便有权利根据背签,任凭自己的认定,向批发商人或工场主要求付款。

关于零卖方面,不很利用汇票,多以折子去代替。

第四节　货币信用、商业及不动产抵押银行

资本无论是货币形态或商品形态,总之都是把利润送给产业资本家或商业资本家之手的。结果,在资本家社会内,简直没有像奴隶经济或封建经济时代的富豪所干的勾当那样,用单纯的意义蓄积财宝的事情。往日制成锭子替子孙保持金钱,或是埋在地下,现在就用在投资的上面。换言之,有的直接放在产业或商业上面,没的就以信用贷付于产业或商业。凡自己不能从事于事业或不爱从事于事业的金钱所有者,便把自己的资本贷给那些资本不充裕的企业资本家。于是企业资本家用利息的形态把利润分一部给他。利息的比率有许多种类,第一,因对于信用资本的需给之程度而定;第二,因债务者的信用能力、信用契约的期间及性质之程度而定。旧资本家的各国的利率,因信用形态而往往有年息2%或低于2%的情形。

货币信用,主要的是集中于信用事业,而信用事业中又特别是银行占重要地位。银行常是在信用资本的供给和需要之间尽媒介者的职务。

银行仿佛是一国的自由货币手段之流入的贮藏所。放款的(不从事于事业而仰资本的利息为生的资本家)资本、商工业之一时自由的货币手段、国库的准备金、劳动者所存贮的零碎款项——这一切等等的东西,都直接的或间接的——经过贮蓄银行——流入于银行之手。

银行的活动,分为被动的(银行以信用收受金钱)和能动的(银行以信用贷付金钱)两种。

先就那对于工业及商业而为金融的援助(供给资金)的商业银行的活动探求一下。商业银行之主要被动的活动,就是收受定期存款及活期存款。定期存款比活期存款更于银行有利益。因为银行在前者未到期以前,可于一定时间内作为自由款项看待;而活期存款却须随时准备支取。所以活期存款比定期存款的利率为低,或竟毫无利息。

利息

履行

被动的及
能动的活
动
商业银行

存款

　　许多银行规定特别出租费,提供保管箱于顾客,俾便保管财物。保管箱普 保管箱
通有两把钥匙,一由银行保持,一交保险箱的租借人收执。保险箱的出租费,
当然不是信用上的活动,而箱内存贮的价值,是以死财的性质放着的。

　　存款的特别形态,普通是活期往来的计算。银行和某人或某公司结下活 活期往来
期计算而代其执行会计职务。换言之,接受他所必须支付的支付,并且照他开 的计算
的支票付款。

　　支票的形式,乍看恰同付款的汇票一样,它是给予存款人随时便于支取的, 支票
它在活期往来计算的所有金额范围内,银行方面必须承受。支票仅能开极短的
期间(普通 5—10 日)。通例支票是记入银行所发之支票簿的特别用笺之上。

　　在商业银行之能动的活动中,占第一个地位的就是票据贴现。 票据贴现

　　假定某企业甲对于放出的商品收受期票——例如 1 万卢布 3 个月到期。
但这个企业如不能等候如许之久就将怎样办呢。它因为要生产新的商品,必
须购买原料,而它的手头又无自由的流动资金。于是它只有把期票送往商业
银行贴现了。①

　　假定那时候的贴现为年息 6%,3 个月就应为 1.5%。那么,1000 卢布的
1.5%,便是 15 卢布,这便是显示银行仅就背签的要求以 1000−15=985 卢布
支付于企业家。② 如前面所说,假使开票人到期不履行期票上的支付,这时候
便有背签的必要。这时候银行便有向甲请兑求付之权利。因此,贴现须是两
个署名的票据方能收受(开票人的署名和背签)。

　　商业银行之其他形态的能动的活动,便是抵押放款,即是把有价值的物品 抵押放款
作为抵押而放款,如贵金属块、有利证券、股票、堆栈栈单③轮船运货提单(轮

---

　　① 不用说,银行只对于自己所认为妥实的资本家,才做票据贴现,决不和初见面的任谁做
这生意。并且对于各顾客的"贴现信用",都规定了一定的限度。

　　② 这种金额每以所谓手续费的形态,还要很少的折扣。

　　③ 征取手续费而替人保管商品的一种特殊事业,谓之堆栈业。堆栈收受商品的时候,填给 栈单
顾客证书一纸,注明存交的商品之性质和数量,这便是栈单。栈单,可作卖买及抵押的目的物。
也有某种国家,对于同一商品而填写两纸证券,一纸作为卖买证书之用,一纸作为抵、押证书之
用,好多银行为保管那放款的保证所收受之商品起见,自己设备了堆栈。堆栈有一种特殊名称 扬谷堆栈
叫作扬谷堆栈。它把承受保管的商品或谷物,并不加以区别,把一切经营主的谷物都混合做
一起。扬谷堆栈的栈单,仅保证所受的一定数量或具有一定价值的谷物全体是实,而存货人不
能要求抵押他送去的谷物扬谷堆栈把谷物施以精选,分成一定的种类(标本)。

237

船收受货物时制发之运货证书),火车运货提单等等便是。

银行对顾客可以开放特别临时透支,给顾客以信用。因之银行在顾客纵然毫无存款的时候,也能于某种金额的限度内承受他的支票。

特别临时透支之开放,通常是取具货物或有价证券的抵押。这比普通的抵押放款,更于银行有利。因为这样被认可信用的金额,不是一次取完而是逐渐于必要时支取的。

承受及保
证信用

银行对于银行承受了的汇票,得允许顾客可在某种金额内向那银行开票。如有不愿依据该客自己的票据信用而发货的商号,便可依据这银行所承受了的一种票据而发货。票据到期之后,通例不由银行付款,只要顾客不破产,还是由顾客付款的。

在苏俄,所谓保证信用,就代替了承受信用而发达了。企业每从银行领取"担保证书"(保单)以代金钱之用,银行便出具担保证书担保该企业对于某项购买的如期付款。

信托业

银行除执行信用上的业务外,还兼营信托业。它承受顾客的委托代为买卖有价证券;它为得要把那些因管理或处分而承受的(在良好时机剪下 Coupon①,或交换中签的证券等事)票证及其他的券去吸收现金(Inkasso)而承受那些有价证券②;它对指定经手地方的支店及汇兑联号③开出支票,借把款项由甲市送到乙市;——关于这种信托事业的报酬,银行系就委托的金额中抽取某种成分,名为委任费或手续费。

不动产抵
押银行

不动产抵押银行和商业银行相反,只做长期信用不做短期信用,取具抵押——即不动产抵押——而放款。④

依靠不动产抵押信用,而最有利益的人,是经营事业而资产不充分的土地

---

① 当事人在新闻或杂志上划一地位而登广告,使人剪下作为优待券,或抵债券,或享有其他利益之券,谓之 Coupon。——译者注

② 例如把没有收受现款的货物发往指定地,为了 Inkasso 起见,便把栈货员提单的副本送交该地银行。该地银行在未向受货人取得货款以前,即把副本留在手中,使受货人无此副本不能取货。

③ 和该银行有关系的其他银行。

④ 商业银行不能做长期放款,因为他们自己收入的多是短期存款或活期存款。

所有者以及都市的房东。都市的房东靠建造新房屋以取得金钱,他不仅可以把已成的房屋去押款,并且在得到银行的援助时,还可以把正在建造中的房屋去押款。由于这一点,都市的房东便可于建筑完成之时,拨出建筑物的某部分作为抵押。土地所有者也同样的可得不动产抵押银行之援助而购买土地,或把土地上已有的抵押债务移转于自己。①

　　因为不动产抵押银行的信用较为低廉,许多不动产所有者都依赖它。纵说这种银行是都市的不动产之真正所有者,并且特别是农业的不动产之真正所有者,也许不算过火的话。因为这种银行的抵押放款,不能按照资产的全部价值付与,是以很大的减成(普通60%—75%)贷给的,所以该债务人复以该资产的价值之残部,向个人的高利贷再负一部分条件苛刻的债务(所谓两重抵押)。到期不履行债务的时候,资产便归公卖,先尽第一次的抵押还足,后还第二次的抵押。

　　商业银行,是把顾客们的必要资产以存款的形态运用着;不动产抵押银行却完全依靠借款。这种银行能够发行特别的约束即抵押书。这种抵押书上载有一定的利率,买者有的是企图收入而愿意分红的人,有的是预备持往交易所去赌的人。银行的放款,每不用货币交付,只用那在某种程度上可以满足抵押信用的抵押书交付。债务者每因售卖这抵押书,十中八九要失掉市价的好机会,这是由于抵押书每使债务者把它在额面以下的价格出卖之故。可是债务者也可照样的不用现金支付,只用银行的抵押证书去开销。对于不动产抵押银行的债务之偿还,或规定期满时一次举行,平时只按年付利;或以按年分摊的方法,规定每年照百分率或债务额的一部分偿还。

　　不动产抵押银行还兼营人工的地质改良银行。后为是对于改良土地的事业而放款的,例如沿地之干燥、灌溉水道之敷说等项——需要巨大费用之人工的地质改良事业,每仰赖此种银行借款以助成其效能。

抵押书（旁注）

人工的地质改良银行（旁注）

_____

①　例如有时价 10 万卢布的土地一段出卖。卖主已用它向抵押银行借款而负了 7.5 万卢布的债务。于是买主只付 2.5 万卢布凑足其价,向银行把那笔债务拨到自己的名下来。

第五节　银行券发行银行、信用货币

银行和高利贷有不同的处所,银行不是拿自己的金钱去放款的,而是以存款形态集合的他人的金钱,对顾客为信用贷款的。

然而也有一种银行,可以自己造出流通手段而对顾客信用贷款的。那种银行便叫作银行券发行银行,它发行的信用货币便叫作银行券。

发行银行券的银行,关于银行券的发行,受着种种的规则的限制。普通的情形,大概必须有种种程度的正货准备呈验。

许可在正货准备以上发行的那种溢额,叫作额外发行。俄国国立银行的额外发行,至 1914 年为止,约 3 亿卢布上下。虽然事实上,这额外发行间有破例之时,但俄国的银行券——即信用券,若不经过日俄战争的期间,正货准备差不多时常都充分。

英格兰银行①的额外发行,约为 8845 万磅;德意志银行②的额外发行,在大战前,平时普通大约为 5.5 亿马克,到了四季之终即 3、6、9、12 各月,就为 7.5 亿马克。因为那时候,各种各样的支付和发薪等项的开销既同时并举,而金钱的需要又复增大。

德意志银行,在必要的时候,有于额外发行额以上而发行银行券之权利。可是那种时候,该银行对于额外之额外之额必须向国家缴纳年 5% 的特别税。

法兰西银行③的银行券发行,虽无依据正货准备为标准之必要,但是这种银行券之发行,须受政府规定的某种最高限度之限制。事实上,法兰西银行的银行券,到大战时为止,常有极充足的正货准备。

---

① 英格兰银行,是从 1694 年便存在的私人股份公司。这银行由两个部门所组成,一部是发行银行券的发行部;一部是把发行的银行券以信用活动销出去的银行部。

② 德意志帝国银行的资本,虽也同样的是私人股份,但管理权却在国家的手中。

③ 法兰西银行虽是股份公司,内中国家还有一部股份。银行的评议会由股东选举,总裁由国家任命。

因此,银行券和纸币的主要差异之点是:银行券不是因为国家的需要,从商品流通上作整理收入的工具,借补预算之不足而由国库发行的东西,它乃是由银行作为信用的工具而发行的。所以,银行券又名信用货币。纸币为使用而发行,我们曾在前面说过,它往往甚至被人使用去购入破坏用的机械的。银行券的发行,是为生产及流通的需要所诱起的,可以整理信用活动,例如银行因票据贴现或有价物抵押而交付之银行券,复因票据之兑款或有价物之赎取可回到自己的手中来。假使一般的金钱需要一旦减少,那过额的银行券,便从那承受银行的信用之顾客手中归还于银行会计室,复由此归还于银行券发行银行。于是银行券发行银行,当市场对于货币之容量未变化以前,或把那些收回的银行券暂不流通,或索性加以毁弃,均可酌量情形办理。纸币便不同,它在国家的财政状态未改善以前,从未见过某处有归还的事情。国库虽以租税形态收受纸币,却不能不应国家之必要而再出现于市场。假使那些纸币在最初发行太多,它们必然阻止流通而产生膨胀,在这膨胀之际,便不免物价腾贵起来。

银行券和
纸币的差
异

在世界大战以前,欧洲各国及美国的银行券,都毫无滞碍的兑换现金(奥国除外)这是非常重要的一点。因为能够无限制而且自由的和具有完全价值的金货相交换,那银行券出现于世界市场的时候,便赖以不受市价的一切变动的影响。

银行券的
兑换

在英国、德国、法国以及奥大利、匈牙利并其他欧洲各国,银行券发行银行是私人机关或半私人机关。

唯有俄国及 1913 年①以来的美国,银行券的发行权是握在国家之手的。

世界大战以来,关于银行券兑换现金的事情,全世界都停止了,但美国不在此例。

许多国家,不但银行券失了兑换的特质,还进一步失了它本质的特质,即是失了离开国家财政而独立的性质。国库以其短期债务的折扣形态,向

---

① 到那时为止,美国一切国立银行有直接发行 800 万银行券之权利。国民银行的银行券,至迄今仍完全没有被流通界排斥出来。

银行券发行银行提取巨额的现金或银行券。银行券便从产业信用的一个手段脱离出来,变成了替预算案塞孔的重要塞子。换言之,便是事实上变成了纸币。

苏俄的国立银行,由 1922 年 10 月 11 日人民委员会议之决定,赋予该行以发行当 1、2、3、4、5、10、20、50 捷尔朋士的银行券之权利(参看本章第二节)。

发行的银行券,虽只规定 1/4 的贵金属或金市价所表现的确实的外国本位货币做准备金,然而残余的部分,还要有易于交换正货的商品、短期票据及其他的短期契约为准备(放款属于交与国库的时候,25% 的正货准备,可提高为 50%)。银行券兑换现金的开始期间,由政府以特别法律决定。

事实上,正货准备的数量,比规定的还更多。1923 年 10 月 6 日,由发行部交到管辖会计之手的银行券,计 2465 万捷尔朋士,而正货准备额却如次。

金	8588496.9(捷尔朋士)
银	72997.1
英、美、瑞典等国银行券	3407905.0
合计	12069399.0

即是银行券的发行额的约 50%,有金银及确实的本位货币为保证。残余的银行券,即由贴现票据及抵押物品保证足额。

随着银行券发行之复活,俄国货币制度便走上健全的第二步了。如国库所规定的辅助纸币之严重限界便是。1923 年 8 月以来,对于捷利知那克(苏俄纸币)的发行,系照金货计算,规定月为 1500 万卢布的金额。因此可以预知最近的将来,苏俄财政必然归于健全,因国家信用之巩固,将完全停止纸币发行及推移到确实的本位制。

苏俄有两个本位制,即是银行券和苏维埃纸币。前者固属确实,后者却因连续发行新的纸币而下落。等于 1 捷尔朋士的纸币卢布之数,每日都有加无已。因此,捷尔朋士的市价①,1923 年 11 月 1 日等于 7000 卢布,是年 12 月 1

---

① 市价每日由莫斯科交易所定之。

日就等于 13700 卢布了。

那种连续下落的主要弊害——财政计划及贴现之不可能，在俄国就因实现了确实的捷尔朋士本位制而铲除。一切的计算，均以捷尔朋士的计算去施行。对于商品的价格以捷尔朋士的计算去决定；对于存款以捷尔朋士的计算去办理；银行及储蓄银行也是以捷尔朋士办理活期往来的计算。 且尔威士的计算

国立银行拟采取一种方法，使俄国经济团体以购买者出现于外国市场的时候，无损害的收受捷尔朋士之替身的那种确实的外国本位制，因此，维持着捷尔朋士对于金元的市价之法定平价。

捷尔朋士银行券，不是为了补充预算不足而由国库发行的，乃是因为给产业上以信用而由国立银行发行的，这一事实，尽管对于现金的自由兑换开始之期稍有迟缓，而捷尔朋士终未失其银行券的资格。现在，财政人民委员会正时时留心于确实的本位制之建立以及金属流通之部分的回复，借以完成货币的改革。

如上所述，银行券发行银行为信用活动而发行——并且因此充任了商工业的信用制度之手段——的银行券，便是最普及的信用货币。 信用货币之其他形态

银行券，实际便是票据及其他信用证券的代表者，因为应付它们的贴现而发行的。票据到银行票挟之中的时候，银行券便从此手移于彼手，票据的注销，便是放在银行的票据业已如额归还了银行券。不过我们在票据由零卖商人到批发商人，再由批发商人到工场主的实例上，已经知道票据可以完成支付手段的机能。因此，票据也可当作信用货币一样看待。

在银行券和票据之外还有支票，我们已经说过，它也演着信用货币的任务。支票的支付手续极容易，支付方法又极简便。商号收受了开往某银行的支票，即令不能持赴该银行领取现金，却可作为债务的支付，或该商号的交易保证，送交自己有来往的银行。因此，各银行每日结算的时候，理成一束一束开往各银行的支票。为了相互精算起见，银行的代表常在一种特别地方——精算所或票据交换所集合。于此精算各银行必须支付的到期支票及票据，算结之后，只须相互找付差数，并且不用现金找付，只开一张中央银行的支票便够了。精算所的制度，普及于一切资本主义国家，其中相互计算的制度组织最完密的，便是英美两国。1912 年，伦敦票据交换所的 精算所

交换额,达于 160 亿磅之巨,纽约市的交换额尤为巨大,竟达于 4000 亿金元。

对于发行银行券的一种事业,须和银行(商业银行及其他)在股票及债票的发行上发生关系之点相区别。国家募集内债的时候,不是单独地去办理,乃是靠银行的援助及银行的协同而发行债票的;同样,许多股份公司也靠银行的援助而发行股票和债票。然而银行参与发行事业的程度,却有极大的差别。银行不过是只能实行那受委托而收受商品的商人职务而已。它以债票,股票而预垫款项。信托业既已变成信用事业,银行只能把一切已被发行的股票或债票作为投机的目的物而购买罢了。此外,关于股票上,银行为着把对于企业的权力握在自己手中起见,可以把那些股份和债票的大部分留在自己手中。这么一来,结果便发生叫作"参与事业公司"的一种特别的公司。对于其他企业的资本之占有及支配,便是这种公司的唯一目的。这种公司,不但收买已成的公司之股本,他们还创设新的股份企业,以"金融统制的公司"之性质而出入事业界。于是这种公司,便和那替甲银行担任实行银行券之发行的乙银行不同,他们承销的股票都归了自己所有。

第六节　国际借贷

票据在国际支付上,特别尽了重大的任务。

假定俄国某商号要在伦敦购买一套农业机械,则他对于此种机械的支付上,为避免输送现金起见,将努力买进那可以节省无益的费用,而于相当期间能就伦敦交款的票据(当然要十分确实),他只以这票据(外国汇票)替代现金发往伦敦够了。这时候,也会有将债务发往伦敦而领受债价的输出商号,或一般与英国银行有往来(活期交易计算)的商号,要卖出那向伦敦支领的票据的。反之,假如伦敦有一个商号,应该对于俄国的小麦付款,他也许要求向俄国支领的票据。因此,由本国输送现金往外国去的事实,便可缩小到最低限度。

(一国和外国的汇兑往来,以该国和外国的支付关系为准,)如果外国对该国的支付愈多,那就期望汇往该国的汇票也愈多;反之,如果该国对外国的支付愈少,那就请求汇往外国的汇票也愈少。试设一个例,假如某国必须支付巨额的金钱于美国,并且同时美国对于某国的支付又是很少的,这时候,希望买得汇往纽约的汇票的人就会多起来,而美国汇往某国的汇票,却同美国对外负债很少的缘故,一定是稀少的,这是很明白的事情。因为美国的支付的天秤是站在好地位(即是因为某国支付于美国的比美国支付于某国的多),那汇往纽约的票据市价必然腾贵;反之,若美国的支付的天秤站在坏地位,那汇往美国的汇兑市价必然下落。

一国的支付上的天秤,大大的以该国贸易上的天秤为准,即是以该国的债务之输入及输出的关系为准(输出额比输入额大的各国,在贸易的天秤上便处于有利益的方面;反之,输入超过输出的时候,在贸易的天秤上便处于不利益的方面)。

支付上的均衡

欧洲最富的各国,到战前为止,长期的在有利益的支付的天秤之下,而表现着不利益的贸易上的天秤,这因为各该国家不只是对于债物的输出有收入,而对于借款的利息及偿还,也可以支付的形态收入金钱的缘故。①

当借款发行之年,也和资本输出的其他形态一样,使给予信用之国家的支付的天秤趋于恶劣,而领受借款的国家之支付的天秤却表现良好状态。但是实际上,就领受信用的国家说,所有它向外国定货和旧债的付息以及其他对外用途,大部分都靠这次借款去支付。

在一国内具有完全价值的金货,以及兑现的银行券正流通的时候,该国的汇兑市价之涨落,单是以现金的运送价值为准,运送价值若在金子的法定平价(参看本章第一节)之外,汇水就高涨,反是就低落。试以发往伦敦的汇票为例吧:为什么在伦敦要交款的俄国商人必要有伦敦的汇票呢?那便是为着节省现金的搬运费。假使他认为节省搬运费于他有什么利益的时候,他便要购买汇票,这是很明显的事实。然而假使汇票对于法定平价的高涨,超过了现金

外国汇兑

---

①　关于运送上的支付银额(水脚),能使国家的支付的天秤表现优越,这个条件在使用巨大商船队的英国的支付的天秤上,尤有重大的意义。还有使一国的支付的天秤上发生良好状态的,如去国的移民解回祖国的金钱,由外国入境的疗养者及旅行者送来的金钱等等便是。

搬运费,那就此事于他不但无益,反而于他有害。他只是选择付款到伦敦去的方法而已。同时就他说,卖出汇票而比由伦敦运来现金还不利益的事情,他决不愿干。他既要靠汇票取得金钱,缘何不把金钱交由伦敦某银行运送,反而出卖汇票呢? 这因为银行不能白白的替他运款,必须取点手续费。银行若以高率的手续费威胁商人,商人当然不托它去办。

这个标准叫作正货输送点的标准,汇兑市价既不能高于这一点,也不能低于这一点。超过这一点的时候,反不如输送现金为有利。

一个国家如有不完全价值的货币制度或纸币制度的时候,这标准便另外是一个问题。汇兑市价在这种情形,每有比法定平价更为低落的事实。这件事,就现在说,除开美国、瑞士、瑞典——英国也有几分——是例外,对于其他各国加以关联的观察便可知道。

例如汇往巴黎的汇兑市价,比现金的法定平价(1923 年 1 月)低落了到 3 倍以上。当法国的金货流通的时候,虽然正货输送点的法则在活动,但是含在这输送点内部的汇往巴黎之汇兑市价,却因法国的支付的天秤而动摇。现在却因流通界没有现金的踪影,而现金输送点的法则也消灭了。关于巴黎的汇兑市价之低落的原因,除了支付的天秤之外,法国本身的法郎下落,也给予了它一个影响。

汇兑市价,在将来常因那些影响一国之货币价值的事实而急速的或涨或落,如战争或革命的动乱、大规模的罢工、凶荒的预知、自然发生的不幸等等一类的事实便是。

一国的货币市价——即该货币在海外的价格,直接依汇兑市价为转移。货币在国外的市价和那货币在国内的购买力,是不能混同的。国外市价依汇兑市价为转移,国内购买力(关于不完全价值的货币及纸币的问题,我们当已理解)却依国内市场的状态及货币发行的数量为转移。

纸币或不完全价值的货币市价,比它本身的购买力低落的时候,即所谓通货的 Dumping(对外廉卖)有发生的可能。

世界战争以后,通货的 Dumping,在产业未被破坏而货币价值已经低落的各国,都曾采用过这种办法。通货的 Dumping,表现得最激烈的,便是德国。例为英国人与其在自己本国买千磅的金属制品,还不如买千磅的德国马克并德国的同样制品尤为有利。德国的商品,因为马克暴落之故,一时充满于世界的一切市场,给了英美工业一个大威胁。

货币价值低落的国家,它的工业之一时的繁荣,正如患肺病的人面上泛出的纯粹红色一样。替各资本家增加财赋的通债 Dumping,使国家的财源涸竭,而国家的实际的财富却放弃于国外。

为使汇兑市价及货币市价即于安定(使在一定的标准上固定)起见,有关系的各国,都采用汇兑政策,这即是在市价开始低落时购买国际汇票,在较有利益时出卖国际汇票的事情。然而在市价因灾变而暴落的时候,汇兑政策当然无能为力。

汇兑政策

第七节　国家的信用

资本主义各国的国家本身,要求着巨额的信用。公债制度在好久以前,已为世界一切开化及半开化的国家(连亚比西利亚 Abyssinia,非洲东北之一帝国都在内)所采用,作为所谓非常预算的主要收入款目。

俄国国库的负债,在世界战争之始,将近 90 亿卢布,到十月革命时,大概增加到 330 亿卢布了。

国家的长期借款,是以发行债票的方法去缔结的。债票除掉很少的例外,都是交与各持票人,以息票为息金的支付证。至于规定一定期限而缔结的债务之偿还,用抽签方法举行(靠个人的运气,凡中签的号码都须偿还)。中签的号码,照票面的价值支付,即是按照债票上所载的金额①支付。然而无期公债或有息公债,却是非常普及的。国家对于这种债务,只有付息的义务,至于还本的话,国家只于自身有利时,即是只于自己有力减轻付息的负担时,才做这种事情,在那种情形,国家每选择债票的价格不高的时机,且设法使债票的价格不因自己的需要而提高,到交易所去进行此等债票的买占。②

---

①　票面上的价格和在交易所卖债票而得的真实价格,这两者是可能混同的。

②　交易所的债票价值高于票面额的时候,每因偿还的可能性而多少低落,并且希望按照票面额偿还的人决不会有。反之,交易所的债票价值低于票面额的时候,按照票面额的偿还,多少给债票所有者以鼓励,在那种情形,偿还的可能性,多少总能使债票的市价高涨起来。

尽管像这样随意偿还,也不会便因此没有人去购买有息公债。因为这种公债每每容易在交易所实现(变成现金)。并且交易所的价值,有时能够和票面额相同,有时也可高于票面额或低于票面额,这看那时候的利息之平均标准怎样。

如果把金钱贷与十分确实的人,能够获得 5 分的利息,恐怕谁也不愿支出现金 100 卢布去买 4 分息的公债 100 卢布。为着自己的资本而探求投资途径的放款业者,是会用比例的方法去判断的。

他想:支出 100 卢布而得到 5 卢布的事情,我可以去做;支出 X 卢布而购买年得 4 卢布的债票,我也可以去做。

4 比 5 少,X 当然更是比 100 还少的比率。因而

$$X = \frac{100 \times 4}{5} = 80 \text{ 卢布}$$

4 厘息的债票在交易所的价值,便和这一样;反之,利息的平均标准低到 3 厘的时候,那就债票在交易所的价值,大概要涨到 $\frac{100 \times 4}{3} = 133\frac{1}{3}$ 卢布。

短期债款
整理公债　政府不但缔结长期借款,还缔结短期借款(国库的短期债务)。这种短期借款每每加以整理,就变成了长期借款。这里有所谓"整理公债"出现。

换票　假使以高利举行长期借款的国家,嗣后能以比较有利的条件获得金钱,它便办理换票的事情,即是把高利借款换成低利借款。这种时候,债票所有者或以旧票换新票,或按照旧票面额领取现款,任他自己的选择。

有奖债票　有奖债票,占着特殊的地位。有奖债票不是把全部利息平等分配于债票所有者,乃是就利息的一部分用大奖小奖的形态去分配。

由政府担保的股份公司的借款而举行的负债,也是国债的一部分。政府对于这种借款的担保,是在政府对于股份公司的事业(如敷设铁道)具有极大利害关系之时才给予的,或在该股份公司为获得该项事业的担保而以必要的迫协加于政府之时才给予的。

国家的信
用之消费
的性质　提供于商工业而且为了在商品的生产和流通之必要上去使用的一种信用,那和为了消费的目的而直接去利用一种消费的信用不同,这在前面已经说过了。国家的信用,大部分带着消费的性质。不过这中间须是为军事上的必

要而利用的时候,这信用才算破坏的性质,至于用在敷设铁道①、修理运河、建筑道路等等上的信用,却另是一种性质。

地方自治体的机关,也一样的提出对于信用的要求。都市关于公共建设的大事业(上水道、下水道、电车等等),以现在的收入或预备金去计划的,简直是罕有的事情。 市债

都市、地方等等,也一样的在公共建设的时候发行公债(市债)。现在没有一个大都市,不是用前述的方法举行长期借款去建设的。

在被破坏了的俄国经济之复与过程上的苏维埃政府,它在实行新经济政策的条件上,有依赖信用之必要。可是苏俄的国家信用之扩张是有困难的,因为有产者阶级是它的最坏的敌人,而劳动者又没有充分的贮蓄,不能供给自己的国家以必要程度的信用借款。俄国的一切短期借款(谷物、砂糖、铁道的借款),总是收了很大的功效。至于俄国的长期借款,那要等到现在这样高率的利息标准减低而接近于普通标准时,才可望大的成功(正如我们在前面说过的一样,通例凡是利息的标准高,便使有息证券的价格低下)。此时倒不是可以停止强制发行公债的问题。问题的焦点,是在于用什么方法补充预算案的不足,用发行纸币的方法呢? 抑用借款的方法呢? 第一个方法是纸币膨胀的方法,是引起一切恶结果的方法,第二个方法,是绝对的促使卢布归于安定,并且转移为单一的健全本位货币的方法。从 1924 年 2 月起,陆续显见的对于苏维埃社会主义共和国联邦之承认,其当然的归结,就是欧洲各国的政府,开放对俄的外国信用。 苏俄之国
家的信用

---

① 然而铁道的敷设,也常常不是从经济上的观点出发,乃是从军事上的观点出发(战时为了较便利的运输军队)。

第五章　商　业

第一节　世界经济

在资本家的社会内,举凡一切生产物,都采取商品的形态。生产者不但把商品投之于市场而已,他还以建设用的材料、机械、原料、劳动力等等的形态买入商品。金属产业、森林产业、纤维产业的生产物,便是机械建筑产业、木料使用产业、裁缝产业的原料。这么一来,市场不仅结合生产者和消费者,又结合这一生产部门和那一生产部门。因此,我们在市场里不但碰着消费者和生产者,并且还碰着商人。他们商人购买商品的目的,既不是为着生产,也不是为着消费,而是为着获得利润而贩卖商品。

地方市场在某种情形,商品从生产者手中到消费者手中的道途,中间并不是经由何处的都市、城镇或地方。那时候,商品的移动,便把某都市和其周围的农村或邻近的都市结合起来。这便是显示商品是被人以地方市场为目标而生产出来的事实。

国家的市场然而在普通的情形却不是那样。例如库邦地方的小麦,莫斯科工场地带的花布和菲士羌织物,以及都内茨盆地的煤炭和金属,大部分并不是在生产或采掘的地带被消费了的。各地方相互间有一种分业存在,而这种分业的基础,第一是建筑在地质和气候的条件不同的一点上。比如莫斯科不能不向土耳其斯坦需求棉花,又不能向黑壤地带需求小麦,这因为莫斯科的附近,不宜于栽培棉花和种植小麦的缘故。列宁格勒也不能使用从远方运去的煤炭,这也是因为它的附近地方没有煤坑子存在。其次,各地方相互间的分业之基础,又建筑在技术发达的程度之不同的一点上。比如莫斯科地方,因为著名的历史原因,有许多纺织工场和织物工场存在,又有熟练劳动者的集团居留。其他没有那种条件存在的地方,它便不得不仰给莫斯科地方的花布,以及菲士羌织物和其他的织物来和自己的生产物相交换。

　　以上所引用的例子,便是指示交换是在国家经济的规模上显现的。国家经济,因政治的境界而区分为这一个国家经济和那一个国家经济。不过政治的境界,仍不能灭绝它们那种划开了的经济之相互间的吸引。例如英国和苏俄间无论如何相敌视,却不能灭绝这一方俄国的小麦和那一方英国的机械之相互间的吸引。

　　地方市场,第一就把都市和农村结合着。都市往农村领受谷物、肉类、牛乳、蜂蜜、毛类以及亚麻等等的农业生产物,而交换的给予农村以花布、靴鞋、农器,并其他加工的产业、生产物以及从远方运来的食盐、灯用煤油等等的生产物。可是都市和农村的区分,不仅是地方的规模,同时在国家的规模上也具有意义。假使没有工业和农业的联络,换言之,假使没有都市和农村之间的联络,那么,一方俄国的中央产业地域和他方俄国的黑壤地带之间的关系,究竟怎样呢? 同样的情形,在世界经济的规模上,也可那么说。例如一方既有英、德、比等典型的工业国,他方又有俄罗斯、加拿大、亚尔然丁、印度等农业国(美国是产业发达多少平等的一个国家形态之代表,农业和工业在该国都有普遍的发达;法国的实情也有几分和它相类似),而这两者的相互交换,便是极严重的问题。欧洲、美国及日本,便大大地和地球的其他部分如亚洲大陆、非洲、澳洲、南美相对立,它们一方有高度的发达技术之加工原料的巨大原产地;他方则主要的是有原料。可是如果没有原料,那具有高度的发达技术之各国便行不开。这里所说的原料,就是矿物、煤油、棉花、黄麻、橡皮、甘蔗、咖啡、可可、茶叶以及一切香料等物。

　　照这样说来,国家经济便只是世界经济的一部分了。莫斯科纺织工场所使用的棉花,不仅是土耳其斯坦的出产,还有美国的出产;俄国的刘禾机;便是用美国的打捆机械捆穗子;美国的制皮工场,把俄国运去的皮革加以精制;中国的裁缝用美国的缝纫机缝纫;欧洲的食品工场,把从热带各国输入的可可、咖啡、香料加以精制。这种单一的经济制度,是被切断为一个个的断片的。各个国家经济,便是在这样隔断的内部成熟的东西,而存于各个国家间的这种国境,在如今的资本主义之下,它只是常常从某场所移到其他场所,仍坚持的

世界市场

维持着它的存在,并不是业已消灭了的东西。

第二节　殖　民　地

　　后进各国都被先进各国所掠夺,如南亚洲、非洲、澳大利亚群岛——这些地方,都成了殖民地的形态;即资本主义各国的掠夺对象。土著人民的土地都被夺去,那些土著人民或被苛取重税,或被强制的到农场及工场中去劳动,简直受着动物般的虐待。在比国支配公果的 20 年当中,土著人民竟减少了 1/3。它对于人苛取橡皮、象骨等等的租税,如有滞纳之徒,便派军事远征队驰往剿灭其全村。远征队为了表白他们能够尽职起见,往往把被杀者的手足或其身体的另一部分截割下来,携带回去奏功。非洲殖民地的法国行政长官,嗾使主人虐待那些犯了细故的黑奴,如果想到有激动他们黑奴愤怒的行为的人,往往迫令其他的黑奴饮那被杀害了的同种人头盖所煮成的肉汤。法国人每以犯了证据不充分的暧昧的自然的罪恶为口实,把认为犯罪的全村妇女和儿童捕去做人质,绑缚于极狭的删子内,一点儿饮食都不供给她们。

　　宗主国在宗主国(征服者国家)看来,殖民地是煤油、金属、棉花、橡皮、香料等项原料的原产地,凡不能用直接手段夺获的东西,使用商业手段去夺取;在宗主国看来,殖民地又是销货的市场,并且可把最劣等的商品,以独占的价格送往殖民地。

　　半殖民地已有几分朝着资本主义的经营形态在转移而不怎么迟缓的各国本身,也受着发达的资本主义国家的剥削。

　　一方面是英国、法国和日本,他方面是中国、朝鲜、波斯、土耳其、埃及,这两方面的经济关系并不是平等的关系。前者处于支配的地位;后者却处于隶属的地位。后者如果不是殖民地,便是上面所指的欧洲各国和日本的半殖民地。宗主国的手中,握有铁道、极优良的港湾、最重要的矿产、矿山及煤油的泉源地。殖民地每年在极不利益的条件之下所结的利率和债务的支付形态上,奉上巨大的金额于保护者国家,为了结束旧债而又缔结新的借款。例如土耳其,早于 1881 年,为了保证债务支付的正确,和债权各国订下了财政共管。欧洲各国为了本国人民的利益,在土耳其确立了所谓"特权条约",即治外法权、免税等等的那些特殊权利和特典。

再就中国说，尽管中国本身的资本竭力地发展着，而海关税和盐的专卖等等极有利的税源，却已成了外债的抵押品而处在外国的管理之下了。

掠夺殖民地的事情不一定就给予资本主义各国以真实的物质利益的。非洲及安南的法国殖民地，确是宗主国的损失。公果也是一样，当这殖民地所有者列渥波得二世（Leopold）想从这殖民得着利益的迷梦打破之后，他便觉悟（这殖民地）只不过是归附于比国而已。然而一切资本主义国家内，都有把侵略政策当作取得巨大利益的资本家的集团。第一，冶金工业及军事工业的代表者们，就和这相关联，他们不管殖民地变成原料产地和销货市场，是否正当的事情，总之就他们的别有所图说，对于殖民地的征服和其治安之维持，必然的需要枪、炮、子弹、火药。其次就发生敷设铁道的问题，一切土地，固然不是都可获得何种利益的，但是由于铁道的筑成，却可把一切土地和其他世界联络起来。重工业的代表者们每在议会及甘被收买的新闻上，大做其敷设某处殖民地铁道的激烈运动。假使从经济的见地上看来，很明白的那一铁道的敷设必遭多少损失［例如横断沙哈拉沙漠（在非洲北部的世界最大沙漠）的铁道案，现在将由法国去实现］，他们便到处鼓吹：就军事上的见地说，确有着战略上的紧急和重要。实际上，重工业只把下面的事实看作必要。它只要卖掉它的出品——铁轨、车头、车辆等件。这上面，便发生重工业的好战性质和其侵略的战略。

掠夺殖民地，类似着把海水当饮料，越多饮越感受渴极了的痛苦。为巩固已经掠夺到手的土地起见，又必须进而掠夺近邻的土地。法国为确保亚尔则拉的土地，便有取得摩洛哥之必要。可是摩洛哥这块土地，又是那把它当作铁矿和铜矿的原产地而且作为非洲海岸的根据地之德国眼底的必要物，于是两者之间便准备着冲突。再就英国方面说，它为了巩固自己非洲东海岸的殖民地所得之权利，便有联络此等殖民地的铁道之必要。可是这种路线的中间，又横着德国的领土，于是发生相互的侦察和无限的武装，而几百万的金钱，却饱了克虏伯、休莱洛尔及其他枪炮大王的私囊。这里，便发生了殖民地的新意义：许多挡炮灰的东西之泉源。换言之，便是在殖民地把"有色人种"拉来补充军队。这种军队，在资本家阶级看来，是要能够奉行意旨而对于劳动者和农

殖民地政策与重工业

重工业的好战主义

民施行压迫，才增大其价值的。

资本主义，不能消灭国家经济间的界限，而此种界限是建立在各国的经济关系和世界经济之统一的极尖锐化的矛盾之上。资本的国际政策，便是一切人们对于一切人们的战争。公开的战争之比较短的期间，不过是那彼此暗地里秘密侦察的一种战争期间之结果。一切国家当战争的时候，都被全世界的经济封锁和经济孤立所威胁，都只能靠着自己的经济力量。

纯经济的考察，是各国各因其自然条件而要求该国的生产尽可能的狭小的专门化。然而当战争和封锁①的时候，生产的孤立，使该国绝对的陷在绝命的状态。因此，那时候的经济计划（既已在矛盾的资本主义形态上），就是要求各国尽可能地达到自立的状态。各国都是想把该国感受缺乏的生产部门，努力地以本国的力量去"开发"的。

资本家们为谋保护那种"开发"不受有害的竞争之影响，便使自己阶级的机关之国家，对于外国的输入品，课取高率的关税。国境的栅子之税关，从国家的收入之源（国库收入税）一变而为保证企业的利益——就世界经济的见地看来，其存在极为不利——的手段（保护税）。这里，便发生了"保护贸易主义"制度，即是以适当的关税政策保护祖国的产业。当祖国的产业还幼稚而且微弱的时候，若没有"补助的"关税，它的产业便不能生存。即令产业已经达于巩固，也不愿废止那种增加利润的税收，关税筑成的一道墙壁，比无水的沙漠和不能通行的山脉，还要使一国和他国相隔绝。

英国在第19世纪前半纪，曾以废止关税障壁，实行商业自由的自由贸易主义相号召。然而英国的这种提倡，却不必认为它是从世界经济之利害的见地出发，要知道完全不是那么一回事。很快地发觉封锁之害的，不是施行封锁的人，乃是被封锁的人。在当时最先进的产业国之英国看来，当时已无何种可怕的竞争存在；反之，一切国家都是畏惧英国的竞争，所以藉封锁国境来抵制英国商品。另一方面，资本家们又群起而反对英国所施行的农产物输入税。谷物的昂贵，固然使土地所有者的贵族富裕，但资本家却减少了利润。因为不问资本家愿意与否，他

———

① 国家被封锁的时候，变成被包围了的城池一样。敌人努力的断绝一切输出和输入，经济上陷于绝境，苏俄前曾受过这么一种封锁。

对于那些替他的企业而劳动的劳动者,必须支给生活必需品。英国在这时候,当然废止的谷物税,同时对于输出外国的本国商品,也分别施行了免税或减税。然而自由贸易主义这个教义,当19世纪70年代发轫的德国竞争,给英国产业一个威吓的时候,便在英国衰落下去了。于是保护贸易主义重张旗鼓起来了。尤其发达于美国和德国的产业独占(参看前面叙述新迪加及托辣斯的第三章第二节),在许多部门上,消灭了国内企业家间的竞争。统一地把国内市场支配着的新迪加和托辣斯,对于自己的生产物定下了独占的价格。我们曾在前面说过,只要能够维持国内的独占价格,它们对于那些基于物价昂贵而难就国内觅得销路的生产物,便讲求以廉卖的价格贩往海外去的方法。可是如果没有保护的减税政策,国内的独占价格决不可能。产业独占的成长,到处都是保护贸易主义的发展结着伴侣。19世纪前半纪的自由贸易主义之潮流,仅是短期间的中断,到了它的再起以后,便更加激烈起来了。资本主义和各国间的那道关税栅子,简直是不可分离的一体的东西。资本主义一面用右手造成那种把各国牵入世界经济的整个体系中之经济连锁,一面又用左手把它们搅乱。像这样不能在世界的规模上把经济再建起来,便是我们这一时代的资本主义必然崩溃的重要原因。

第三节　批发商业、商品交易所

生产之热病的速度,要求商业契约的灵敏。商品堆栈和扬谷堆栈制度(参看第四章第四节),只须栈单的转让,便可贩卖那堆积着的巨额的商品。那把定期购入和贩卖组成一起的批发商人,就直接从生产地把商品送到消费地。批发商人在商品交易所,极迅速的成立其契约。

要在商品交易所流动的那种商品的条件,必须是可由若干样本(标本)规定的商品。所说的那种商品,便是谷物、棉花、砂糖、咖啡、酒类等物。标本完全做了商品的代用物,贩卖人给予买手以卖约的商品,并不是那时候在一定场所可以指示的商品,乃是和一定的标本一致的商品。于是先卖商品而后买商品的事实也可能了。[①] 缔结契约的时候,只以样本为货色的证明而规定其交

商品交易所

———————

① 但是在交易所靠样本贩卖的虽多,也有靠"实物"贩卖的。

到的数量①以及时间和场所,至于其他详细的项目,即以交易所的惯例为准。因此,只要一句话便可结成契约。为了保证这种契约的实现,只在股份经纪人②,那里把契约登记一下就够了。

交易所委员会,每日发表商品的市价。价格的规定,系根据一日中买主和卖主所成的契约及提议。

定期契约,在商品交易所演着重大的任务。卖主虽有缴纳商品之义务,但买主却不是当时受货,须经过若干时日才行。但价格是当时规定的,例如企业家可由一次的定期契约而保证全年的原料,为使自己的堆栈不嫌狭小起见,每月只收必要的部分。其次,定期契约,又有作为价格变动的保险手段之效用。卖主可以把自己的商品保险,使价格在将来不至低落,买主也可以保险,使商品价格在将来不至高涨。然而很多的情形,定期契约不过是带着以差异为目标的投机性质。这种情形的表现如次:举一个例说,张某于1月1日以每波特1卢布的比率,贩卖5000波特的莱麦(Rye)于李某,限期2月1日成交。或许李某方面无购入莱麦之必要,张某方面也不一定有莱麦可卖,两者仅于赌猜2月1日交易所的莱麦价格之差异而已。张某方面预料着价格必定低落,李某方面却预料着价格必定高涨。2月1日到来,假使李某猜中了,交易所的莱麦价格竟涨到每波特1卢布10戈比,而实际上张某愿付李某以实物的莱麦,张某就非以1卢布10戈比的价格去买5000波特的莱麦不可,于是每波特便受了10戈比的损失,对于契约的全部共需损失500卢布。然而就普通的情形说,张某只须付出这差额500卢布让李某去赚,便可解除两者的契约。反之,假使张某猜中了,莱麦的价格低到90戈比,李某就须付其差额于张某。

以差异为目标的投机

市场

还有市场商业,是交换的旧形态之遗制。市场有种种的规模和种种的期间之别。农村市场继续一两日,每一市场包括若干区;尼捷格勒市场差不多继续两个月(7月15日到9月10日),包括全俄在内。市场在农业国,极巩固的保持其存在,它的商业颇带着以收获时期为目标的季节性。至于工业国,却因

---

① 交易所普通对于各种商品的贩卖,都有最少限度的规定。例这汉堡的交易所,对于砂糖的规定,便是以500袋为单位,或分为500袋(500、1000、1500袋等)而贩卖。

② 所谓股份经纪人,便是在交易所充当经纪人兼公证人的职员。他基于参加经纪的职务而取得手续费,其额因契约之大小而定。

张着交易所的网,有极便利的运输、邮政、电报及电话之联络,市场就逐渐消灭,或则变为商品展览会。

第四节　证券交易所

证券①交易所(商品交易所内往往设有证券部),是实行股票、债票、票据及国外汇兑这一类有价证券的交易的场所。

这里,交易所委员会也一样的每日发表证券的时价。证券在交易所流通,当其榜示市价的公布出来的时候,须经过几次的精选才能揭晓。因此,凡与股票债票在交易所流通的事情发生利害关系的股份公司,都缴纳一定的会费。②

能够成为投机的定期交易之对象物的东西,唯有前述的证券或商品,这是很明白的事情。此等商品的价格,常蒙受局部的动摇。投机好比鱼之求铒一样,是唯利自求的。银行家不用说,甚至农村的僧侣,都包含在内,所有社会的一切分子,都跑到交易所去投机。交易所这个把戏,往往同经济上及政治上的诸事变一样,把极广大的众人都拉进去。但交易所的真实主人,还是资本家。他们得着交游的关照,时常通报那可以影响于商品和证券之价格的事体。他们又可贿赂新闻报纸,使其传播虚伪消息,借以摇感投机的众人,一个个都走向错误的道上。他们还可于决定的瞬间,提高需要和供给而积极的操纵,借以抑压自己所必要的方面的市价。这么一来,遂使小规模赌博者的多数都陷于没落的命运。大富豪们,简直视投机为确实的巨大利得的事业。因此,交易所是专门蒙混一切小商人的大规模的盗贼的工具,也就是资本集积的一个工具。③

苏俄为整理商业起见,也一样的有商品交易所存在,其中也设有证券部(如莫斯科商品交易所及许多地方交易所)。苏俄的交易所,和那些会员的成分子一样(国家企业占优势),在活动的性质上,能保证不和资本主义各国的交易所那样变成投机场和赌博场。

苏俄的交易所

---

① 所谓证券,就是有价证券。

② 不消说,像俄国私设的那种非公式的交易所,一切有价证券都可运用。

③ 因银行网之发展,交易所的机能,便局部地移转于银行了。

第五节　零卖商业、合作社

零卖商业必为间接贩卖的商业,这种时代已经过去了。实际上,大规模商业对于小规模商业,已不和大规模生产对于小规模生产一样,能够具有决定的优越性。小卖店和流动店,因为找得着自己的适应性和顺应性并卖主,幸而还能继续其存在。小卖店对于劳动者,因为肯给信用放账于劳动者,所以还保持住自己的势力。中等商店却不然,他们逐渐被百货商店所驱逐,而各个百货商店,都是尽可能地由许多门类的陈列部成立的。这些百货商店,因为要大规模的发卖,稍为有点利润便满意,所以它能对于商品定下极低廉的价格。百货商店是大规模的买主,能够提出条件命令工场主,要工场以极优的条件给他们极优的商品,他们又能设备食堂、书报室等等,给自己的买客以一切便利。他们还在店内划出一个场所,应有尽有的从面包、蔬菜、鱼类以至乐器、家具等等一切商品,都设备起来。这些百货商店,可使买主者不须从街头走到街尾绕许多圈子去觅购商品。

他方面,个人商业的小规模商业,普通又为合作社所压迫。许多人们所期望把它作为和平的渐进的废止资本主义之手段的生产合作社(在共同体的原则上,由劳动者自身树立之企业),已经证明这种期望的不正确了。合作社的生产企业,因为不能和大资本相竞争的结果,或衰微而没落,或成功而变质为纯资本主义的企业(能够扩大生产的时候,新劳动者普遍已不是站在共同体的原则之上,乃是以雇佣者的资格而劳动)。

但是消费合作社(其目的在使消费者免除商人的剥削),在许多国家却收了很大的功效。

在消费合作社的附近,发生出生产的企业,这种企业保持着巩固的状态,其目的是在对于消费合作社供给必要的商品。

英国的合作社运动,是最有力的东西。1920 年,英国有 1379 个消费合作社,共计会员 450 万人,勤务者 13.9 万人。消费合作社所支配的资本总额——本身的资本和他人的资本——,共计 8500 万磅(约 8 亿金卢布)。消费合作社的资本之流动,1920 年达于 25400 万磅。

英国的消费合作社,团结起来成为一种大规模贩卖合作(英格兰及苏格兰)。消费合作社之下所发生的生产企业,如制粉厂、面包制造厂、牛酪场等等,具有很大的意义。英国批发的贩卖合作,在1920年,已管有从面粉起以至脚踏车的种种商品之生产的工场108所。英格兰及苏格兰之批发的贩卖合作,自己在印度和锡兰岛管有产茶的园地。

同业的合作社,在手工业的生产及农村经营上,具有很大的意义。其区别可以如次:(一)贩卖合作社,其目的在于原料和器具的共同贩卖(例如俄国的"农村贩卖合作社",其社员在1922年达于50万人)。(二)生产物售卖合作社(例如俄国的中央麻业者合作社便是。它在1918年,聚集的亚麻占俄国农民所卖的亚麻重量1/20)。末了,(三)便是纯粹的同业合作社。所谓纯粹的同业合作社,就是制油家制酪家的合作社。牝牛是各经营主的私有物,油和干酪的制造却是共同的工作。

同业的合作社

苏俄政府对于商业资本的竞争,以国营商业和合作社这两个方针去施行。一切对外贸易,都是在对外贸易人民的委员会的名义之下,由国家去独占①。关于国内贸易,托辣斯和新迪加首先就是想努力和消费者发生直接关系。因此,广汛地生产着消费物品的托辣斯,为了经营零卖业起见,尽可能地自己开设商店,甚至连小店铺及货摊子都开设。托辣斯连行商的组织亦所不辞,在莫斯科街上,到处可以看见"莫斯科农产物贩卖的人"(贩卖莫斯科农业的产业新迪加所出产之烟草的叫卖人)。他方面国营贸易就成为特别的国营商业的企业,在那种商业上,有所谓国营百货商店及一些股份公司(例如莫斯科商业的股份公司)。这种股份公司的股东,或是例外的,或是由国营企业及国家机关所组成。和国营商业同时并进,由全俄消费合作中央同盟所结合的消费合作社之网,表现出有力的活动。在1923年11月,全俄消费合作社中央同盟,结成的下级合作社,已有18000个,支配着25000以上的商店。

苏俄的商业

第六节　恐　慌

在资本家社会内,并无有意识地调剂生产的那么一种机关。生产是自然

---

① 幸赖对外贸易的独占,我们不知所谓通货的廉卖为何事。

的被调剂着。例如社会上对于某种商品发生了巨大的需要时,于是需要和供给之间的均衡便被破坏。于是对于那种商品之缺乏,便引起他的价格腾贵。因而便把生产它的企业利润提高起来。利润的提高,引起新的资本投入这一生产部门,而商品的生产逐以增大。

被破坏了的均衡,固然是要恢复的。但是离开了均衡的摆,不是能够立即停止于垂直线上的,它又因其惰性之驱使而偏于另一方面,于是均衡再被破坏。同样的事情,在资本主义的产业上也是存在的。突进到某部门中的资本,决不能在必要的范围内停止,这因为新建设的工场,不但除去生产的不足,它还造出过剩的生产。于是商品的缺乏,变成销路的恐慌。这时候的问题,便在于真实的过剩生产之一点,例如长靴的造出,比需要长靴的脚更多。资本不但以需要为必要的条件,并且以具有支付能力的需要为必要的条件。有不知道应该把过剩的长靴往何处去卖的商品吗? 如果想起这一点,便知道还有一些因为无钱不能购买长靴的完全踝足的人们。

袭击某产业部门的局部恐慌,每每变成在世界规模上袭击全产业的整个恐慌(世界的恐慌)。

19 世纪及 20 世纪的资本主义的全历史,便是表现着隆盛(高潮)期和沉滞(退潮)期的交代。从高潮到沉滞的移动,不是渐次的显现的,仍是以祸灾的一次袭击商品之流动和信用界的一种恐慌形态去显现的。商品找不着销路。在商品买卖之时代替现金计算而发出的票据,也无法应兑的搁着。于是那些对于票据的贴现而投下自己和他人的资本之银行家,只有宣告破产。因为对于现金的渴望,有价证券的所有者不得已而要把它投到交易所去卖,结果,交易所的市价便暴落下去(交易所的恐慌)。从此坏市况渐渐变成好市况,须数年之久的时光才行。于是从破产中救回来的商号,便实行商品的跌价,通用新机械和改良的生产方法。大量的生产从新展开,再生出对于原料、机械以及资本家和劳动者的消费品之需要。于是到新的恐慌发生为止,隆盛期又复到来。

恐慌的年份,有 1815 年、1825 年、1836 年、1847 年、1857 年、1873 年、1890 年(美国为 1893 年)、1900 年、1907 年。恐慌的继续,因 1914 年的军事祸灾而终熄。

媾和条约缔结后,又于 1920 年和 1921 年爆发过世界的恐慌。

下　篇

理论之部

第六章　价　值

第一节　市场与社会的阶级形相

在资本主义之下,市场是经济生活的中心。不待说,我们是不能把市场当作是个为卖买面造成的某种场所来解释的。购买和贩卖的最重要的行为,并不常是在市场或交易所实行的,也不是只商店或事务所实行的。实业家们要缔结买卖契约,随处都可以逢着便利的地方,或者也可以全然不觌面,而用书信和电话去处理。因此,我们理解着:所谓市场,是把互相对立而且互相交换的商品与货币结合为一的东西。 市场

若说市场不是锻炼着资本家社会之阶级形相的制造所,那么关于市场法则的问题也不会那样重大了。资本家是专靠购买劳动者的劳动力以占有劳动者的劳动生产物的。劳动者也只有限于出卖劳动力的时候,才是劳动者。这个买卖的机构,无论要继续到什么程度,他不仅不缓和社会阶级的分化,而且使分化更加尖锐起来。 社会阶级
的行相

要发现理解这种机构的锁钥,就有究明卖买的本质的必要。资本主义,由这种机构而建设而再生产,并且这种机构,在我们的目前,又引导资本主义至于没落。

价格对于市场行为,即对于购买与贩卖,具有决定的意义。卖主与买主之间为价格而进行不断的斗争。市场价格,是具有法外的重要性之经济的要素,在某种企业有必要的资本之大小,是由关于机械原料、劳动力等之价格而决定的。企业的利益与损失,依从于价格的高低。劳动者的运命依存劳动者在市场出卖其唯一商品的价格——劳动力的价格,与劳动者在市场买进的食粮、衣服等类商品的价格。劳动者在劳动过程所消费的劳动力到底能够再生产与否 价格

263

的问题,全视这些价格如何而定。

然而,如果价格的高低,决定各人对于市场的需要及其所能供给的限度,那么,在这种处所,这种价格的高低,是用什么决定的呢? 这问题一看似乎是明了的。卖方既然尽可能要把价格提高,买方既然尽可能要把价格引下,那么,价格的高低,就决定于卖主与买主相互的力量关系,或者决定于相互的供给与需要的关系了。

但要确认不如上述的情形,那就不能不观察实际的市场关系。如果卖主和买主斗争时,要尽可能地提高价格,那么,卖方同人间的竞卖就迫得他们买主要尽可能把价格减低。可是这个在竞卖时要减低价格的欲求,到某种限度,即遇着不可抗的障碍,例如 1 方埃的印花棉布的实费是 15 戈比,若是实行竞卖上的工场要统一的把印花棉作为 14 戈比出卖,那就这种工场必至于破产。不仅在实费以下出卖,就是不计利润,照本卖出,也是不能持久的。漫说资本家是好美食的,实则做资本家的他的顺遂存在的确实条件中,就有资本的蓄积增大一项。没有利润,资本的蓄积,决没有增大的可能。所以实费即生产费,常是强压生产者而命令资本家决定价格的条件。

仅仅说价格是由生产费决定的话,对于这个问题,还是没有谈到一点什么。然则生产费是什么? 这仍然是价格。在印花棉布的生产费之中,有棉纱价格、机械价格、石炭价格、劳动力价格在内。棉纱的价格之中又有棉花价格及石炭机械劳动力价格等在内。这样推下去,可至无限。拿生产费来说明价格,其意义就与拿价格来说明价格一样。

价格被价格所说明——或有人向我们说——那是今日的价格拿昨日的价格来说明,昨日的价格,拿更昨日的价格来说明了。这样顺次反复追溯下去,可至无限。工场主是把购买生产所必要的机械、棉纱、劳动力等时所支付的价格,放在今日印花木棉的价格的基础之上的(不待说,须加上某程度的利润)。如同机械制造工场,是把他首先购买铁、煤、劳动力等所支配的价格,放在机械的价格的基础之上的。

虽然,要确认上面一说的不对,就不能不观察市场关系。诚然,纺绩业者是把棉纱价格放在印花棉布的价格的基础之上,但那不是昨日的价格,而是今日的价格。在棉纱跌价之时,不仅将来的印花棉布要跌价,就是已制成的印花棉布也要跌价。所谓只用生产费决定价格的一件事，他的意思，就只是以今日价格的高低来说明今日价格的高低，这与拿人死了一件事来说明人的死，拿植物生长一件事来说明植物的生长，是一样了。

我们研究价格的运动，知道价格下落最显著的原因是技术进步。用手工劳动制造时，值1卢布至1卢布50戈比的锁，在截断器的劳动制造之时，只值15戈比。截断器的劳动制出的锄，只值15戈比，但在以前靠用手工的铁业店制造之时就非75戈比不能买到。以前手工劳动，1波特的钉子，值12卢布，自展铁方法使用以后，1波特钉子仅值2卢布40戈比。谁也知道，组织整齐的缝纫工场所制就的衣服，和问裁缝店里定做的衣服，其价格是有差异的。最初比银还贵的铝，自生产技术改良以后，就仅值以前的1/10了。技术进步的结果，是商品的低落，这种显著的例子，我们在第四节已经说过了。

然则技术改良，其结果是怎样呢？技术改良的结果，首先是增大了劳动的生产力，即是减少了一单位的生产物的生产所不能不费的劳动量。

缝纫工厂缝一套洋服，比向裁缝师定做的一套洋服所含的劳动力为少了1讽脱的铅的生产，现在比之60年前，只要数1/10的劳动。

于是，价格由什么所决定的一个问题的回答，就稍为明白了。商品的价格，不是依据于为生产那商品所费的劳动的么？

然而那样的决定这个问题，是似乎过于性急的要决定这个问题了。资产阶级经济学者有如次的说法。诚然，商品价格的要素中，若只含有工钱，那么，劳动的减少，就使价格的减少。但是——他会向诸君说——关联于商品的形成的尚有其他要素即有资本与土地存在着①。……资本家领受利润，土地所有者领受地代……利润与地代，也是商品价格中的构成要素呢。

这样，我们确信市场的分析，非分析所谓资本、利润、地代，是不可能的。但要理解这一切，就不能不分析资本家社会生产关系。

生产关系是什么呢？人类社会存在的基础是生产。生产必要有生产手段 生产关系
（我们的条件是土地、建筑物、器具、机械、原料、燃料及其他）。

---

① 亚丹斯密（1723—1790年的英国经济学者）在劳动中发见商品价格的源泉，同时，又以为商品价格是由支给劳动者的工钱，支给土地所有者的地代与闯进资本家坏里的利润成立的。

关联于生产及生产手段的社会组织,是各色各样的。生产手段有在生产者集团的支配之下的(如原始共产主义、社会主义时代),其次,生产手段和生产者有在特殊剥削者阶级的权力之下的(如奴隶制度、农奴制度时代);又有生产者虽是自由,而生产手段却成为剥削者阶级之私有物的(如资本主义时代)。

关联于生产手段的社会组织的方法,我们称它为生产关系体系,或社会之经济的构造。原始共产主义、氏族制度、奴隶制度、农奴制度、资本主义这类东西,都是生产关系的种种形态。

交换不仅是资本主义所具的特征。我们能够想象到那以无剥削的交换为基础的生产关系,也能够想象到生产手段为生产者私有财产的社会。不待说,这样的社会,从没有以纯粹的形态存在过,现在也不存在。但是,这样的要素,在资本家的社会里,是以农民经营,手工业者,或工匠经营等形态存在着,——在这些人不雇佣劳动者而自做自卖的出现于市场的限度内。在这样单纯的交换社会里,交换关系和价格的本质是什么,是比较容易考究罢。我们会理解以怎么的方法交换,最初引导到生产者之资本主义的收夺(从生产者强夺生产手段),会理解往引导到收夺者之共产主义的收夺罢。①

第二节　商　品

走到市街上去看各种招牌吧!譬如在这里,靴匠开着一爿店子,或是他一个人在工作着,或是和两个工匠和徒弟一起工作着。在那里,一个裁缝师独立的独自负担自己的责任和危险工作着。诸君总以为交换社会中的生产,是个人主义的,而且各人都是真正的分别工作着,各自生产着的生产物了。但是诸君试问问那交换社会的劳动者中的某一人,要他对于你们指出他自身的生产物来看看吧。那么,裁缝师或许把他现在刚缝好熨好的背褡指你们看的吧。注意看吧,诸君!在裁缝师的背后,会看到在制造着供背褡用的毡呢的织工。

---

① "交换社会"的意义,比"资本家的社会"的意义为广,犹之"家具"二字比"棹子"的意义为广一样。这个意思,就是说我们首先要由资本主义发生的特征去通晓资本主义,即是首先要理解为交换社会的资本家的社会。

其次,在织工的背后的,还有纺工,更有那饲养小羊并自行剪毛的农民。在离开较远的地方,诸君还会看到锻制剪小羊毛及裁缝店用的剪刀的铁匠。还可以看到在裁缝看来虽是极小的,但在他的生产上又没有什么可以代替的工具的造针者。并且在铁匠铺和造针店的背后,又会看到采掘那制造针剪的金属和制造熨斗的铣铁的矿夫以及供给熔解矿石和熨斗用的炭的烧炭夫。再进一步,或者还必须看到为织机与裁缝师制机的小木匠。这样推下去,可至无限,我们只好放置这阐究无限生产者之锁的欲望与可能性,单说这些也就够了。这些生产者之集团的劳动,其结果就供给我们以廉价的背褡。

再进一步,诸君试问那一切劳动者(无论裁缝师也好,小木匠也好,织工也好)他们之中的个人,是否为自己而劳动着? 问问他们的劳动生产物在他们自己是否为必要的? 那么,诸君一定得到否定的回答。这些人是相互的为他人而劳动着。农民当他的儿子结婚时,或者需要背褡的,但农民的生产,除羊毛以外,还有谷物。这谷物,在衣服和镰刀交换时,就转到裁缝师和铁匠的手中去。

在实际上,交换社会,——如人类其他一切社会一样,——是劳动者的集团,在那里,人人都相互为他人而劳动,这是很明白的。

然乍看起来,交换社会,似乎完全是个人主义的。个人都由自己的意思,自己负担责任与危险而活动着。各人只是对于自己的劳动,考虑自己个人的利害。

在这种处所,就有交换社会之根本的矛盾。这即是个人主义的形式之下的集团的内容。或者是在社会被生产了的生产物之个人主义的收得。这个矛盾,就被反映于各生产者。各生产者好像变为具有两极,即具有集权主义之极与个人主义之极的磁石的东西。在一方面,各生产者是生产上的集团主义的一部分,他若离开这集团,不啻宣告死刑。在另一方面,各生产者又恰如不能紧握之拳的不驯顺之指一样,常努力着要孤立起来而使自身与社会相对立。

因为生产者之关系,带有交换的性质,即因为生产者的社会成为交换社会,所以社会的生产物就变为商品的世界。我们拿一个新认识的商品作较接近的观察吧。

商品呢,看来与生产物一样。但是不然。虽然是那样,却又不是那样。生

（右侧旁注）交换社会之根本的矛盾

（右侧旁注）使用价值　交换价值

产物具有着能够满足现实的想象的欲望的能力。商品却于这能力之上,加上一种新的能力,即与其他商品相交换的能力。例如为生产物的靴油,我们仅能看到是能使我们的靴子生光泽的一种东西。若是为商品的这种同一的靴油,那就可看到可以和它相交换的火柴、可可糖及其他一切商品。为生产物的靴油,只有使用价值,为商品的这种同一的靴油,却还有交换价值。靴油的使用价值,仅保证所有者它有把靴子磨得光亮的可能性。然而人们只有靴子是不能生存的。否则专门以靴油为业的化学药品师,也将有饿死之虞。幸而他的商品之交换价值将他救出,即他托交换价值的福,能够拿靴油去交换衣服、食物乃至歌舞戏院的门票。交换价值,虽不知质的限度,但有严重的量的限度。油不是不能与天鹅绒交换的。问题只由量所限定的罢了。

交换价值,是一切商品之质的均等。这均等是在什么地方显现呢?是在交换上显现的,单独显现呢?或发生于交换呢?即商品是否在市场才取得交换价值,抑或商品自身原自有交换价值呢?

这里假定有个菜园子拿 100 个胡瓜换得了 10 讽脱的面包。这时候,100个胡瓜的交换价值是被 10 讽脱面包表现的。这样,或者有人要问问胡瓜价值唯一的表现,就是 10 讽脱的面包吗?那就断乎不然,胡瓜的交换价值,或者会表现为怀中用的镜子或表的。胡瓜不仅碰到 10 讽脱的面包的。在面包师那里,面包是很多的。因为只有 10 分讽脱面包具有 100 个胡瓜的交换价值,所以才成为必要。这就是说,交换价值,不是由两个商品接触及这些商品的交换所决定,反之相接触了的商品的交换,是由于交换价值所决定。

交换价值,只是在实行交换时显现的东西。在交换价值的根底上,是有某种其他的东西存在着。所谓交换价值,不过是商品自己由外部带到市场上的某种商品之表示形式。我们对于交换价值的这种内容,简单称之为价值。

第三节　价　值

然则价值由什么来决定呢?

商品之出现于市场,必须它具有使用价值,并且它必须能满足现实的或想象的某种欲望。若没有这个条件，谁也不会需要它，谁也不肯给它以任何代价。①

使用价值，不会是基本的价值吗？商品的贵贱，不是依存于有用性的程度吗？决不是这样。关于这点，我们可以在举出其使用价值大到不能测定而且没有何等价值的空气，以及有用性极少而价值却极大的珍珠和金刚石作证。

最后，如我们所知道的一样，价值是较量一切商品的东西。在价值的根底上，是不能含有商品的效用的。商品的效用，各有各的特别性质，无论怎样，是不能表现于一个单位的。牡犊虽可以换钉子，一袋马铃薯虽可以换哈莫尼加，然而却不能找出牡犊比一讽脱钉子几倍有用，也不能比较由马铃薯得到的饱腹和由哈莫尼加所得到的愉快。

商品的使用价值——它恰如到市场的入场券一样。这使用价值，对于商品要成为交换的对象物，所以那是必要的。两个商品，例如面包和镜子，在市场上是可以互相对立的东西。因为这两个商品都有使用价值。但是这些商品会被交换的相互关系，决不是由这些商品的效用来决定的。

然则价值是从何处钻入商品的呢？在当作生产物的生产物之中，价值并没有存在过。生产物的自体，只有使用价值。生产物在它成为商品时，才开始获得价值。因为生产者之社会的关系带有交换性质，生产物才成为商品。商品的价值，只是交换社会中生产者之社会的关系的反映，这是自明之理。所以生产就变为具有使用价值与价值之两种的磁石了。关于交换社会之根本的矛盾，我们在上面已经说过了，这个矛盾，是在商品第二重的矛盾的性质上面显现的，商品有两面，由这一面商品看到自己的所有者之一方，由另一面，看到买手的一方。例如靴匠，只是为着价值才把靴子拿到市场去卖的。农民也只是为着那些靴子的使用价值从市场买进它们。商品对于所有者方面，只是具有价值；对于需要者方面，只是具有使用价值。同一商品的两面，也和同一神的三面一样，是互相矛盾的。

存在于交换社会与商品世界之间的关系是什么呢？商品世界在它体现社

价值是社会的关系之反映

商品矛盾

---

① 随着生产力的发达，全然没有使用价值的东西就更加减少。从生产方面出来的废物，对于原料、燃料、肥料、建筑材料等是有用的。从使用方面出来的废物，如褴褛、骨类等，也是同样。

会之生产的劳动总量一方面,它不论好坏,都是满足社会的欲望的,在商品与社会之间,并没有别的关系存在。若是我们说价值是生产者之社会的关系对于商品的反映,那么,我们只能在下述两点中的一点去探求价值的本质。即只能探求商品所给予于社会的效用,或者为生产商品所必要的社会的劳动之消费。然则在商品方面,何者能成为生产者之社会的关系的反映呢? 即是为了他们所造出的效用呢? 还是为了他们耗费于商品的劳动呢? 最初的前提,是不正确的。我们已经证明过,使用价值不但不能成为价值的基础,而且这两个意义是互相矛盾的两极。

在另一方面,我们见到价值是使商品成为比较的东西,成为计量的东西。由这层出发,必能达到下述的结论,即价值的本质,不能不构成在一切商品的某种质的平等的东西。我们虽然不能发现牡犊比钉子几倍有用,却可以找出饲养牡犊的必要劳动究竟比锻炼钉子的必要劳动要大几倍。牡犊的饲养,钉子的锻炼,同样体现着总的社会的劳动的一部分。在劳动以外,寻不出一个比较商品计量商品的东西来。

我们最初的前提(本章第一节)是正确的,即商品的价值的本质,是被结晶于商品之中的社会的劳动。

第四节　交换社会的均衡

成为商品生产者之社会的商品社会,没有意识的生产组织。各人不是有意识的考虑社会的要求,只是图便宜的去生产着于自己合算的东西。然而这盲目的活动着的交换社会的巨体,究竟是什么东西把它从破灭中救出呢? 这个无秩序的商品社会,在最初的一步,不仅不破灭,反而表示着发展能力,这样的秘密究竟是什么道理呢? 即令它是粗杂的不很巩固的均衡,而交换社会却总能保持着均衡,像这样的根抵,究竟存在何处呢?

交换社会对于外部构造,不是依着所谓生产者界之有意识的组织的方法,使其能够适合,而是依着所谓商品界之自然发生的组织之方法,使其能够适合的。支配商品界的劳动价值法则,一看似乎只表现着商品相互间的关系。但实际上,这法则却是表现生产者们的社会的关系。他们生产者中各人劳动的结果,是用劳动价值的秤来计量的。这样的计量,才是唯一的锚,想避免灭亡的交换社会就靠此锚挽住着,生产的无政府状态,对于交换社会又与以灭亡的威胁,然而这个锚,在暗黑的交换社会之中,怎样为社会所发见呢? 当然,这不能说是社会的本能。关于此问题,更可以简单地说明它。

为要较明白的理解起见,可以把那成就了显著发达的交换关系取来看看(我们当然会理解那存在于交换社会的根抵上的分业)。假定总计含有四日间平均的社会的必要劳动的一双长靴,与仅含有二日间劳动的裤子相交换。在市场牵引力是同一的时候,裤子比较长靴,就能加倍容易出现于市场了,于是裤子充满于市场,并且它们在市场的比重,因此而减少。要在一双长靴两条裤子相交换的时候,均衡才会回复。即一方四日间与他方四日间相交换的时候,这样,在市场关系的混乱中,劳动价值法则,自己开辟自己的路途前进。生产条件,是像统治者一样,支配着交换条件的。价值是一根均衡的线,交换的振子,就以这线为中心而左右移动着。虽然由正确的价值而实行的交换,或许是偶发的现象,但那并不要紧。交换所显现的诸关系,当与价值的诸关系有一致的倾向,这是最本质的事。在现代生产的无政府状态之下假定社会把自己的力作不平均的分割,例如只是造出很多的壶匠和桶匠来。交换社会是没有关于各个人欲望之统计报告,没有统治生产的国民经济评议会的。壶与桶出现于市场的非常多,它们的交换就会更加困难而且不利益了。感受了这样痛苦的劳动者,早晚必转移到别的生产部门。即从事于体现劳动不比壶与桶为多而能有利于交换的生产之制造了,若是壶匠和桶匠不能改就他业,他们就难免死于饥饿了。劳动价值法则,一点也不要求善良与慈悲的。正如一切自然发生的法则一样,这个法则,是不知道慈悲的。这个法则,在那种时候是很自如的。于是壶匠和桶匠就渐渐减少,市场的壶与桶也渐渐减少。于是这些东西的评价渐渐高腾,再至于接近这些东西的劳动价值。又或假定社会因盲目的行动,对于铁匠铺的分配,过于太少。这时,小刀和蹄铁在市场出见的很少,这些东西,会在它们的劳动价值以上被交换的。不待说,就铁匠说来是有利益的,但若一个商品在它的价值以上被交换时,这就是说别的商品是在价值以下被交换了。于是劳动力将由利益较少的生产部门转移到较有利的生产部门。于是劳动价值法则,不久就将使铁匠铺之例外的幸福终熄,铁匠铺非常增多,蹄铁与小刀的评价,再转向到它的劳动价值。

生产物之商品形态,是这样的一回事。在生产物不采取商品形态为止,它只能以自身之力,适度的满足社会的欲望。等到生产物随着交换社会的出现而形成商品形态时,它立即由社会的奴仆而变为社会主人了。生产物正和商品一样,是社会的劳动的结晶。但是生产者间的诸关系,虽由直接生产条件所确立所统制,却不是由于在生产物之中这些关系的反映。所以生产者间的诸关系,一旦带有交换性质时,并且生产物一旦采取商品形态时,那结晶于生产物之社会的劳动,就开始决定这些关系,而成为生产的统治者。做一句话说,就是变为价值。商品的世界,因为那劳动能被比较的缘故,是很容易被协定的,因此,它就支配了人类的世界。

第五节　形成价值的劳动

劳动的两面

交换社会之所有劳动,可从两方面观察。修缮电灯的电气工,砌窑砖的泥工,缝洋服的裁缝师的劳动:我们首先可以从他们各自工作所必要的特别技术上的作业来观察。我们从这见地来看时,可以指出劳动的形态间,有很深的差异。例如使用的工具,在裁缝师是剪和针,在泥匠工是镘,在电气工是槌、铁钳、螺旋迴。他们所使用的材料,在裁缝师是织物,在泥匠工是窑砖和石灰,在电气工是钮线、扣和 Pote,他们劳动的结果,在裁缝师是衣服,在泥匠工是家屋,在电气工是灯火。

虽然,我们不是这样去观察裁缝师、泥匠工、电气工,却可以把我们看作交换社会之生产集团的会员。他们会员的联络,是经过他们的劳动生产物的交换而出现于市场的。在这种情形,他们的劳动成为全社会的形态而出现于我们的眼前。这时我们对于各个职业的特质,就完全舍象了。

具体的劳动与抽象的劳动

在第一种情形,我们是从具体的方面观察的,在第二种情形,是从舍象的(抽象的)方面观察的。在第一种情形,劳动成为各种各样的具体形态显现于我们面前;在第二种情形,成为抽象的同样形态显现出来。劳动在具体方面的各种各样的形态,造成各种各样的使用价值。同形态的价值,在交换社会条件之下,是以劳动的同形态之抽象的方面,被造成的。只有价值,把一切商品作为同分母从使用价值方面观察了的商品,有各种各样多至无限。从价值方面观察了的商品,都是一个形状的表现。

有两双长靴摆在这里,一双是熟练的靴匠做的,而且其作业极热心。一双是懒惰的靴匠做的,费很多时间才做成,而且做得不好。又,这里有两箱靴钉,一箱靴钉是以洋刀用手工做的,费工夫很多;另一箱是同质之钉,然系用机器做的,其造成很快而且价廉。

若是商品各个单位的价值,由那耗费于各个单位的劳动所决定,那就第一双长靴的价值,应比第二双长靴的价值低廉,而手工造的钉子要比机器造的价值较昂。然而事实并不这样。商品的世界,是分为各个部分的。各个种类,即是特殊的部分。在一定条件之下,这种长靴的总量,必须是体现社会的劳动之各种量。一方面,有属于这一种类的一切长靴,他方面,——为这些价值之源泉的——在一定的条件之下,有生产这些长靴所必要的全社会的劳动存在。即使靴匠为制造长靴而滥费时日,也不能因此而增高他所生产的长靴的价值。实际他的长靴虽体现较多的劳动,然这不过只是这些长靴之个人的特殊性。体现于这些长靴的全劳动,不是社会的必要劳动。生产方法一切事实上①的改良,使劳动生产力增大,同时又以同一程度,使该部门的商品价值减低。在这种情形,不仅从新生产的商品,就是以前已经生产的商品,其价值也低落下去了。

社会的必要的劳动

马克思这样说:"如果商品的价值,依生产进行中所支出的劳动量所决定,那就人愈懒惰或愈不熟练,他制造商品当愈益需要多的时间,所以他所制造的商品,好像含有那样更多的价值。可是形成价值实体的劳动,是平均的人类劳动,这即是说同一的人类劳动力之支出。体现于商品界价值全体中的社会的总劳动力,是由无数个别的劳动力成立的,但在这里却被看作总的一样的人类劳动力。这些个别劳动力的各个,都含有社会的平均劳动力的性质,又当作这样社会的平均劳动力而作用,因此,一个商品的生产,只要是需要平均的必要或社会的必要的劳动时间,那就无论哪一种劳动,都是同一的人类劳动

---

① 当某种新发明或新发见在事实上尚未普及之时,当然不能变更该商品的价值。又有改良的生产方法虽已普及,而多额的商品仍用旧方法生产的事实。在这样领域内的社会的必要劳动,乃是代表新方法和旧方法之平均的某种必要的劳动,这是很明白的。

力。所谓社会的必要的劳动时间,就是用那在现时成为社会的标准的生产条件及劳动的熟练和能率之社会的平均程度,去生产某种使用价值所必要的劳动时间。例如在英国,采用了蒸汽织机的结果,把一定量的棉纱变成织物,大概只要从前劳动的一半就会够了。英国的手织工,对于这同一工作,事实上仍需要以前一样多的劳动时间,可是他自己的1小时劳动的生产物,现只能表现半小时的社会的劳动,因此,其价值就低落到从前的一半。

"所以,某种使用物价值的大小,由于生产它所必要的社会的劳动时间之量而决定。在这种情形,各个商品,概可以看作是它所属的种类的平均样本。这样,含有同一量的劳动的、或能在同一劳动时间生产的诸商品,都有同样大的价值。商品的价值对于其他各商品的价值的比例,等于前者生产所必要的劳动时间对于后者生产所必要的劳动时间的比例。在价值上看,任何商品,都只是凝结了劳动时间之一定量。

"某种商品的价值之大小,只要那商品生产所必要的劳动时间是不变,也是不会变的。然而这种劳动时间,每每因劳动生产力的变化而变化的。而劳动生产力,又由种种事情,其中,如劳动者熟练的程度,科学及其技术原用的发达程度,生产机关之范围及作用能力,及各种自然事情等而决定。例如同一量的劳动,在丰年可代表八蒲式耳的小麦,在歉收之年仅能代表四蒲式耳。也有同一量的劳动,在丰矿比瘠矿能供给多量的金属的事实。金刚石在地球表面上是少有的东西,所以采取金刚石平均须要多大的劳动时间。因而金刚石就以仅少的量代表多大的劳动。然而在丰矿一方面,同一的劳动量是由较多的金刚石所代表的,因而金刚石的价值必然低落。若是以仅少的劳动能够使石炭变为金刚石,那就金刚石的价值,将低落到窑砖的价值以下。总括起来说,劳动的生产力愈大,某种物品的生产所必要的劳动时间就愈小;结晶于那物品的劳动量愈少,这物品的价值就愈低。反之,劳动的生产力愈小,某种物品的生产所必要的劳动时间就愈多。这样,这种物品的价值也就愈高。因此,某种商品价值的大小,与体现于这商品的劳动量为正比例而变化,与劳动的生产力为反比例而变化。"

平均劳动　　劳动是依时间计量的。譬如有两个劳动者,使用同一的工具和同一的材料,其中一人在一定单位时间上,例如1小时,他比较健壮,比较强度的工作。

或者非常熟练,因而他的工作成绩,比另一人的,或许要多些,但是在某种领域
内的社会所支出的总劳动中,各个劳动者这样做的一切个人的特殊性,却是互
相平均彼此相杀的。因此,价值的根抵中是含着平均的强度与熟练之劳动。
商品的价值,是由体现于商品之抽象的平均的社会的必要劳动量而决定。

　　若是两个商品,例如一双长靴与一袋面粉,各依其价值为交换时,那就是
表示一双长靴含有和一袋面粉同样时间的抽象的平均的社会的必要劳动
时间。

　　需要不足的结果,商品也有在自己的价值以下被交换的事情。反之,需要
超过供给时,商品也有在自己的价值以上被交换的事情。但这由价值发生的
偏差,可以表现价值法则,正和我们把钟摆在从直垂的状态之移动,因而得到
重力的法则全然一样。从均衡状态而移动的钟摆,再向均衡的线进行,越过这
线去,再回到这线来。同样,商品的交换,因需要优于供给或供给优于需要而
从价值的均衡而移动。社会劳动的努力之流,在生产物于价值以下相交换的
生产部门,自然减少,反之,在生产物于价值以上相交换的生产部门,自然增
大。无论在哪一种生产部门被破坏的需要与供给之均衡,渐次恢复,交换的条
件,接近于依照价值的交换,再由价值发生偏差而再接近于价值。这种事情,
更是无限的反复下去,劳动价值,这是一根线,是商品交换条件环绕这根线的
周围而活动的线。劳动价值法则,那是统治着这些条件之自然发生的原则。

由交换的
价值而生
之偏差

　　社会的必要劳动的意义,除上述以外,在马克思主义的文献之中,还有别
的解说。许多人对于"社会的必要劳动"的概念,不只是生产的意义,还加上
消费的意义。例如普敦(Boudin)在他的《马克思理论体系》一书上,说明马克
思的价值论,有下述的话:"为创造新的价值而支出于某物品的生产的劳动,
不仅是必须相当于生产和这些类似的物品时的平均的支出,而且必须造出为
社会所必要的某种物品。而决定这种物品对于社会是否是必要之时,必须考
虑的事情是:不仅这种物品对于社会的若干构成员之一般的有用和实际的必
要,同时,在近代的社会的经济状态之下,类似于它的物品的必要(一面要注
意这社会的生产与分配的一般条件),和其他物品的必要相比较,究竟在充分
程度上已经满足与否。若是某种商品的生产过多了——不是绝对的过多,而
是比较当时社会的条件与关系的过多。——那样的生产,就不能造出追加的

关于"社
会的必要
劳动"之
意义的两
种解说

275

价值。即,和这相当的劳动量,徒然支出了。固然,这不是说一定之个人的劳动,没有造出何等价值,或者说已经生产的某一定物品,不会有价值。但因为价值是社会的关系,在那社会内为生产这种物品而支出的全劳动,在比例上是生产小的价值的。各个的物品,成为非常无价值的东西,这种生产物的全量,若是不支出追加劳动,并且不再生产这些物品的追加量,那就是所得的价值,比含在这物品里面的价值更小。"

希尔发丁也依从于这个意见。他说:"若是个人工作很迟延,或者生产无用的物品(就是有用,然在社会的新陈代谢时,却因过多而成为无用了),那就这一个人的劳动,在平均劳动——社会的必要劳动时间——上,须打个折扣。"

关于"社会的必要劳动"的这种见解,在根本上是错误的。这种见解,以为价值不只是在流通界出现,而且多少是在那里造成的了。实际上商品在流通界可以遇着的存在于供给需要间的不均衡,致使商品的价格,与商品自身从生产界带来的价值相偏差了。

罗宾在他所著的《马克思价值论概要》中,对于拥护社会的必要劳动之消费的意义一派人,有如下的论述:

"一、他们把经常的市场状态与非经常的状态相混同,把存在于种种生产部门间的均衡法则,与不能不是一时的,破坏均衡的情形相混同。

"二、因此,他们破坏着那社会的必要的劳动概念,而那社会的必要的劳动概念,是预定这个生产部门与那个生产部门间存在的均衡的。

"三、他们蔑视市场价格与价值偏差的机构,把最非经常的市场条件之任意价格的商品贩卖,错看做相当于价值的贩卖。把价格与价值相混同。

"四、他们分裂社会的必要劳动的概念与劳动生产力的概念之密接关系,不把后者作适当的变更,而容许前者的变更。"

第六节　简单及复杂的劳动、商品之物神崇拜性

社会在制造生产物以前,不能不造就那生产者。对于将来的生产者,不能不养育他们,教他们劳动。因为一切商品的生产,都要求熟练的生产者,所以

依照通常商品价值来交换商品的时候,为养成劳动者而支出的劳动量,也互相平均了。

举个例看。假定非熟练劳动者之平均养育,代表着 4500 个社会的必要劳动时间,又假定这种劳动者平均能为 9 万个时间的劳动,那就对于每一时间的劳动,为劳动者的养育,必要有 1/20 时间的劳动。

今有壁柜与短皮外套照价值交换,即两方都是代表 20 时间的劳动的。

假定再加上关于劳动者养育的劳动,问题还是不变(即壁柜与短皮外套各增加一时间)。

然而有若干职业,要长期的准备,例如化学者须费十年工夫,才能得到他所必要的知识与理解。在他的准备,还要耗费教师的劳动与参考书的著述者的劳动。这样的事情,要延长那因为取得化学者的劳动生产物而造出社会的生产物的机构的过程,它必然要反映到这些生产物的价值之上。体现于啤酒、人工肥料、安尼林染料的化学者的劳动一时间,不止是一时间,并且于一时间上,须加上为造就劳动者之高级熟练所必要的劳动时间中的若干时间。

假定化学者造就高级熟练程度而需要社会的必要劳动时间为 27000 时间[1],又假定已熟练的化学者之劳动生活,平均为 30 年,1 日工作 6 时间,那么,对于化学者每一劳动时间,其造成高级熟练的必要劳动为半时间。化学者劳动一时间,比之不熟练劳动者劳动一时间,多造出一倍半的价值。照马克思的定义,复杂劳动,恰如自乘的简单劳动,或加倍化的简单劳动。

照上面的说明,生产物的商品形态,只是交换社会中的生产关系的反映。恰如显在活动电影荧幕上的画片,不过是通过幻灯的片子的反映一样。

商品的物神崇拜性

但是,这件事,对于商品在交换社会中是真实的支配者那件事,是没有妨害的。分配生产及消费的一切手段的市场,它并不问:你是谁? 你制造了什么? 它只问:你所带去的是什么? 商品在市场互相碰头、互相战争并互相征服。商品的胜利或败北,即是经营主的胜利或败北。在以物品为必要的人们看来,存在于市场的物品,它自身实在是含有自然的性质以及特别的市场的性

---

① 实际上,那里还有如次一事实的影响着。即幸而学习完了的 10 个化学者之中,不能不有若干之失败者。失败者在学习上所支出的劳动,通例和计算在被毁的玻璃食器的价值之上一样,须载在价值的天秤之上。

质,在这里,看来好像含有永久支配的这些物品的神秘。实际上,商品支配人们之命运与智能,不是依商品自身的性质,而是依交换社会之自然的组织体。这样的商品的支配,在从前的社会形态之下并未存在过,在将来替代交换社会的社会主义社会之下也不会存在的。商品这样支配人们命运与智能的事情,马克思称之为商品的"物神崇拜性",把它和邪教偶像的权力相比拟。而这个偶像,即是对于自己用自己的手制造了这个物神的人们的智能之物神。①

摘要

一、交换社会的根本矛盾,是在社会上被生产出来的商品之个人主义的收得。

二、交换社会的生产物,为交换而生产,因此,交换社会中的生产物即是商品。

三、商品有使用价值与交换价值。

四、商品代表使用价值与价值之时,商品之根本矛盾,只在商品之为商品这一点。但在以商品为价值的人看来,商品不是使用价值,反之,以商品为使用价值的人看来,商品不是价值。

五、商品的交换价值,是在交换之时显现的,不是在交换之时产生的。交换价值,是价值的表现的形态。

六、价值是交换社会中的生产者的社会的关系之反映。

七、价值由商品所含有之抽象的,平均的,简单的社会的必要劳动所决定。商品的使用价值,为支出于商品的劳动之具体方面所创造。

八、复杂劳动,恰如自乘的简单劳动或加倍化的简单劳动。

九、一单位的商品的价值,与这一部门的劳动生产力为反比例。劳动生产力增大,其价值低下,反之,劳动生产力低下,其价值增高。

---

① 如我们所知道的,商品之物神崇拜性,有客观的方面(商品对于人们命运之事实上的权力)与主观的方面(关于商品性质之各人虚伪的表明)。商品的物神崇拜性之主观的方面,被马克思主义之光所照而消灭。然商品物神崇拜性之客观的方面,只有依社会主义的胜利而消灭,即商品组织体之消灭。

十、社会的劳动的努力的大部分所集中的生产部门,其商品在原则上是在价值以下相交换。反之,社会只分配仅少的劳动力的生产部门,其商品恒在价值以上相交换。由价值发生的价格的偏差,常唤起社会诸势力之再分割,这样,劳动价值法则,即是交换社会之根本的均衡。

第七章　货　币

第一节　成为价值尺度和价值表现的货币

我们知道价值的本质,是结晶于商品之社会的必要的平均的劳动时间。然则某种商品的价值,能直接以劳动时间的名词表现吗? 这是不能的。上面说过,一切商品,是无限数的生产者的劳动生产物,他们中间的各人,都可追索形迹,有主张含有自己仅少劳动的权利。由决算这仅少劳动而成的全劳动的会计,要在什么地方探求呢? 这事就会可能,然无论如何,这样的事实,必会是有意识的生产组织之结果。我们以这种盲目的动作之商品自然发生的已组织为问题,正和盐之小部分由溶液而成精细的结晶一样。

价值依再生产的劳动而决定问题的困难,由于下述的事。第一,价值的计量,不是依据支出于该商品的劳动,而是依据社会的必要劳动。第二,已造成的商品的价值,是随劳动生产力变化而变化的。价值,在本质上,是由于在一定社会中的平均劳动生产力之下再生产一定商品所必要的劳动所决定的。这就是说:体现于该商品的一切劳动支出的绵密记录,毫无所得。

价值的表现实际上,商品实具有简单的价值表现方法。各商品为要表现价值,最初便变为事实上被交换的商品,但是,商品彼此相互对待的方法,只有在交换带着偶发的性质,并且价值好像只发生于交换条件之时,才能实现。在反对的情形,却不是这样。以狐皮与蜂蜜相交换的狩猎者,是知道他的商品价值,表现为可口的蜜糖。然而这时候的狩猎家,第一,他尚没有看到何等严格的量的关系。他只看到一桶蜂蜜而把这桶蜂蜜入手罢了。养蜂家的自身,对于桶的量,恐也没有明白的表示。第二,狐皮的价值,是要看靠它得到什么的一件事实来决定,这事在他看来,好像完全是自明的真理。仅仅跟着交换的发达,特别是跟着交换商品间之严格的量的关系的确定,才能说明价值之交换与表现,不是同一件事情。商品在将来能交换或者不能交换,要到将来才能知道。然而商品,首先就必须看出那价值表现。不然,它就不是商品。商品的使用价值之极(假定不仅它是生产手段)即使不与别的商品比较,也是可以决定的。蜜橘的使用价值,可以决定于其所示的味和质。现在的一个问题,就是价值之极。在那里,一个商品,就不能把别的商品除外,同一的蜜橘其价值是怎么样呢? 试问问看吧,这样一来,那就不能不指出有一定量的其他的商品来,以为自身价值的表现。商品的价值,只有靠别的商品才能表现出来。

这个结果,在实际上,特别的商品即货币,渐渐次专门化:以为商品的价值表现。以前呢,各商品都个别的具有两极,即使用价值与价值。现在呢,两极性(相互的部分,即被两极所破碎)包括整个的全商品世界。一方面,使用价值之极是普通的一切商品。他方面,价值之极是货币。试从价值的见地观察任何商品! 诸君就会在价值之中看出货币来。农民死掉一匹马,只是叹息损失了马所值的30卢布。旅行人为食欲而要求馒头果子时,果子商人只看见馒头果子不能不变成的货币。再从使用价值的见地去观察货币! 诸君又会在这些货币之中看出由货币所能买得的商品。怀15戈比到食堂去的劳动者,15戈比即是午餐。价值是采取现实的或相像的(假想的)货币形态的。同样,使用价值,是采取现实的或相像的普通商品形态的。

> 货币是价值的尺度

第二节　货币商品

如上所述,货币的第一的主要的职能,是价值的计量和表现。因此,货币自身,首先就不能不是商品。唯一的货币材料的地位,最后为金子所得。金子就是商品,它具有为上等装饰用品的使用价值,也适用于牙医技术等。他方面,金子又具有为劳动生产物的价值。金子的采掘,因为要支出很多劳动,故金子在天秤上的单位,与其他的商品比较,具有最大的价值。因此,金子的价值,其动摇是很少的。这种贵金属所含有的这种劳动量,就随同它所具有的坚牢性、细分性及融合性而保证它对于在经济的过程中的其他一切货币材料(家畜、毛皮、铁、铜等等)的胜利。货币材料之商品的性质及其中所含有的使用价值与价值，固然是必要而不可缺的东西，但仅仅是这样，还不充分。商品之得为货币，仅限于它和别的商品界分离之时，并且限于他在和别的商品对立而别的商品也和它相对立之时。然而为价值之尺度与表现的货币，不是人们造成的。这些货币，是由为整个的商品世界所造成的。这些货币，是由于经济发展的过程从自然的商品世界的领域分离出来的。

第三节　价　格

在市场，我们见到商品的价格。所谓价格是什么呢？我们要想得到比较明白的理解，可就那流通着的金货代用物的纸币银行券以及金货的国家举例说明。例如 1897 年及 1914 年间的俄罗斯，买一双软皮长靴，诸君知道它的价格是 3 卢布。所谓 3 卢布是什么呢？因此，诸君就不能不问某种金货，例如 10 卢布的重量。诸君知道 10 卢布，含有纯金 17424 陀拉，1 卢布含有 17424 陀拉，3 卢布含有 52272 陀拉。这样，出现于诸君之前的一双软皮长靴，就等于 52272 陀拉的金子。然则软皮长靴与造结婚戒指及镶牙的金属是怎样的比较呢？这显然的只有价值，只有软皮长靴和金子所含有之社会的必要平均劳动，才能比较出来。软皮长靴的价值，在货币材料之一定秤量是上表现出来。而表现软皮长靴价值之货币材料的一定秤量，即是这软皮长靴的价格。照这样，所谓价格，即表现于货币材料一定量的商品价值。① 在供给和需要之间的均衡愈接近时，价格愈是正确的表现商品的价值。若需要优于供给，价格就离价值而发生偏差，这价格就起出到价值以上。反之，供给优于需要，价格低落到价值的水平以下。就上述的例子说，含有 52272 托利亚的金子，比较一双软皮长靴，事实上含有较少的社会的必要平均劳动，这是可能的。于是软皮长靴生产就会非常地多起来，那些长靴的价格，就因为生产它们的工场和作坊间的竞争，而低落到价值以下。但是生发偏差的原因，一旦微弱了，价格就立即开始再接近于价值（又，我们在关于生产价格一章，知道资本家社会的价格与价值的偏差，在各种产业部门，因追永利润平均卒而成为合律的恒久的现象）。

---

① 类似于商品的物品，即有价证券、土地等及不含有劳动价值之一般物品的价格，后面再说。

第四节 为流通手段的货币

交换社会中的物品交换,实带有特殊性质。信用关系、欺诈事件、供给与需要不一致等事,暂且不说,现在可以说的,即令是社会的组织之极小部分,如食料中的一小片,若不能与同样价值的其他的小片分离,且不能为适宜的交换,那就连这一小片的食料物,也无法取得。价值实际是不变的。当交换之时,各人都保持其所属物的价值,仅仅想变更使用价值罢了。在直接交换之时,商品受到拘束,不能自由移转。甲商品仅仅与乙商品相逢,才能交换而成为乙。缠着褴褛的靴工,只有和裸足的裁缝师相逢时,才能换到他的衣服。又如一双长靴的价格比较帽子高 3 倍,那么,要不失掉卖却自己商品的好机会,好就只一次换进三顶帽子。到了有货币作媒介时,情势就全然变了。货币虽然和一个使用价值分离,然它还是一种纯粹形态的价值,使商品所有者可以不受取别的使用价值而保持它。虽说简单而实麻烦的行程——商品——商品,就被分为商品——货币及货币——商品两个部分了。

商品界,依严格中央集权的原则而变为整然有组织的社会。在商品界,货币是支配者。商品只是由货币再转为货币而活动,只有在能够卖出变为金子时才得成为商品。商品由这场所转移到那场所,不是因为两个商品所有者偶然的欲望相一致,而是由于货币的魔术棒的记号。商品世界对于商品生产者世界的权力,在商品世界它自己成为自己的当选者的权力即为货币的权力时,特别表现得明白,货币是交换社会之社会的关系的一切矛盾上的体现。它是隶属于商品生产者社会的体现,它又是一人社会各人员之手,就变为它对于社会的权力的武器之社会的力体现。

货币交换行程的前半(商品——货币),是从下行于上。完毕这件事,并不是那么容易的,但也不是惊异。仅只是对于社会一定部分成为必要的使用价值,是不能不和那对于一切人们都成为必要的价值相交换的。同时,货币——商品之行程的第二部分,是从上行于下。在普通的时候,把货币变为商品,是容易的。完毕了从商品形态到货币形态之价值的假装,那由货币形态到商品形态的价值的逆假装,是可以在不定的时间中延长的。货币完成了那流 ^{实物}

通手段的机能时,商品——货币及货币——商品两半行程中间,就能造成或大或小的间隙。在这间隙的期间,货币显现为实物一样的贮藏的工具。有这样不买而卖的可能性,就抬致极多的结果。货币所有者不欲购买商品时,常常便商品所有者的贩卖陷于不可能性(于是便能使销路发生恐慌)。

第五节　为支付手段的货币

假设车木匠与面包车师同住。车木匠每两星期造成一架货车。面包师每月烧面包。车木匠的商品即货车,须经过 14 天才能完成出卖,在未出卖以前,他每天不能不吃面包。于是面包师就预定于一星期后领受商品代价的货币而先出卖自己的商品——面包于车上。在这星期之间,面包师不仅别离了自己商品的使用价值而且别离了价值。而车木匠方面,在货车未经造成未经采取货币形态之前,就预定自己货车的价值。这时候,车木匠成为债务者,面包师成为债权者。面包一经交出债务便发生,经过一定期间,支付了代价,债务就消灭。随着债务的发生,货币就演了支付手段的任务。

流通手段和支付手段的机能间的差异,在货币材料的价值下落时可以说明。为流通手段的货币之力下落为支付手段的货币之力不变时,这于债务者有利益,于债权者是不利益的。上面说过,为流通手段的货币,是把商品——商品的行程,分为商品——货币及货币——商品的两个部分的。演着支付手段之任务的货币,又把前一半行程,再分为商品——债务及债务——商品的两个部分。在商品——货币的公式上能够贩卖的人,只是有商品而它换为货币的人。对于现在有商品或将来有商品而以与货币相交换的人们,即令没有现金,也能贩卖。为支付手段的货币,能把市场扩大,不单是目前的价值就是将来发生并实现(为货币形态)的价值,也能使其自由接近于市场。为支付手段的货币,造成存在于种种期间的商品间的交换关系。生产与实现的期间不同的商品,货币都可以把它们结合起来。做一句话说,货币是在期间上把商品联结起来的。随着交换关系的发达,为支付手段的货币,其任务益见重大。这件事,在资本主义的最新阶段,极为鲜明。就这最新的阶段说,信用机关网的发达与联合,无货币的结账制度的发达,以及对于世界经济的金融资本(与产业资本结合之信用资本)的威力,就成为它的特征。

第六节 铸 货

货币在其自然的形态上,在贵金属的铸块形态上,最能适用于国际的关系。在国内市场,货币先以"铸货"的形态出现。25 格兰姆重量的 5 法郎的法兰西银货,摩擦的结果,平均每年要轻 3 蜜里格兰姆。但照拉丁同盟所采用的标准,这银货要失掉其为铸货的价值,须损失其重量 0.5%,即 125 密里格兰姆。换句话说,每年摩擦去 3 秘里格兰姆的铸货,经 43 年而完毕其全部机能。24876 格兰姆重量的 5 法郎铸货,具有 25 格兰姆重量的铸货的购买力。这两个铸货之商品价值是相异的。究竟什么东西能使它们同等呢?仅仅是刻印罢了。这种事情,是说明铸货这名词,在纯粹价值的意义上,不是货币。铸货里面,不仅有金属的内容,同时还有某种条件的存在。因此铸货它的自身,不能用为价值的尺度,仅能用为流通、支付及贮藏的手段。

金子,在市场的自然法则的本体上,是以假空的(不见的)形态,显现为价值的尺度的。市场的各个商品,看来恰似描写着有劳动价值的某种金属一样。市场把这金子所描写的大小,翻译为货币的话,恰如依一定货币的算定单位而计量一样。卢布、法郎、金元、镑,这一些,首先就是算定货币。

举个例说:我们知道金卢布有纯金 17424 陀拉。但为铸货的金卢布,却全不存在。金卢布只是算定货币,例如银行的账簿中,在自己的契约证书上,只以算定货币为问题。只有会计处才以铸货为问题。表现一定商品的价值的金量,由算定货币去计量。就上面所引的例说,软皮长靴值价格为 3 卢布。价格既然是表现价值,这便是表示在软皮长靴的价值之金子的描写上,即在依照劳动价值而和一双软皮长靴相同的纯金的小片上,17424 陀拉的算定货币单位是含有 3 倍的。这好像是两重测定一样。金子是计量价值的。而在这种处所,为卢布的金货单位,又计量前述的金子。算定货币单位,是完成其特殊机能,即完成其为价值尺度的机能的。

着在货币材料上的铸货的装饰之约定的性质,表现于铸货超越国境而转移之时,而铸货是刻上了国家的印子的。于是铸货的装饰就等于零,它不被当

价值的尺度

作装饰物看待,只被用重量来看待,如果不考虑那铸货国对于商品的支付或其他要求而被送还于该铸货的本国的话。但是铸货的二重性,只有在能够把刻印与金属两事,完全区别的可能性及所谓纸币存在的可能性上,才能说明的。

第七节　为流通所必要的货币量

就某一定时间举例说,例如一星期。一个国家,在一星期内为通应流通的必要,究竟需要几何货币存在呢？第一,一星期中,为买进商品的支付,货币是必要的。我们试探求某甲在一星期中买进物品的总数看看。[①]　在这里不能不减去不依现金而依信用的买物之差。再求经过乙手而依信用买物的价格额看看。这时,货币对于债务的支付,又是必要的。而那债务期限是经过那一星期的。再探求那一星期中经过丙手而支付的额看看。于是就不能不减去相互偿还的债差之差(参照前述第四章第五节)。最后再探求经过丁手而互相偿还的支付额看看。

于是一星期中依货币所做的购买及支付工程额的总计。就等甲—乙＋丙—丁。

若是各货币单位,在一星期中只做一次工程,换句话说,若是各货币单位只回转一次,那么,货币只有依上述的公式而出现时,才有必要。在实际上或许并不是这样的。同一的铸货,也有在一星期内回转几次的。商人得以1000卢布,取得一批商品。他能用1000卢布从伯劳买到两匹马。伯劳商人也可以以这1000卢在同一星期内支付别的商人以偿清债务。别的商人又可以以这1000卢布买进某种商品。如这一例所示,同1000卢布,在一星期内回转了4次了。

又如在食堂上同一食器,平均一日为十个不同的客所用,那么,食堂必要的食器之数,只是每日客数的1/10,这是很明白的道理。上述的情形,和这正同。若是货币各单位,平均一星期一次以上回转,例如为D次回转,那么,一星期中流通的必要,比较上述定式所得到的,只要D分之一的货币,即 $\dfrac{甲－乙＋丙－丁}{D}$。

---

① 关联于此的,若是同样商品在一星期中经过几回转移,那就各个的购入,须加进结算中。

流通所必要的币价量 $\dfrac{甲-乙+丙-丁}{D}$，我们就把它称为"流通价值"吧。

不待说，流通价值，(一)在市场的商品愈多，它也愈多；(二)商品各单位平均回转次数愈多，它也愈多；(三)彼此相杀的支付丁愈多，它就愈少；(四)货币各单的回转愈速，它就愈可减少。

第八节　纸　币

纸币的起源，多种多样。有种国家，由商工业信用贷与的手段，变为补充国家财政上不足的手段，其结果，银行券变成了纸币。纸币在起初时，往往为事实上存在银行金库的金属的代表者，或为证券而出现。但到后来，刚才所指摘的金库里可代表的金属消灭了，结果就变为纸币。在别种情形，纸币常直接出现于世上。然而纸币的运命，毫不依存于那些本性，而依存于有流通价值的那些量的相互关系。被流通着的那些量①，若没有超过流通价值，即是没有超过流通所要的金子量，那些纸币并不至失掉它们自身的购买力，可以作为金属货币去流通②（关于纸币价值，没有说明的必要。因为纸币自身不是商品，因此它不能具有价值。纸币流通之时，金子是被保留为价值的尺度的）。

金属货币购买力与纸币购买力间的差异，后者开始于流通着超过流通价值以上之额之时，在这时候，即开始膨胀的现象。

假定流通价值在那时相当于 2 亿。如果纸币仅仅照这个金额发行，那么，

---

① 在纸币本位制多少巩固的时代，纸币也同样化为实物（变为实物，插足于实物界）。只要纸币停止于实物界内，它在流通界是不表现压力的。反之，本位制动摇之时，纸币即从实物界，从安全壁柜、壶、玻璃瓶、长靴之下，急行到流通的运河，增大通货的膨胀。

② 不待说，粹纯纸币本位之某种自然的巩固，在任何情形，都不能成问题。问题是在于流通价值那东西不断地被变化的一点（在俄罗斯，收获实行之时，流通价值最高）。假定流通价值的最小限度相当于 1 亿，最大限度相当于 2 亿，若是纸币发行额比两亿为少，在市场扩大到最大限度之时（引导流通价值到最大限度的其他原因，例如货币流通的滞塞，或者信用消灭的时候）市场就会感到通货的显著的不足（收缩）。其结果，商品价格下落。如果发行纸币比 1 亿为多，就引起通货的膨胀，其时，流通价值下落到最小限度。但这件事，也不是不能用人工的安定的方法，使纸币本位比较的趋于巩固的可能性的（参看前述第四章第二节）。

纸币于对卢布就有卢布的购买力。又假定流通界有 4 亿纸币的发行。即假定其额较以金所表现的流通价值大两倍。发行券两倍的事实,即对印刷于纸币的数字两倍之增加,当然是没有增加市场的商品量。所有纸币卢布在今日只能买到以前所能买到的商品之一半。其余的条件相同时,纸币的购买力低落到 1/2。即商品的价格增加两倍。[①] 这就是说明存在于演流通手段任务的金货于纸币间的差异。金子有多余之时,就流于海外(迫求较廉的商品或较有利的投资方法)或变为实物(钻进实物界)。做一句话说,金子有剩余时,它立即现出远心的倾向,它就从那对于金子评价过少的处所,用全速力逃去。反之,纸币在这种时候,就现出求心性,纸币购力一低落,这些纸币,更不利于做实物。在有变故的膨胀之时,纸币完全不能用为贮藏手段。在这种时候,人们贮藏流通价值减少的商品,以代替纸币。这时候,纸币如起火时的羊一样,不避火反走向火。这个求心性,只是使货币的购买低落趋于尖锐化。

为收入而发行纸币的国家,有时代替纸币的发行或收集军队用的武器、食粮及军需品等,或为城塞的建设或改建,或因建筑物而收集建筑材料及劳动力等,又或以俸给形态,把纸币发给自己的代理人。他们依纸币的援助,在市场征集他们所必要的商品,这样的纸币发行,其性质就是供给国库以某种收入之一时的租税。并且这种租税,不需要征收租税的监察人,不需要行政上的手续,也不需要课税财产的竞卖。因为纸币有这样的能力,所以不将某种商品投入市场而只从市场及出商品的像唧筒一样的纸币制度发生了,又因其有这样的能力,将这制度破坏。常常有的,最危险的纸币的膨胀,是对于印刷机的财政的(因供给国家以收入)纸币增发的结果。拿自己的纸币到市场去搜集实际价值的国家,每因货币购买力的低落,不得已增大其发行额。发行额增大,又使货币购买力再减少。对于这个的唯一救济,就是为谋纸币的流通而停止发行[②],改用其他的直接或间接税。但国民经济因膨胀而愈加强烈的不安定

---

① 实际上,依上述定式的流通价值,与发行纸币量比较以前在一定期间内应支付的债务金额,双方不能不放弃。因为这在支付债务之时,纸币对于卢布还是作卢布用。

② 苏联曾走过这个道程。从 1923 年 8 月,为着流通而发行的纸币,每个月限制为 1500 万金卢布。在近的将来,为着流通而发行纸币将完全停止。

时,这样的办法,也愈加困难。

各人对于各人贩卖商品的价格,用相当提高的方法,努力以求脱离纸币膨胀的租税。结果,纸币膨胀的租税,成为劳动力卖主的最大负担。因为劳动者不容易随着货币价值的低落而提高自己的商品的价格。　膨胀与劳动阶级

第九节　不完全价值货币

照我们上面的说明(第四章第一节),铸造非自由之时(在被封锁的本位制之下),铸货的购买力与其金属价值分离。然则它的购买力,是由什么决定呢? 若干经济学者,称印度卢比银货——其铸造是不自由的——为印刷于银的兑换券。他们的意思,如以为纸币样的不完全价值铸货的购买力,依发行货币量与流通价值间的相互关系而决定,那是正确的,若是在2亿金卢布的流通价值以下,发行这个金额的银卢布以表示所有其他的货币,那么,银卢布纵令它只值得70戈比,也能保持完全的购买力。然若这样的卢布发行到2亿以上,那就它们的购买力,也如过量发行的纸币的购买力一样,全然低落。所不同的处所,只如下述一点。纸币的价值,低到无限(最近数年经验所示,低落到一兆分之一)。不完全价值金属货币的低落,只低落到其造成的金属价值为止(上述用例,对于1卢布,低落到70戈比),照这样,不完全价值铸货,看来好像一半是从金属造出的,一半是从纸造出的。纸币的部分,在膨胀的影响之下,其币值完全低落。可是那金属部分的价值只要金属的生产条件不变,那价值是不变的。

第十节　信用货币

金属货币,是依资本家的社会生产关系之一切自然发生性而产出的,在这情形,纸币的发生,是为货币机能之一,即流通手段的机能。货币的第一主要机能——价值的计量——的实行,只依靠本位制金属。然而商品直接转移的任务,以代用物①即纸币行之,亦可以达到某种程度的成功。

---

① 菊莴苣是咖啡代用物,Saccharine 为砂糖代用物。

关于信用货币,是依别的机能发生的,即依所谓支付手段的机能发生的。这种机能,成为信用之全发展的根据。信用,在实际上,像交换社会那东西一样的有矛盾。例如印花棉布的生产,必要有棉花、染料、机械和煤。印花棉布的生产所必要的这四要素,依所谓私有财产的墙壁而被划分。印棉花属于栽培主,煤属于煤公司,机械属于纺绩业者,染料属于化学工场。

然则信用究竟是做什么？对于这样的划壁的信用关系,是怎么样一回事？一方面,信用好像能绝灭这样的障壁。棉花、煤及染料,不依货币而依信用,无赔偿的让渡于纺绩业者。为私有财产所分离的生产手段,赖信用的援助而相遇了。

但在另一方面,信用又随处拥护着那表面上似是绝灭的这些障壁。购买的人,无论如何,总不能不交付,而且不能不在某一定的期限内支付。在不说何种期限的交换的自然性上,信用是很顽固地努力要记入正确的期限。纺绩业者何时可卖掉印花棉布,何时可得到为支付用的货币,他全然不知道,但在以信用领受棉花之时,却是正确的规定支付的期限的。信用这东西,投之于债务者,恰像小孩以绳系肉,投之于犬一样。犬把肉吞下了,小孩们就牵着狗走。日常生活上的信用的矛盾,表现于破产之时,表现于以信用取得的价值之后不想趁机会再投出或不能投出之时。这个矛盾,在破产为常态而支付为例外的恐慌时,被显得更明白。

信用的矛盾,不能不反映到信用货币特别是银行券上。银行券虽发生于商工业信用化的过程,而以本国的信用商品回转,为自己的支柱,这种银行券,总想以或多或少的"正货准备"之形态,而依据于金子的现金。正货准备之于银行券,正和竞技场玩把戏者之于网一样。玩把戏的,如果失掉平衡了,即向着网突走。银行券的所有者,在他知道任何时可以把银行券换成金属时,他便感觉到非常得愉快,这虽然是我们虚构的问题。通常,银行券只有仅少部分交换现金。公众确信银行券可无障碍的与现金交换,自然不选择携带不便及被摩擦的金货而选择银行券。银行券交换现金的事,只在这交换纯粹以交换为目的之时(把多额的银行券交换金货)实行,或在为支付海外而交换之时实行。但若交换在实际上是对于银行券不信的结果,以及这交换带有民众性质时,通常是停止兑换(例如1848年及1870年的法兰西,1914年的全欧罗巴)。

就英国说,即在前世纪最强烈的恐慌时代,也没有过民众拥到银行去把银行券兑换金货的实例。英国对于银行券的金属准备,比较无论什么事都是有意义的。

这究竟是回什么事?正货准备,只有作为交换基金是必要的。正货准备的要求,是统制银行券发行的手段。这是拘束银行券发行银行,为保管多余的发行,使担负银行券发行之责的。固然,一国的信用制度,在全体愈受有比较多大的信任,银行券正货准备的意义就愈加不要紧。英吉利的银行法,并没有考虑到这件事。英伦银行低度的限外发行(由1844年所谓比尔法律确立的),是由政府对于很自由的银行券发行的恐怖所说明的。然而这种发行,容易享有信用,助成极轻率的投机,甚至造出膨胀的现象。人们所想象的,以为限制信用,可以预防产业的恐慌。在1844年法律未发布以前,所谓银行派(杞维克、佛兰尔顿等)曾指摘过银行券发行,不依据信用工具的必要而依据贵金属现实的贮藏,是如何不利。可是他们的论敌的[①]意见占了胜利,罗巴比尔的法案却被采用了。

不待说,比尔法律不能防止恐慌,反之,在1847年、1858年及1866年的恐慌时代,那比尔法律的效力不能不暂时停顿,认可银行券为限外发行以上的发行。

仅仅在19世纪后半叶,铸造制度与会计机关的一般的发展,在英吉利,使为信用工具的银行券的意义,大大减少了。关于限外发行额增加的问题,也失其尖锐了。

德意志法兰西兑换券发行银行的发行制度,比较更呈活气。其银行券的发行,对于正货准备条件,只要仅少的程度。

摘要

一、全商品世界如个别商品一样,分为两极:使用价值之极印普通商品,价值之极印货币。

（右侧栏注）银行券金属准备的意义

---

① 属于所谓"货币流通"派的经济学者,即李加图、托勒恩斯等。

二、货币的主要机能,是价值的计量和表现。又货币能完成所谓流通手段、支付手段、贮藏手段的机能。

三、在货币上的商品价值的表现,称为价格。价格能够表现价值,或是正确的,或是不充分的,或是有余的。换句话说,价格或与价值同等,或比价值少,或比价值多。

四、为流通手段的货币,把"商品——商品"的交换,分为"商品——货币"及"货币——商品"两个部分。为流通手段的货币,成为商品世界的中心。诸商品间的关系,由货币的媒介而失其偶发性。交换,早就不存在于两个商品所有者之需要与供给的一致。

五、流通所以必要的货币量(流通价值),等于用现金贩卖的商品的价格总额,加上有期限的债务支付额(除去相杀的支付),而以这期间中一切货币单位平均回转数除之之商。

六、铸货的机能的意义(流通上的意义)与铸货所含有的货币金属的实际价值,必须加以区别。前者如果是有完全的价值的铸货,与后者大体一致。前者如果是不完全价值的铸货,比后者为大。最后,在前者被保持的时候,后者的完全消灭的一事,就促使纸币的发行。

七、要使纸币或不完全价值货币,与完全价值铸造比较不至失其价值,其流通额以不超过表现于货币商品的流通价值为必要。不完全价值货币,只低落到真实的金属价值为止。

八、纸币是没有何等限制,为补充财政的不足,而由国库发行的。这些纸币由国库来收回,是毫无保证的。这样的纸币流通,发生过剩的危险(膨胀)。信用货币(银行券),是为谋商工业的信用化而由银行券发行银行所发行的。信用上的商工业的必要,成为那银行券发行的自然的境界。信用货币,依其所表示的信用而支付之时,不能不仍返还于银行。

第八章　剩余价值

第一节　劳动价值法则与劳动力的贩卖

关于交换社会中生产的主要整理装置,即劳动价值法则,上面已经说过了。我们已经看到过靴匠和裁缝、铁匠和桶匠、织工和车匠等,他们都是必要的生产手段之所有者。他们或住在自己的小工作场,或住在市场,或成为商品的生产者,或成为卖主而出现,或成为原料与生活资料的买主,都是交互地存在着。但是我们对于老早过去的问题,暂且不论,这里只观察散在我们周围的事实。

我们走到邻近的资本主义的工厂看罢。这工厂或是用最新的技术构成的? 或是仍用以前的方法转运的? 又,在工厂之中,劳动者的劳动时间是 8 小时或是 16 小时? 又,他们或以鱼类维持生命,或午膳陈列三肴? 这一切的事情,无论怎样,都可存而不论,只有下述一件事,是毫无疑问的。即,在工厂之中,即是一钉一料之微,也都不属于他们所有。那个把构成这工厂的生产手段都结合起来的所有主,在以前工厂还没有移到股份公司时,他静坐在便利的办公室,把电话机放在手旁,无分晴雨,都从事于同样的生产。到了今日如果直接的生者贩卖某种商品于市场时,那就无论什么情形,这商品决不是他的劳动所结晶的商品。资本家对于市场,是主要的卖主,而且是买主。他们不仅需要优良的使用品,并且他们的工厂或工作场,还吸收一切的煤和钢铁,一切的棉花和绒毛,做一句话说,构成着在市场上贩买的商品集大成的一切生产手段,都完全为他们的工厂所吸收了。我们在上面所揭出的"商品——货币——商品"那个定式,早已不是市场的特征,而为"货币——商品——货币"的定式所代替了。如上所述,直接的生产者,不单是产业资本家的姿态,并且还藏着批

资本家的
生产

293

发与小贩商人的姿态。

如果直接的生产者,完全被驱逐于生产手段的市场之外,如果他在使用手段的市场,不贩买一点什么而只购买市场恶劣的东西,那么,结晶于商品的这个生产者的劳动,到底还算是生产的整理装置吗? 又,劳动价值法则,在劳动不仅不是世界的领主,并且也不是市场的领主的处所,还会保持着自己的势力吗?

对于这种问题,不能不明白地解答。

资本家虽是自己企业的组织者(虽常常只是名目上的),却决不是市场的组织者。在资本主义之下的市场,与在简单的交换社会一样,自然性①还是继续的支配着。一般的市场,是不认识经营的主人的。他自己是交换社会的主人。在市场里,只有以自己的血汗养活市场的服役者,才能存在。这些服役者,当市场发生食欲时,他们以发狂的速度,把许多商品投进市场去,等到市场吃饱了而胃纳苦于不消化时,他们又懒惰起来。然则所谓市场的服役者到底是谁呢? 资本家把自己的手,看得太尊重了,不会为市场生产什么东西。为要使资本家之组织的劳动,不妨碍我们,我们更加容易把他完全驱逐于生产者的集合体之外,为要便于切断利票,可以把剪刀给他,今日一切的工作,依雇佣者的手足与头脑②制造出来的股份企业的利润,都流入到他的荷包了。这种事实,在资本主义之下,就是说直接的生产者即是市场真实的服役者。用资本家的社会的名词来说,就可以称他作雇佣劳动者。对于市场成为生产者的他,是一个具有生产者的集合体之全权的会员。

从无到有的路程上的商品的步骤,一概是活的劳动。实际上,技术越是发达,劳动越是为着商品生产选择捷径。譬如不支出打禾的劳动,而先为打谷棒与电气发动机的生产支出劳动;不编织女袜而先制造编物机械。换句话说,即是在生产使用手段以前,先生产机器、原料、补助材料等的生产手段。但是这些"捷径",并不违反价值法则。生产手段与使用手段一样,都是商品。这些生产手段,不能不依自己在市场的交换关系,以表现自己的生产者的社会关

---

① 如上所述,我们知道新提嘉与托拉斯,不是变更这个问题的东西。纵令在结合体的内部,没有竞争,但各种结合体反因此更加鲜明的互相竞争起来。

② 关于支付最多的雇佣头脑劳动者真实的阶级性的问题,下面再讲。

系。只有结晶在这些生产手段里面的社会平均必要的劳动，才能使这些手段成为等量。生产手段，也同样是被消费的，是被消费于生产上面的。因此，这些手段的价值，当消费之时，并不消灭，而是被转化为由它们造成并且借它们的援助而造成的生产物。绒毛的价值，是由农民饲羊剪毛的劳动制造的。纺绩业者把绒毛，补助材料（石炭，涂油，染料等）的价值及一部分的纺绩机器①的价值，转化于纺丝。他把活的劳动和那结晶于原料，补助材料，及机器上的死的劳动结合起来。即是结合新的价值于旧的价值。这样，纺丝的价值，一方面是由绒毛，补助材料，及机器的生产，他方面是由支出于纺丝的劳动量，制造出来的。那用自己的机器变纺丝为织物的织工，把纺丝的价值，和用自己的劳动所产生的新价值相结合的。一部分机器的价值，转化于织物。把织物交给裁缝，缝成衣服，也是经过同样的过程。这样，资本首先是价值的总量。因为结晶于生产手段上的劳动，在社会的意识上虽采取资本的形态，但是问题的本质，并没有变更。资本的各要素，只要有劳动结晶在它的当中，就是这样的。如果能够造成一种生产是由资本所调剂的幻影，那么，社会劳动之结晶物，就采取资本的形态了。在资本主义之下，劳动价值，很明显的是存留为生产的整理装置的。不仅是那一点，我们后面还要讲的，只有在资本主义之下，劳动价值法则和现存于资本主义的矛盾，才成就必要的运动与发展。

第二节　价值界限内的剥削

在奴隶所有的社会里，剥削生产者的方法，是简单而且明了，奴隶所有者，用鞭笞强制奴隶，使用奴隶为他劳动。主人夺取奴隶的劳动生产物，只换以维持生活所必要的东西。换句话说，主人以直接的强迫，夺取奴隶的剩余生产物，只留点必要的生产物给他。在交换社会中，组织的剥削，似乎没有存在的余地，主人与奴隶的关系没有了，只有购入与贩卖的市场关系。似乎只有价格与价值有偏差时，剥削才有可能。市场的条件，假如强迫含有 150 时间社会平

---

① 例如纺绩机器，从开始使用至完全不能使用为止，假定可以制造 20 万波特的纺丝，那么，每 1 波特的纺丝，应该含有 1/200000 的机器的价值。

均必要的劳动的货车,与仅含有 50 时间的同样劳动的错罗托尼支的黄金相交换时,这种契约,很明显地对于采金者及其他金所有者,是有利的,而对于车匠,是不利益的。但是这样一来,希望做车匠的人,不见得很多,金所有者对于他们,不见得常常可以为组织的剥削。第一,简单的原因,就是人们感觉必要的货车的数目,事实上,是受限制的。① 第二,因为车匠这样手工业不利益,或是使许多车匠,离开这种职业,或是濒于死亡的饥饿,致使他们的数目减少,因此,这种手工业,就复变为有利了,在交换社会的条件之下,某生产者变其他生产者的组织的剥削,以及生产者被非生产的分子的剥削,这些事实,好像没有存在的余地。可是,事实上,适得其反。交换关系并不灭绝剥削,反而使它尖锐化;并不灭绝社会阶级的分化,反而使阶级的矛盾尖锐化。市场不单是助长货物在社会的交换,并那分为生产者与剥削者之社会阶级的构造更加尖锐化。这是什么原因呢? 市场不知有所谓人种的特权及身份上的特权,就市场说,没有“谁”的问题存在,只有“要什么”、“多少钱”的问题存在。然则这种市场何以有成为组织的阶级的剥削之工具的作用呢? 在市场的关系上,迫得劳动阶级为剥削阶级、资本家及土地所有者而劳动,只能得到维持劳动能力所必要的东西,而不能不把自己的劳动全部生产物交给这些人,像这种构造,实是狡猾之至。

但是这种秘密,经马克思解剖以后,极其简单。市场只知道价值的一个名辞。市场用这个名辞翻译一切的东西。生产物成为价值时,剩余生产物必须成为剩余价值。但问题却不在于名称的变更。交换的矛盾,造成了一种取得剩余生产物的新方法。在交换社会中,一切人都是买主。但是购入,必要成为等价。等价只有依贩卖的方法②,才能获得。因而在交换社会中,一切人又必须成为是卖主。但因为要贩卖,就不能不生产,或取得他人的生产物。可是因为要生产,又必要生产手段。生产手段,在社会主义的社会以前,只是支配集

---

① 不待说,金的所有者,因为要卖买这些东西,可以利用廉价的货车。但商业的目的,是在利润。商业的流通之形态,不单是“货币——商品——货币”。第二的货币,必须较大于第一的货币,否则,一切的行为,便失掉它的意义。货币不能不产生利润。但货车的价值,在原则上,不依车匠贩卖,而只依商人来贩卖,是不能增大的。何以能组织的受取利润? 这个问题,现在我们要来解决。依利润而生活的全社会的阶级,何以能够存在呢?

② 我们现在对于以直接劳动获得货币的采金者,不当作问题看。

合体各部分的全集合体之存在的基础。然则社会的某种人员，既没有生产手段，又没有取得他人的生产物之可能性，像这样的人能够贩卖什么呢？在他只有一件事存在，即是自己的劳动能力。他只能把自己的劳动力，变成贩卖品，变为商品。如果牛酪农场的经营主，把牝牛看作是生产牛乳的机器，那么，交换社会就是把那些离开了生产手段的人员看作是生产劳动力的机器了。

劳动力是商品

　　商品是必须有使用价值的。然则"劳动力"这个商品的使用价值是什么呢？要回答这个问题，先要观察买主怎样使用这个商品。买主引诱卖主到某场所，并且在那里，使卖主不能不在劳动的过程，流出劳动力。劳动，那是劳动力的使用价值之名称。在这种情形，劳动并不是从那造成长靴肥皂或蜡烛等具体的方面，表现出来的。劳动力的买主，对于生产那东西，并没有利害关系。在那里，只表现着由交换社会的劳动力之一般的贮水池流出来的小流的劳动，即以价值的形态凝结于生产之抽象的劳动。买入劳动力时，以领受新的价值来替代那预支的价值，这才是资本主义真实的目的。不待说，新的价值，当然是在以前的价值之上。如果不然，便失掉买卖的意义。在生产力的条件，只能养活直接的生产者而没有剩余生产物存在的社会之中，一般是没有剥削者，特别是资本家没有存在的地位。我们的资本家，不单是为着工蜂，并且是为着雄蜂，而住在充满蜂蜜的箱子里。若果与我们的资本家有关系的直接的劳动者，从质的方面说如不是属于中等以下的标本，那么，他的活的劳动生产物，有以区别为必要与剩余两部分。取得剩余部分的方法，是被那变劳动力为商品的一事实所注定的。实际上，劳动力这个商品的价值，与一切价值一样，它的生产，是依社会的必要的时间所决定的。换句话说，劳动力的价值，是必要生产物的价值。支付劳动力的价值这句话，到底是什么意义呢？这就是支付必要生产物的意义，即支付劳动者的衣食住的意义。所谓利用劳动力的使用价值，到底又是什么意义呢？这就是取得劳动的全生产物的意义。资本家领受全生产物的价值，只给予必要生产物的价值，而完全无偿地领受剩余生产物的价值，即剩余价值。在剥削者方面看来，早已没有鞭笞之必要了。资本家对于他用完全的价值①买来的这个劳动力，能够"为忠实的感谢"以支付的。这样，他

---

　　① 我们后面还要讲的，他不做这种事情。

就完全无偿的领受剩余价值，即领受生产物的价值与支出于这个生产物的劳动力的价值之间所存在的差额。

第三节　资　本

诸君要买酒的时候，无论诸君愿意与否，总要注意到酒壶。劳动力也是一样，仅仅买一个，是不行的。一定要有一种海绵，以及收高价的劳动之湿气，不使它有无益的流出，生产手段——即工具，原料补助材料，对于这种海绵是有效用的。这些东西吸收劳动，而劳动又把这些东西变成新的生产物，并且附加新的价值于这些东西。劳动者因为他自己由生产手段的所有被解放出来，所以提供劳动力于市场。资本家因为他同时可以买到他必要的生产手段来使用，所以购买这种商品，牡犊住的牛栏，比牡犊的价值还高，这是常有的事。但只有牡犊能够成长，牛栏是决不会成长的。资本家只渴望着到了他手中的社会力——即价值之成长，他购买生产手段，是不得已的。这些生产手段的价值，是不能成长的，好比小儿吞入的铜纽扣一样，那价值虽渗入生产过程中，但仍旧由生产过程出来，原料及工具被消耗了的部分之价值，只是被转化于生产物。能够成长的东西，只有资本家对于劳动力的购入而垫付的价值。更正确点说，做工以后，才领受自己的工钱的劳动者，就是先借给于资本家的价值。

一部分的资本，因其他的部分能够成为长，不能不牺牲而消灭。又有一部分，因其他的部分才能开始买入劳动力，就不能不开始买入生产手段。一部分的资本，因为其他的部分能够成为可变的量，所以不能不看作不变的量，于是资本就被分为不变与可变的部分。资本的不变的部分，支付于生产手段，其可变的部分，支付于劳动力。①

直到马克思才发现的这种区别，资本家是完全不知道的。在他看来，一个卢布，和别个卢布，是同样的价值。但是狼即今不知道它的齿是被区别为大齿、牙、根齿，却常常正确地保有自己的齿。资本家也是一样的，他并不想考虑

---

① 马克思因为要为简单的表示，用 C(Constant)表示不变资本，用 V(Variable)表示可变资本，用 M(Mehrwert)表示剩余价值。

他所有的卢布区别着自己的职务的问题,他只知道他的资本是逐渐生长下去这一件事。他真正相信:这个最愉快的过程,不仅是使得那给了劳动者5戈比的那一部分的资本膨胀,而是使得全部资本膨胀。他的资本膨胀了,他似乎饿得很厉害的样子,饮着为价值源泉的劳动力。但是在资本家看来,好像他的资本,把价值的源泉,拿到自己的内部即自己无底的大腹中去一样。

资本的变型(形相的变化),当它以货币的形态,出现于市场时,就开始了。资本就以生产手段与劳动力这种商品形态,从市场走出去了。资本家完全由卖主取到生产手段了,这种事情,对于劳动力,不能这样做。资本家是要把这种劳动力和那卖主的劳动者,一起引到使用的场所的。这种事情,正和为了自己的乳儿而购买妇人的乳,就要连同那卖乳的乳母一起引到育儿室一样。

但劳动使用的范围,即是生产的范围。在那里,劳动者把持生产手段(不是在法律上而是在技术上),对于这些生产手段,进行一系列的便宜的机器上或化学上的变更。在那里,生产手段又把持劳动者,由劳动者方面,绞出他所卖出去的劳动力。生产手段与劳动力合流,……于是资本主义的世界之神秘,就完结。探取了生产的形态之资本,完结成长的过程了。……从这过程出去的资本,再变为辉煌的非个人的货币形态,为投入于新的循环而出现于市场。

资本家不问把资本比喻为商品形态、生产形态或货币形态,他只注意一件事,即价值、货币。即令第一回,资本由生产方面,以1000双的长靴之形态出现,第二回,就是2000双的形态出现,但这种事情本身还是不适合于资本家的。因为在这期间,长靴低落三倍的事情,也是有的,这样,不徒没有增殖价值,反而得到减少的结果。在资本家看来,他的资本之自然形相,是不重要的,重要的只是价值的形相,资本的静止,是不重要的,重要的只是它的运动。资本不是机器、烟草,也不是石油,而是价值。但成为化石的价值,不过是实物,却不是资本。被结晶于价值形态的死的劳动,开始把捉活的劳动,这样,价值得到自己增殖的时候,它才成为资本。价值于资本,不过是社会的关系。同等的生产者之社会的生产关系,是被表现于商品的价值。所谓资本,是变为劳动力的卖主的生产阶级与以购入劳动力的方法掠夺剩余生产物的阶级——即资本家阶级间关系之表现。

关于商品的两极,即使用价值与价值间存在的很深的矛盾,我们最初在前面讲过了。在商品的劳动力里面,使用价值与价值间存在的矛盾,已经探取了一定之价值的表现。

这种矛盾的生产物,是采取剩余价值的形态的。想得到剩余价值的希望,是进行生产唯一的发条。像上面的那种东西,即是商品的矛盾之原动力。

第四节　超越剩余价值

商品以自己的"个别的价值",由生产界出现于市场。在他里,商品产生平均的市场价值。假定工场主甲把含有 25000 小时的劳动的 1000 双长靴供给于市场,那么,一双长靴之"个别的价值"是被决定为 25 时间。但是社会对于一双长靴,或许平均只支出 20 时间,那么,甲的一双长靴之"各个的价值",全体上,是 5 时间在长靴的市场价值以上。

有"个别的价值"与商品之单位,因为得不到利益就被搁置了。反之,用市场价值以下之"个别的价值"而容易出现的商品之单位,就给资本家以超越剩余价值。这种超越剩余价值,在资本家方面,是最蛊惑的东西。它不仅约定对于他的资本给以愉快的增殖,并且还使他成为市场的主人,使他能在市场价值以下,出卖商品,得到利益。

如果生产界是资本家和劳动者的斗争舞台,那么,市场就是资本家与资本家的斗争舞台。这个斗争的胜利,是依着谁能实现更多的剩余价值一事而决定。

我们知道,以前一方面追求价值,同时,变为追求超越剩余价值,现在却都变为想追求超越剩余价值了。

道路只有一条。我们前面已经讲过,价值是劳动生产力之逆的指数。劳动愈加是生产的,那么,对于商品各单位,劳动时间的消费更加减少。关于生产力的发达这个问题,实际上并不感觉兴味的资本家,在技术上的进步之车上,备好了马,曳着车子向前方走。实际上,他特别曳着这车前进。资本家要发生超越剩余价值,必要有两个条件。第一,他必要实施多少的改良,以增大劳动的生产力。第二,这种改良,必须是他的竞争者所没有实施的。我们的资本家,总想努力把技术上得到进步的车子,拉到自己的马车间里,加上 7 个锁,紧紧地关在里面,但是别的资本家,同样的期待这种事情,结局,在一局部发生的劳动生产力一切的向上,就普及于那产业部门的全战线。

虽说如此,一切劳动生产力的增大,不能都认为有利于资本家。假定敷设铁道,用资本主义的方法,实行土木工事。因为这个目的,要供给 200 个土工,每日 10 时间,一共 300 天,才能竣工,换句话说,要支出 60 万时间的劳动时间。又假定供给一个机器于道路的"营造者",须用 10 个劳动者,同样做 300 天,完成同样的工事。在这种情形,机器那东西,含有 50 万时间的劳动。为要实行这项工事,那件机器,恰是够用,这项工事完竣以后,那件机器,就变成无用了。这种事情,就是表示这种土木工事,需要 50 万时间和 $10 \times 10 \times 300 = 30000$ 时间,合计 53 万时间。那么,就是表示 $600000 - 530000 = 70000$ 时间的节约。然则资本家同意以这种机器替代劳动者吗?决不同意的。为什么呢?因为只是与劳动者有关系的他们,不是支付劳动,而且支付劳动力。即使我们说在 60 万时间里面,他们无论在什么情形,都没有支付到 30 万时间以上,这是没有错误的。但是机器的价值,他们是不能不全部支付的,因为别的资本家,已经从这种机器,取去剩余价值的果实了。于是成了如下的计算:在不采用机器的劳动之下,不能不支付 30 万时间。在采用机器之时,就不能不支付 $500000 + \dfrac{300000}{2} = 515000$ 时间。从社会的劳动之见地看来,机器给了 7 万时间的利益。从资本家的见地看来,机器给了 21.5 万时间的损失。从全体讲来,资本主义在其发展的途上,只有使生产力发达到某种程度,但在这种限度以上,资本主义由助成者变为制动机了。

不利于资本家的改良

第五节　绝对的及相对的剩余价值之生产

如读者诸君所知,超过剩余价值,确实是代表不安定的收入。促进改良的那种改良,一旦普及于一般,它就马上会消灭。

但技术的发展,与资本以更确定的利益,这是基于如下的理由。无论怎样的剥削者,剥削被剥削者的全劳动日,是不可能的。剥削把劳动日分为必要与剩余两部分。必要时间中,生产者为自己而劳动,生产生产物之必要的部分。

这必要的部分,直接或在交换后,为着他的劳动力的再生产,给以一切必要的东西。剩余时间中,他为雇主而劳动,这不是因为他的雇主有奴隶所有者,封建诸侯或资本家的名称,而是为他生产剩余生产物。如马克思所述,只有以下的不同之点:即在奴隶方面,劳动日被支付的部分,好像没有支付一样;在劳动者方面,没有支付的部分,好像支付了的一样。可怜的农奴,一周间,在自己的耕地,工作 3 天,在地主的土地,工作 3 天,必要时间与剩余时间的区分,毫没有罩着假面。

榨取率在一般的剥削者,特别是在资本家,有两件开心的事。第一,尽可能的,要把生产者的劳动日延长。第二,尽可能的,要把必要时间缩短。无论哪一种,剩余时间的延长,是伴着剥削率即剩余时间对于必要时间的比例之增大。这种关系,在资本家的生产上,是采取剩余价值与可变资本之比例的形态的。①

劳动日恰如一根丝,资本家保持一部分,劳动者保持其他的部分。资本家首先引长这丝,尽可能的,引长自己一部分,以后,尽可能地,残留一小部分于自己的敌人。

绝对的及
相对的剩
余价值这样,资本家有两个增殖剩余价值的方法。(一)尽可能的,延长劳动日;(二)减少劳动力的价值。在第一的方面,我们依照马克思的术语,以绝对的剩余价值之生产为问题;在第二的方面,我们以相对的剩余价值之生产为问题。

资本家因为要生产这种相对的剩余价值,必要有技术的援助。以劳动者对于采热及灯火支出的项目为例罢!一年之中,劳动者所必要的这处薪柴、暖炉的修缮、灯油等假定体现 150 时间社会必要的劳动。并且假定该国劳动者都使用中央发电所的电热与电气。那么,各劳动者住宅的采热与灯光,现在,一年中,只体现 75 时间。劳动力的价值,一年间,减少 75 时间,如果一年的劳动日,全数以 300 尺计算,那么,一天就减少 15 分。于是必要时间,减少 15 分,剩余时间就增大了。

这样,必要劳动时间,因织物、长靴的生产方法、岩盐的采掘与运搬等改善

---

① 剥削率是 $\dfrac{M}{V}$。劳动力每日的价值,假定是 1 卢布。劳动日中,附加于生产物的价值,是 2 卢布。这种事情,表示剩余价值是 1 卢布,剥削率是 10＝100%。

的结果而减少,同时,剥削率因此而增大。

这样,在满足劳动者的需要之生产部门,劳动生产力的增大,是增大剥削率,给以相对的剩余价值。

技术的进步,更加广泛地,为那些能力不足的劳动以及还没有成长的劳动力,为妇人与儿童,开放着工厂的门户。 妇人及儿童的劳动

我们再以相对的剩余价值的源泉,作为问题来研究,这问题的本质,不单是妇人及儿童之力,较低廉于男子之力。更其重大的,是劳动阶级的再生产这一件事,带着其他的性质。养育未来劳动者的劳动者之妻以及这些未来的劳动者,都被变为现在的劳动者了。妇人以及抚养儿童的价值,由家庭之父的劳动力之价值计算而被抹杀了。结果,再表现出为必要劳动时间的减少与剥削率的增大。

使用在牧马场的牝马之力以上的劳动及过小的青年劳动,是一种损失。但这种事情,是因为除掉饲养马匹以外,没有别的方法,可以得到马匹。在劳动阶级一方面,问题是不同的。如果儿童的劳动,根本上把他们的力浪费了,那么,在儿童方面,这是不好的事情,资本家也有多少不安。但是劳动阶级的再生产,不单由内部才有可能,即是由外部也是可能的。劳动阶级吸收由农民及小资产阶级分化出来的各要素。他们是急速地补充着逐渐减少的世袭的无产阶级的阵列的。

如我们所知,在资本家的社会,技术的进步之动力,也是采取价值的表现。社会在其与自然的斗争上,决不努力增大自己的力量,好像只有价值,向着自己增殖前进。但在那里,却表现出使用价值与价值间存在的矛盾。技术的进步,不减少商品的使用价值,往往还使它增大。不仅这样,机械的织机之实施,不仅要使以后被制造的印花布低廉,并且要使以前被生产的印花布低廉。新机器的实施,同时,减少旧机器的价值。将来资本增殖有增大的希望之一切改良,是伴着已经存在的资本之价值的下落。

摘要

一、因为以取得剩余价值之目的,想在劳动的过程,利用劳动力,所以购入劳动力,这种事情,是构成在交换社会剥削的基础。

二、剩余价值（M）是劳动力的价值与在劳动过程被制造的生产物的价值之间的差异。

三、劳动力的价值，等于其生产所必要的使用手段的价值。

四、因依着购入劳动力的方法，想取得他人的劳动生产物，故企业家不能不先付生产手段与劳动力的购入手段。先付的价值，在剩余价值与他结合时就增大起来。用取得剩余价值的方法而增殖的价值，名为资本。这样，因为要取得剩余价值，资本就成为必要。劳动力的买主，不能不是资本家。

五、生产手段的价值（这是不变化而转移于生产物的），构成不变资本（C）。劳动力的价值，——在劳动的过程，因此得到从新被造成的价值，并且只有这种价值，特别进行增殖的作用——，名为可变资本（V）。

六、劳动者为劳动力之价值的再生产所支出的劳动日之一部分，构成必要劳动时间。他为生产剩余价值所支出的劳动日之一部分，构成剩余劳动时间。

七、剩余价值对于可变资本的关系，同样，剩余时间对于必要时间的关系，构成剥削率或剩余价值率。

八、剥削率或因劳动日的延长（绝对的剩余价值之生产），或因必要劳动时间的减少（相对的剩余价值之生产），可以增大。

九、必要劳动时间之减少，依下列二事而成就：第一，劳动者的剥削率增大着的生产部门中劳动生产力之增大；第二，引诱劳动妇人或儿童为雇佣劳动。

十、如果企业家，在自己的地方，能够提高劳动的生产力在通常（社会必要的）率以上，那么，他的商品，可以实现超越剩余价值。因而这种超越剩余价值，在成就了的改良一经普及而成为一般的时候就消灭。

十一、想获得超越剩余价值的希望，是资本家社会中改良技术的唯一有力的原因。

第九章　利润、生产价格

"剩余价值,经过几多的细流,流入于支配阶级的荷包。一部分入于资本家自己之手,这就是利润。一部分入于土地所有者地主之手(地代)。一部分以租税的形态,被资本家的国家征收。其余的部分,入于商人,小商人,教会,酒馆,艺术家,俳优,资产阶级的著述家之手。资本主义制度豢养的一切寄生虫,均以这种剩余价值生活着。"①

首先来说利润。

第一节　剩余价值率及利润率

由劳动者取得剩余价值,与取得剩余价值,问题是不同的。为资本家所剥削的劳动者之数,与资本家的资本,全然不成比例。假定甲乙两个资本家,同时创设企业。甲创设啤酒酿造工厂,乙创设糖果工厂。各投资 10 万金卢布,两个资本家,对于自己的劳动者,平均 1 日,支付 1 卢布。劳动日是 10 时间。工作的紧张程度是同一的。做一句话说,两方面的剥削率,是同一的。现在假定劳动者因为 1 日劳动力的再生产所要的一切,含有 5 时间社会平均必要的劳动。因此,劳动日可以分为 5 时间的必要时间与 5 时间的剩余时间。剥削率等于 100%。领受 1 个卢布的劳动者,制造 2 个卢布的价值。他每日的工作,给了 1 个卢布的剩余价值。但是甲的啤酒酿造工厂,有 50 个劳动者,乙的果子工厂,有 75 个劳动者。前者每日剥削 50 个卢布的剩余值,后者多剥削 25 个卢布。一般说来,对于劳动,为同一的支付,在同一的剥削率之下的企业,

---

① 布哈林、普列布拉善斯基:《共产主义的 ABC》。

劳动者愈多,就得到愈多的剩余价值。因为只有劳动者是剩余价值的源泉。

但经验告诉我们,产业的企业之收益的程度,不以从事于工厂的劳动者之数为转移。有50个劳动者的啤酒酿造工厂,能给那所有主以与使用75个劳动者的糖果工厂同样的利益。烧砖工厂为适宜的组织,只有极少的劳动者,从事于工作,但是比较使用多数劳动者的某制绳工厂,还要得到更多的利益。如果一切企业家,能够从劳动者所剥削的一切剩余价值,都归于自己之手,那么,这种事情,是不可能的。这种事情,是表示从劳动者所剥削的剩余价值,在某企业家资本家之间,进行某种再分配,或进行某种分配。这种事情,是怎样发生的呢? 现在来说明罢!

资本家首先对于剥削率(剩余价值对于可变资本的比率),没有利害关系,而对于利润率即在他手中的每年的资本增殖对于全资本的比率,是有利害关系。如果我们的啤酒酿造业者,投资10万卢布于企业,经过三个月,得到10.45卢布(房屋、机器、原料、商品或现金,是一样的),那么,可以判断他在三个月间,得到4500卢布。这种事情,是说明他以10万卢布的资本,一年间,得到18000卢布。这种事情,是说明每100卢布,一年相当于18卢布,换句话说,是得到18%的利润率。但资本家对于这事,全然不知道剥削率,或同样的不知道由于单把剩余价值和可变资本对比所得到的剩余价值率,例如啤酒酿造业者,相当于100%的剩余价值率,他是不知道的。

为什么100%呢? 资本家一定提出这样的抗议。被支出于机器或原料的卢布,果不是同一的卢布吗? 这些卢布,不可以给自己以利润的分配吗?

实际上,如果只有对于劳动力的购入所支出的卢布,才能剥削出剩余价值,那么,各卢布,就是可以分取已剥削的剩余价值的了。问题是如次。

某产业部门,例如衣服业,假定它开始供给高率的利润。那么,立刻那些探求供给的新的资本,就向着那里来,信用也流入到那里来,新的衣服工厂,被创设了,许多做好的衣服就投出于市场。于是做好的衣服,供给超过需要,不能不在价值以下贩卖,高率的利润,怎样能存在呢? 反之,某产业部门,只能得到少许的利润时,无论哪一个新的企业家,就不肯伸手于这种企业,然则那以前的企业家,也只单是继续维持现状罢了。像这种产业部门,就渐渐地只有少量的商品供给于市场了。结果,对于这些产业部门的生产物的需要,就超过供给。这样,价格腾贵,利润也同时增加了。这种资本的转移,即资本从利润较少的地方向着利润较大的部门的移动,是造成在许多产业部门中利润均衡的倾向,即平均利润率①的倾向。

大体上,资本家因为实现他自己的商品,因为要以资本的商品形态,变为货币形态,在到处的市场相会而互相竞争,就把超过利润平均率的剩余价值的残余物,彼此分取了。

我们必须把剩余价值看作是资本家之某个全阶级的基金。② 在一切企业部门所取得的剩余价值,恰像由资本家阶级的共通之釜出来的一样。这些资本家的各个,就以利润的形态,由这釜取得自己的部分。如我们所知,这样取得自己的部分,是伴着拼命的斗争的。这种斗争,首先表现在竞争的形态。但资本家的力量,不在拳头,而在卢布,是一个人的资本与别一个人的资本相竞争,不是人与人的竞争。所谓资本,好像是资本家的军队一样,卢布好像是这军队的战士一样。劳动者依照资本家的命令,虽只是为自己而劳动,可是在资本家看来,是他的卢布,在那里劳动。因此,他不是依利润的绝对的大小,来评价他到手里的利润,而是关系于自己资本的卢布额与他们劳动者的"劳动"时间数,来评价的。

资本家不仅是资本家的市场唯一的一卖主,并且是其主要的买主。他购买构成全贩卖物 9/10 的生产手段。资本家及以资本家的食棹上残余的面包为生活人们,购买大部分的使用手段。劳动阶级的购买力,为社会的总资本中可变资本的大小所限制。这样,如果竞争诱起价格的低落,为卖主的资本家,就因而受损失,那么,为买主的资本家,就因而到得到利益了。竞争对于资本家阶级,不是减少许多的利润,不过是更均等的分配其利润罢了。

第二节　固定资本与流动资本、资本之有机的构成

马克思发现资本可以区别为不变与可变两部分。此外还有固定资本与流

---

① 我们不过单就倾向说明,因为事实上,各种产业部门及同一部门及各种企业,常常表现显著的利润之不均等。

② 在这里,我们是把土地所有者的地代除开,来考察剩余价值的。

动资本两部分的区别,这是一切资本家的都知道的,并且还有多少的理解。我们拿某生产过程来看罢!假定现在有纺绩工厂的纺绩部用全速力在那里运转着。劳动力、原料(棉花)、补助材料(煤)、机器、房屋,都掺和于这过程。这过程完毕以后,参加于这过程的棉花,煤、劳动力,都早已不存在了。实际上,只有以棉花直接到生产物的棉纱上。诸君在棉纱上,虽看不到一破片的煤,但煤却使棉纱继了自己的价值。这样,参加于生产的劳动力,原料及补助生产物,都完全被使用了。机器及房屋,问题是不同的。这些东西,在生产物出了工作以后,还是残留在工厂,不过渐次消耗罢了。由工厂出去的棉纱的各波特,不过从这些东西的价值①,拿去一小部分。由棉纱得到的货币,只把被消耗的房屋及机器的小部分价值,渐次还给资本家。

劳动力、棉花、煤,是流动资本的各要素。机器、建筑物,是固定资本要素。流动资本的各要素,在生产过程,每一面,都完全消灭。固定资本的各要素,渐次被消耗,这些东西的价值,一点一点地移入于生产物的价值中,一点一点地还到资本家的怀中。

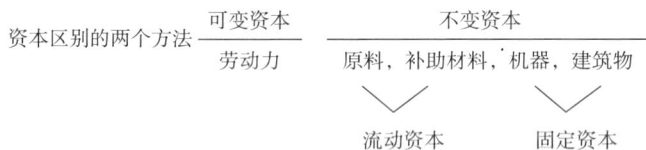

资本区别的两个方法————
可变资本
—————————
劳动力

不变资本
————————————————
原料,补助材料,机器,建筑物

流动资本　　　　固定资本

资本家因为要说明他手中的利润率,把利润与资本对比的时候,他不仅注意这种流动部分的资本。并且与流动资本一样,注意含有固定资本的自己全体的资本,这是自明之理。例如上述的啤酒酿造业者,我们知道他以自己10万卢布的全资本,来除18000卢布的年利润。虽然在这金额的构成中,被消耗的,并且每年未经更新的建筑物和机器的价值,也加入在里面。

在各种的生产部门或同一部门的各种企业中的资本,是被用种种的形态,区别分为不变部分与可变部分。可变资本对于不变资本的关系,称为资本之

————————

① 出一个题吧,工厂的房屋,建筑之后,有50万卢布的价值。工厂每年平均有110万方埃(Archine 俄国面积度名)毡呢的出品,房屋的修缮,平均每年5万卢布。经过50年,房屋只有4万卢布的价值。房屋表现于货币的价值,每1方埃的毡呢,有多少呢?

有机的构成。

更明白点说,例如 500+50∧ 或 900+10∧ 那样,把每百卢布的资本,分解为不变部分与可变部分来看罢! C 愈大,资本之有机的构成愈高。

更以具体的数字,举出一例,说明资本之有机的构成。假定啤酒酿造业者的 50 个劳动者与使用人,平均每月得 25 卢布。再假定啤酒平均的流通期间继续两个月。① 在这时候,这种啤酒酿造业者的可变资本,就要 2500 卢布(25×25×2),即他在两个月间,需要那和支给自己劳动者及使用人金额相等的金额。这种可变资本,在商品贩卖之后,每两个月,归还于他。他就再拿这种资本来运转。如果我们在上面述过他有总额 10 万卢布的资本,那么,这就是说他有不变资本 100000 卢布−2500 卢布＝97500 卢布。他的资本每 100,当有 97.50 与 2.5V。依以上引用之例,在劳动者之数是同一的时候,回转愈急速,可变资本,愈加可以减少。如果这个啤酒酿造业者的回转期间,相当于一个月,他只要 1250 卢布的 V 就够了。

在上述那样的可变资本之下,回转愈急速,劳动者之数即被剥削的剩余价值之量就愈大。这样,烤面包的人——他的资本,例如每三日回转一次——在 300 卢布的可变资本之下,可以维持每日支付 1 卢布的劳动者 100 人。其次,农夫——他的资本,一年只能回转一次——在同样的 300 卢布的可变资本与同样的工资之下,仅仅只能支付一个劳动者。

要决定在这种企业一日收得几多剩余价值,就不可不知道以下的事情,只要知道这些事情,也就够了。即(一)劳动力每日的价值,(二)剥削率,(三)劳动者之数。劳动者愈多,而其他条件是同一时,剩余价值就愈大。这也和其他条件是同一时,牛乳应牝牛之数而增加的情形,完全相同。但如我们所知,劳动者之数,是依可变资本的大小与回转的速度为转移。这种事情,是不是说明资本之有机的构成低下(V 比较的大),或回转更急速的企业最为有利呢?决不是这样,那样的企业,不过对于资本家的全阶级的釜,注入大的剩余价值罢了。为竞争所统治的利润,在平均的资本之下,或许资本家的农夫的利润比

① 回转的时间,含有(一)商品被生产的时间(生产期间),及(二)商品为等待领受货币而流通的时间。

烤面包店主人的资本家,更为低下。

因为资本之有机的构成的低下与回转的促进,是影响于同样的倾向(劳动者数之增大)。我们为要把问题弄得简单起见,所以想再在这章,单说有机的构成之差异。

第三节　生产价格

假定某公司的全资本,相当于300①,这种资本,关联于有机的构成,可以区别为如次的三部分。即

1. 70 不变资本+30 可变资本＝100

2. 80 不变资本+20 可变资本＝100

3. 90 不变资本+10 可变资本＝100

又假定全资本不区别为固定资本与流动资本,一年为一回的回转,剥削率为200%。一年的生产物,构成如次。

1. 70+30+60 剩余价值＝160

2. 80+20+40 剩余价值＝140

3. 90+10+20 剩余价值＝120

但因为竞争把一切的剩余价值(60+40+20＝120),变为对于全资本的平均利润(120＝40%),所以市场价格,不趋向直接价值,而开始趋向新的姿态,即生产费的总额(不变及可变资本)加上平均利润。这种姿态,名为生产价格。

生产价格

这样,一年生产物的生产价格,构成如次。即

1. 70+30+40＝140(生产价格比价值低 20)

2. 80+20+40＝140(生产价格与价值一致)

3. 90+10+40＝140(生产价格比价值高 20)

第二的资本之有机的构成,与全社会的资本之平均的有机的构成,是一致

---

① 百万也好,十亿也好,都是一样的。

的,这种事情,特记在这里吧!①

在第二的资本,生产价格何以与价值一致呢? 这是因为那有机的构成,是与社会的资本之平均的有机构成相一致的缘故。

在第三的资本,生产价格何以比价值,高 20 呢? 这是因为资本相当于 10,比较平均每 100 的必要,在自己的手中,握着更少的剩余价值的供给者即劳者的缘故。这种资本的自身,不剥削剩余价值,它从比较平均的劳动者所出的更多的第一的资本,受取这种剩余价值。

在第一的资本,生产价格何以比价值低呢? 现在,也同样的,完全明白了。于此,第三的资本,因为要使自己的利润平均起来,伸出自己的手了。

结论

(a)在资本之平均的有机的构成之下,生产价格和它的价值一致。(b)如果资本之有机的构成,较低于平均,那么,生产价格就较低于价值。(c)如果资本之有机的构成,较高于平均,那么,生产价格就较高于价值。(d)在社会全体的总资本看来,利润额与剩余价值额是一致的。② 因此,生产价格与价值,是一致的。

依自己自然发生的欲求想生产超越及相对的剩余价值的资本,它自己就陷入矛盾。不变资本的各种要素,如机器、原料、补助材料,愈加从工厂驱逐剩余价值的源泉即劳动者。资本之有机的构成,就增大起来。对于每 100,可变资本,愈加减少起来。在利润的定式 $\dfrac{M}{C+V}$(剩余价值,分为先付的不变资本与可变资本),分母愈加增大,因为第一项 C(不变资本)不断地膨胀的缘故。实际上,分子也增大起来。因为剥削率增大的缘故。但是如果剥削增大到百分的几十以上,每一个劳动者所必要的机器。原料及补助材料的价值,也就要增大百分数,如果资本家的每 100,与羹匙一样,可以吸取利润的所得,那么,羹匙之数,比利润之大,更加急速的增大。在那里,利润对于各组,愈加减少,

---

① 70+80+90=240 不变资本,30+20+10=60 可变资本,240÷60=80∶20。

② 关于土地所有者的所得(地代)问题,我们暂置不论。

利润之大虽增加,利润率却低落下去了。

与劳动生产力的增大,相关联的利润率的低下和商品的下落——这一切的事情,使利润的甘露减少。各个的商品,对于资本家,就预约这种甘露。[①]这样,对于利润的渴望,就愈加增大。资本愈加不能不投出多数的商品于市场。于是市场就往往苦于胃纳的不消化。有时候,销路的恐慌,甚至动摇资本家的生产之基础,暴露其全体矛盾。

第四节　商业利润

商业资本比产业资本更早。商业资本不是从直接的生产者夺取或购买劳动力,而是夺取或购买生产物。但纯粹的商业资本,等到生产这东西成为资本家的以后,便含有了重大的经济的意义。在资本家方面,仅仅生产商品,是不充分的,不能不把这些商品卖脱,变为货币。与有名的谚语相反,面包不能不探求肚子。换句话说,商品除开定做的情形以外,它一旦出现于世,就必须为探求需要者而开始旅行。问题只要是关于各企业内部的整顿而被提起的时候,商品总是由有组织的有计划的生产界,流入到一切都是"偶然"存在的流通界。大概,在纺绩工厂存在一星期以内的几方埃的印花棉布以后,往往在以后不能不等待长久的期间。但是在一方埃的印花棉布属于资本家的期间内,它不仅是只要好好保存不受鼠咬虫伤就完事的一片织物而是要不断地取得利润的一种资本。因此,资本家把自己的流动资本,分为两部分。在这两部分之中,一部分是以原料、补助材料及劳动力的形态,出现于生产界;其他一部分,是以既成的商品的形态,出现于流通界,以等待需要者。流通的期间,较短于生产的期间时,这样资本的区分,有时实在不利益。

假定纺绩工厂,投入10万方埃一组的印花布于市场,又假定这样的一组,平均四星期在生产界,三星期在流通界。不待说,一组由生产去的时候,等到它实现以后止,工厂的工作,是不会中断的。例如一组,如果含有2万的资本,

---

[①]　虽是改善运输条件的结果,然还须观察那多少阻止利润率低下之原因的资本回转的促进。资本之新的各个回转,渗入于共通之釜,对于增大利润率的剩余价值,重新吞下。

那么,工厂就不能不要有两倍大的流通资本。就是说:工厂不能不有 4 万卢布,其中之一半,被发现于生产界,他一半,被发现于流通界。但最初的休息时间(在生产界的滞留),继续四星期,第二的休息时间(在流通界的滞留),仅仅继续三星期,所以商品的一面交代,每月有一星期的浪费。① 不待说,这等对流,依一系列的条件与首先的信用而被缓和。并且依这种信用的关系,"作用"于企业的资本之大小,容易被统制。但无论怎样,所谓不能不同时服役于生产界与流通界的事情,通常是分割产业资本,并且把它削弱的。

因此,在产业及与商业资本之间,这种分业,就成了有生命的东西。一个出现于生产界,另一个出现于流通界。在产业资本与需要者之间,有批发商人与小贩商人贾乎其中。同一个商人,能以自己的资本,实现各种各样的企业的产物。商人的资本,同样以商业利润的形态,努力要得到比例于其资本之大小的剩余价值之分配。② 如果力的相互关系,使商业资本家,对于商品,不能不支付得不到平均利润的高价格,那么,资本早晚就要从商业界流入于工业界了。这种事情,一方面当引起供给的增大的结果,他方面当引起商业的需要减少的结果。工厂的价格,一定会低落到使平均利润接近于商业资本的限度。

商业资本对于产业资本的竞争战,在极困难的国内市场之独占化的之下,如下述两者之中,一种是存在的。即巨大的商业资本之媒介,全然被排除,产业的结合,与需要者(③的机器)或小贩商人(　④),发生直接的关系;或商人他在事实上仅变为工业公司的代理店的烦琐的条件之下(不从竞争者购买,在一定的价格以上不卖),把生产物,弄到手中——这两者之中,总有一种是存在的。

最后的买主(即需要者)对于商品所支付的价格,是上下于生产价格的周围的,所以生产价格,就是那种价格的限度。买主无论使用于这种名辞之单纯

---

① 流通期间是否等于生产期间,或流通期间比聚积游资的时间还更大的时候,游资就不出现于市场,这是不难断定的。

② 但不能由这种事情,就断定商业无论生产物分配的多少,也是便利的方法。现在,完全非生产的相互竞争的商业的企业之劳动者与勤务者、旅行者、广告事业劳动者所消费的劳动之少许部分,在组织的分配之下,或是必要的。

③ 原文如此。——编者注

④ 原文如此。——编者注

的意义,或使用于"生产的"意义,都是一样的。这样,商品的生产价格里面,就含有生产费与从工业家到小贩商人止的资本家的锁之一切锁环的利润。

第五节　贷款利子

资本家自身出现为生产的组织者之时,就可以发生一种幻影,好像利润是他的组织的劳动之价格,他以为利润不是资本家以剩余价值的形态,从劳动者那里榨取来的,而是由资本家创造出来的。资本采取贷款资本的形态时,它捏取自己最后的无花果之叶(完全显出露骨的形态)。这种资本的所有主,不把横的东西当作纵的。只有资本是"正在动作"。"取得利子的资本,这是和机能上的资本相对立的'所有'的资本的事情。"(马克思)

资本变为贷款资本,同时,利润就被分为企业利润与贷款利子两部分,资本家阶级就被分为企业家与金利业者。企业家对于贷款资本,表示需要,金利业者就提供贷款资本。"资本的价格"之大小,即贷款利润,首先就被需要与供给的相互关系所决定(这些相互关系,又依一切的经济状况所决定)。

产业资本的循环,同样往往分离游离资本的小部分。这种游离资本的小部分,被变为贷款资本。这是与下面要述的事情相关联。即(一)生产期间与流动期间不一致的结果,而资本游离着情形(参照前节)。(二)固定资本中被消耗了的部分的价值,在未购入新的机器建筑新的房屋以前,这种价值渐次被蓄积,并且存留而不使用。(三)资本家为扩大企业而贮藏的利润。被蓄积的利润,在未达到某最小限度以前,决不能使之运转,只能留着不用。

只要资本家用自己的资本活动着的时候,他把自己的人格,分而为二。他在自己的簿记上,首先从手中的利润,转入自己的资本中,依照现存的标准,除去利子,以其余看作是企业的利润,资本的私有者,无所事事,借资本以取得收入,这种资本的能力,不被看作是资本家的社会之法则,而被看作是自然的法则。马克思在《资本论》第三卷第二十四章,引用资产阶级的一个著作家所写的以下的推论。

"生产复利的货币,最初是徐徐增大的。但因这种增大的速度,不断地加速,所以经过若干时期之后,这种增大的速度,有意料不及的急速。在救世主

降诞当时起,如果有 1 辨士的货币,以 5% 的复利,贷给他人。到了现在,它就
会增大到用纯金造成的 1.5 亿个地球所包含的巨额。如果以单利贷给他人,
在同一的期间,不过 7 先令 4 辨士半罢了。

"在救世主降诞当时用 6% 的复利。贷给他人的 1 先令,在全太阳系,
变为(有与土星轨道的直径相等的直径的)一个天球时,就会比那里所能存
在的,还要成为更大的巨额。所以,决不是说国家必陷于不可避克的困难,因
为国家以最小的贮藏,在自己利害上所必要的一个短小期间,可以偿还最大的
负债。"

马克思对于这层就这样说着:这书的著者"不顾虑再生产及劳动的诸条件,
而把资本看作是自己调剂的自动体,看做是一个单纯的自己增殖的数量"。

在资本家,因为资本只有当作不劳收入的源泉是重大的,所以在资本家的 ^{拟制资本}
经济之下,不劳收入一切的源泉,被看作和资本一样。

于是,土地就首先有关联。在劳动不被支出于土地的限度内,土地就没有
价值,因而就不能想做是真实的资本。但只要土地可以产生不劳所得(地
代),人就要拿出货币来购买它。土地的价格,是由于土地所生的不劳收入之
资本化,而被领受的,如果假定那时候利润的平均标准是 5。又假定那部分土
地,每年能产生 1000 卢布的不劳收入,那价格就是怎样的呢? 这时买主就用
下面比例的法则,来做推论。即一年要想得到 5 卢布,就不能不使用 100 卢
布。然则一年要想得到 1000 卢布时,必得使用多少的资本呢? 这个回答
如次:

$$X = \frac{100 \times 1000}{5} = 20000 \text{ 卢布}$$

这部分土地的价格,就会进到 20000 卢布。但土地的这种价格,在劳动不
对于这土地支出的限度内,它不是现实的资本,而是拟制资本。然而这种拟制
资本,是代表国债的债券的。这种债券,是代替货币而受取的货币,恐怕在老
早以前,就变为火药之烟了。但不管哪样,债券给它的所有者以分受国库收入
的一部分的权利。这些收入,每年必须以债券的利子之形态,支付于债券的所
有者。如果债券有价格,而且可以贩卖,那么,这些价格,就成为这些债券所取
得的收入之资本化。这种事情,关联于所谓国债(参照前所述的第四章第七

节)而特别明白的显现着。成为收入之资本化的结果而发生的一切拟制资本之大小,是依赖于利率而变更的。拟制资本,与利率的低下为比例而增加。这样,在前述的土地之例,如果利润由 5 低落到 2.5,那么,土地就成为 2 倍的高价。

第六节 红利及创业利润

如果股份只是对于领受某种收入(红利)的权利之证明,那么,这些股份,就是拟制资本。[①]

股份资本可以看作是信用资本的变种。所谓普通的股东,是把自己的资本,今日投到债券,明日投到股票的贷金者。不同的地方,只有以下一点。即债券无论由国家发行,或由股份公司发行,都是有安固利率的有价证券。其利率的大小,是确实被决定的。股票的红利额,与依存于股份企业的事实上的利率一样,是依存于分配政策的。所谓这种分配政策,对于其股份企业,是依存于自己手中握有权力的一团资本家的意见的。在别种情形,企业对于利润的分配,分为三部分:一是最高勤务者(即对于自己)的报酬,一是固定资本的支出(房屋、机器等损耗的补充),一是准备金。这种准备金,就在利润最多的时代,也只分与最少的红利于股东。反之,如果企业的经理,认为自己的企业股份,在交易所提高行市为有利,那么,他们事实上,就在没有何等利润的年份,也不惜牺牲公司的固定资本,与以高率的红利。某经济学者很聪明地加以注释说,喜欢安睡的贷金者,购买债券;喜欢美食的贷金者,就购买股票,但是事实上,巨大的贷金者,常常制成债券与股票混合的纸挟子。[②]

被投下于股份企业的资本,好像是二重的。现实的资本(房屋、机器、原料等),被放在经理的命令之下。股东就把同额的或其以上的股票形态之拟制资本,放在自己手中。往往特别为保持一系列的股份企业的股票,而创立新

[①] 法律上,股份在公司清算时,对于公司的财产,与以受分利益的权利。但在实际上,公司的事业,进行顺利的时候,是不被清算的。如果公司的事业失败,不能不清算的时候,那么,公司的财产,不是为了股东而贩卖而是为了债券者而贩卖。

[②] 在本位制不幸下落的时代,债券与股票的运命就不同,前者的价值虽下落,后者却不然。

的股份公司(参照前述在 97 页①纽约市营铁路之例)。于是再现为股票,票再现为拟制资本。资本在这种情形,已成为三重的了。

股票在事实上的(交易所的)价格,不依存于那属于企业的现实资本的范围,而是依存于红利与现在利率的范围。对于股票,于这种利率外,还要加上关于危险的若干的追加。红利率对于利率(不是对于利润率)有几多接近,看下面的例,就可以知道。1913 年,关于三个月满期的票据,国立银行平均贴现率,相当于六年的红利与交易所的股票的价值,其关系如下:

	1913 年最小限度的行市	配当	百分率
蒲里扬斯工厂公司	170	8	4.70
社勒资幼列夫斯基金属公司	255	16	6.27
哥罗姆机器建造工厂公司	138	9	6.52
马里撷夫工厂公司	255	13.50	5.3
莫斯科土地银行	780	46	5.89
波尔达夫土地银行	560	36	6.43

由企业的全部股票的代表的拟制资本,比较投资于企业的现实资本,有更大的倾向。实际上,股份公司的利润,也和一切企业的利润一样,接近于平均的利润率。② 但股票的价格,是以平均的利润为基础而资本化的利润。不待说,这种平均的利率,比平均的利润率,有显著的减少。拿数字上的例来看吧。假定股份公司,因工厂的购入和经营而创立起来。于是工厂的所有者,对于工厂,要求 100 万卢布。假定平均的利润率为 10,平均的利率等于 5。如果工厂不在平均以下分配利润,那么,红利的总额,一年不会在 10 万以下。以 5%,被资本化的这种收入,就给以 200 万卢布的拟制资本。拟制资本比现实资本还大 2 倍。如世人所知,创立者就以特别创立利润,把拟制资本与现实资本中间的差额(在我们现在所示之例,是 100 万卢布),拿进自己的荷包了。

承受股票发行的银行,自然大大的助成创立利润的获得。在这样的情形,

---

① 实为第三章第一节。——编者注

② 我们为简单计,在那里,假定一切利润,都被分配于股东之间。但实际上,并没有那样事情存在的。

股票是按照真实的企业价值总额而发行的。创立者往往依着为创立者中之一人的银行的媒介,用名义上的价格,买占一切股票,后来又用高价格,自己再把这些股票卖出。这种高价格,是制造高价红利和这种机会的,股票真实的行市与名义上行市之间的差额,就以创立利润的形态,入于创立者之手。

创立利润的取得,也有非合法的方法存在着。股票虽比例于拟制资本而被发行,但拟制资本对于现实资本的剩余,却被创立者用种种阴谋所吞食。买进的财产和领受的权利,是被公司用 3 倍高价 4 倍高价等等去计算的。

摘要

一、在生产过程,无论何时,都完全消灭的资本的诸要素(劳动力、原料、涂油等),构成流动资本。渐渐被消耗的,并且诸要素的价值,渐渐移入于生产物的价值的这些要素(房屋、机器),构成固定资产。

二、所谓利润率,是对于在一定期间(通常为一年)领受了的剩余价值的企业上做过一切活动的资本(固定资本与流动资本)之比例。

三、资本可变的部分对于不变的部分的比例,被称为资本之有机的构成。在同一的剥削率之下,资本之有机的构成愈高,其回转愈缓,资本的每 100,由劳动剥削的剩余价值就愈少。

四、不管资本之有机的构成,与回转的速度不同,恒由利润较少的生产部门移动到利润较多的部门,因而利润是行同一的水平(平均利润率)。

五、商业资本把产业资本由流通界的停滞解放出来。这种事情,使商业资本成为分配剩余价值的参与者,并且使它实现与产业资本达到同样标准的利润。

六、体现于该商品的不变资本与可变资本的总额,构成这商品的生产费。

七、生产费加上依平均率的利润(产业及商业的),是构成生产价格的。

八、在资本家的市场,价格动摇于生产价格的周围。

九、在平均的资本之有机的构成之下,生产价格与价值是一致的。若资本之有机的构成,较平均为低,生产价格就比价值为低。在社会全体的总资本看来,利润总额与剩余价值的总额,是一致的。所以生产价格与价值一致。

十、跟着技术的发达,社会的资本之平均的有机的构成,因其不变部分的强度增大之结果而向上。这种结果,使资本的各个单位所受取的剩余价值的分配减少。因此,利润率有低下的倾向。

十一、资本家阶级区别为企业家与贷金者,同时,利润区别为企业利润与贷款利子。

十二、利率是依存于关于贷款资本的需要与供给的相互关系。

十三、成为买卖品的不劳收入之源泉,被评价(被资本化)为生产贷款利子的资本,这样,它就变为拟制资本。贷款利子的标准愈低,资本化就愈高,反之,其标准愈高,资本化就愈减少。

十四、在股票只给以对于收入的权利的范围内,这些股票,同样是拟制资本,股东同样是贷金者。因此,分红利率不是向着利润率,而是向着利率。

十五、拟制的股份资本的总额(拟制),比被投资本于股份企业的现实资本,究竟增大几倍一件事,这对于利率比利润率究竟减少几倍一件事,大约是相等的。股份公司的创立者,当创立股份公司之际,得用创立利润的形态,一次把拟制和货币的差额收到自己手中。

第十章 地 代

第一节 为剩余价值之一部分的地代

剥削者的资本家,驱逐了剥削者的领主。但后者并不是简单的辞了职,乃是取得从来的特权和恩结而去位的。

我们知道:与资本家相并存的,还有土地所有者阶级。那些土地所有者,虽然都不是劳动力的买主或卖主,总之,他们往往苦于饱暖,比较受饥寒的还要苦。在阶级斗争中,若是资产阶级专想限制他们的贪欲时,他们就与资产阶级对抗,反之,问题若是与弹压劳动阶级有关联时,他们就与资产阶级采取联合战线。然则这个阶级存在的根源,究在何处? 这些从前的领主的子孙和继承者的手中,到底有何种不劳而获的可能性?

问题是这样的:所谓领主的,不是近代的领主这名词的意义上的土地私有者。随着站在于私有财产上面的资本家的关系之发展,领主也就同样的变成了私有财产者,他从土地解放农民,而宣言把该土地作为自己的私有物。

当产业资本成熟到某种阶级时,它就看到土地已被区分于多种多样的土地所有者了。而以前的领主,在他们土地所有者之间,是占了主要的地位的。实际上,当初本有许多资本家,是出现为土地所有者的,但那种情势,并不是常态,不如说是例外。在原则上,不仅是投资于农业的资本家,就是那必须建立工场或大经营的资本家,也必得向土地所有者租借或购买必要的土地。在租借的时候,资本家就缴纳地代于土地所有者。这种地代,也只是资本家从劳动者剥削得来的剩余价值的一部分。这种地代,恰和盗贼劫夺盗贼的拦路钱一样。在资本家购买土地的时候,地代化为资本,并且变为土地的价格,于是资本家就和"土地所有者"一样,结局就获得利润和地代,但资本家地却是把地代认为是购入土地时所支出的资本的利息的。反之,在土地所有者自身为耕作自己的土地而雇佣劳动者之时,他也和资本家一样,得到地代和利润。不过在这两方面的问题,只是关于兼职的问题,却不是资本家和土地所有者的"机能"融解的问题。前者,是现实的价值所有者,后者,是拟制的价值所有者。资本家是把社会集合体的过去的劳动生产物收为己有的,而土地所有者是把土地收为己有的。这土地的自身虽不是劳动的生产物①,却是劳动的第一条件,就这劳动说来,土地是有基础的效用。土地所有者从为集合体自身的脚底下,没收某种土地,没收宇宙一切的天产(土地、森林、水力、矿物);他不是没收的为集合体所造成的东西,乃是没收那用为集合体存在的自身之根本条件的东西。产业资本家从事榨取,出现为劳动力的买主。他买进商品,也卖出商品。至于土地所有者,他并不买什么东西,也不卖什么东西,他只是把隶属的贡税弄到手罢了。然在他卖出自己的土地时,他已不是土地所有者,而成为实物的所有者②,或在他运转这个实物时,就成为资本家。

一切生产既以地面为必要,所以就没有一个企业家,能够从地代解放出来。但土地的任务,在各种产业部门中,并不是一样的。在所谓加工产业的当中,土地不过单是一个基础,即是在该土地上面,建立工场、大经营、作坊等等。在农业方面,土地会有组成生产物(植物)的材料的大部分,而土地就可用为这些材料被加工的实验所。最后,在矿业方面,是以直接完成了的生产物(如煤)或原料(如铁矿)的形态,征集地壳中的某种要素的。在都市方面,在从事建筑那早已带着资本家的性质的住宅之时,土地同样是成为必要的基础的。

全体上地代的任务,在加工产业中,其重要性比较在农业和矿业方面的更少。

土地的租费以及地代,只有在土地真没有何等劳动结晶在那上面时,才能隐蔽这两者。若是土地已被施料已被改良之时,或是土地连同工具,经营上的建筑物、垣墙等等一块儿被让渡之时,那就在租费之中,除了地代以外,还要加入改良费,或财产的偿还。而这财产的价值,是加入于生产物之中的。

①　在劳动已结晶于土地(灌溉、施肥等时),土地所有者就是资本家。
②　他虽往往对于实物不会使用,但他业已负债,因为负债,就卖掉那块土地。

在直接生产者的耕作者以土地的借地人而出现之时,地代就不仅单是体现剩余生产物的一定部分,且是极力把全剩余生产物加必要生产物的某部分,都要体现出来的。再如土地极少,或是没有土租的农民们,因为他们互相竞争的结果,土地的租费,就被提高到某种程度,只能得到中等以下的收获,遂使农民的借地人不得不度着饿殍的生活。但若土地是由资本家的借地人借来作为利用他所购买的劳动力的必要场所时,那又是另一问题①。生产物的价格,当然要把生产费以及和平均利润相接近的利润加上去,一齐交还资本家。若果基于平均率的利润是不可能而土地所有者仍要求这样的地代时,资本家是不会答应支付租地费的。

若是借地人的资本家,不得不放弃那相当于生产费加平均利润的生产物价格的一部分时,这件事果就是一切地代向着生产价格追加的意义吗? 决不是这样的。

第二节　差额(等差)地代与绝对地代

假定市场有两种形式的土地,是为资本家的(即以雇佣劳动的)生产供给谷物的。每俄顷耕作的价值(劳动力、机械、种子、肥料经营上的建筑物的保存等等),都是一样,比如说,两方都是等于 50 卢布。第一种的土地上,每俄顷有 50 波特的收获,而第二种土地,却有 75 波特的收获。第一种土地,1 波特谷物的成本费为 1 卢布,而第二种土地,却只要 $66\frac{2}{3}$。再试假定平均利润率为 10%,第一种土地的谷物的生产价格,就当为 1 卢布 10 戈比。又假定第一种土地的借地人,每年支付于土地所有者的地代,是为每俄顷 1 卢布,那么,这种地代对于第一种土地的每波特的谷物,是为 2 戈比。因此,为要使成本费,以及基于平均率的利润和地代等都有确实的着落,再简单地说,为要使生

---

① 不用说,由富农中的借地人所支付的地代,是带着混合的半资本家的性质的。像他这样使用农业劳动者的人,是劳动力的买主,是剩余价值的剥削者,且是利润的收得者。因此,他不能用地代的形态把剩余生产物完全缴纳于土地所有者。另一方面,他还没有停止他自己的劳动,他是同他的一家人劳动着的。土地对于他,不单是资本,且是投下自己劳动力的场所。把自己的资本转移到别的场所一件事,就他说来,比较纯资本家的借地人还要困难。因为土地所有者,连地租并利润的一部分,都容易从他提出的缘故。

产价格和地代都有确实的着落,那从劣等地所生产的谷物,每波特非卖 1 卢布 12 戈比不可。若是谷物价格老是低落到 1 卢布 12 戈比以下的时候,那就耕种第一种劣等地的资本家,为谋使自己的资本作较有利的投资,当然要抛弃这些土地。固然,若是市场上不需要那种产地的谷物也能济事时,或者单只第二种的土地,就能供给必要的谷物总额时,那又是另一个问题。但若市场上,单只第二种产地的谷物而不够的时候,那就会因为需要和供给的不均衡,使得谷物的价格腾贵起来,因而就是劣等的土地,也要诱起资本的投下。

在劣等产地的谷物都成为市场的一个要素时(市场要没有那种谷物就不行),那各个生产价格和地代的追加,就会成支配的东西。① 而谷物的价格,也会达到 1 卢布 12 戈比。至关于优等产地的谷物的卖主,他们要反对谷物以高率的成本费为必要的独裁,也不会有何等的根据。他们的谷物成本费虽是低廉远甚,然而对于他们的谷物,也会要支付同一的价格。他们的谷的成本费,每 1 波特是 $66\frac{2}{3}$,每 1 波特的利润,在平均标准上必须是 $6\frac{2}{3}$。若他们对于每俄顷所支付的地代,也同样不到 1 卢布以上的时候,那么,地代在有 75 波特的收获时,每 1 波特仅仅是 $1\frac{1}{3}$。这一个结果,为要使成本费,平均利润,地代等有确实的着落起见,那优等产地的谷物,就不能不以 $66\frac{2}{3} + 6\frac{2}{3} + 1\frac{1}{3} = 74\frac{2}{3}$ 价格卖出。但是为着使用高率成本费的谷物,而确定了 1 卢布 12 戈比的价格限度,所以优等产地的各波特的谷物,就约定了 1 卢布 12 戈比 $-74\frac{2}{3}$ 戈比 $= 37\frac{1}{3}$ 戈比的超利润,即优等地的每俄顷,约定了 $37\frac{1}{3} \times 75 = 28$ 卢布的超利润。但……资本家们就思量着这件事,土地所有者也另有他自己的算盘。尤其土地所有者是优等土地的主人,他知道他的每俄顷土地,每年可得到 28 卢布的

① 我们不要以为农业生产物的价值是由恶劣的生产条件所决定的。价值无论在何处,都是为社会的必要的劳动所决定的。但是在恶劣的条件之下,而某种生产物的需要,竟为市场一要素的这一事实,那就是使恶劣条件的某种生产物的价格可成为支配的东西。在恶劣条件之下的某种生产物,意使市场不得不把那些生产条件放在计算中的情形,这在产业上也是一样。譬如世界战争一开始,兵士们对于毡毯、毛布等的需要就增大了,于是备有手纺机的纺绩的都复活,同时那些生产物的价格,也成了支配的(在设备完全的企业,就获得了超利润)。然而在产业上,恶劣的生产条件的支配,是短期的,反之,在农业上方,这个条件的支配就较为长久。在手纺机没有必要之后,手纺机当然是摆在博物馆去,然而在技术的发达,还没有适应必要而把那为化学实验室的土地解放出来,供给全人类利用,以生产食之时,要抛弃劣等土地的事实,当是不可能的。

超利润,所以他同劣等土地所有者比较起来,他对于每俄顷土地,要求有好几倍的高的租地费。然而也没有糊里糊涂地抬出一种例外的高价的。土地所有者与平均的利润率没有什么关系,然而借地人是与平均的利润率很有关系的,因为事实上,借地人手中所剩下的,恰是基于平均的利润率,譬之为要获得自己的投资地而从事竞争的资本家,结局,润地费就被提高到提高租地费的程度,只使借地人得到基于平均标准的利润的那种程度。若是劣等土地的地代,每俄顷为 1 卢布,优等土地的地代,每俄顷当为 1 卢布+28 卢布=29 卢布。

使生产价格成为支配的,那种最劣等地所有的地代(如上例 1 卢布),称为绝对地代。至因土地的肥沃和其他的优越,而从其他的土地上加入的补足地代(如上例 28 卢布),称为差额(等差)地代。自然,只有绝对地代,才是向生产价格的追加的。差额地代,是因为优等土地中加上了成本费和平均利润之后(即各个的生产价格),较生产价格还要少的缘故而发生的。而这生产价格,在市场上是统治着价格的东西。

在工场工业中,也有获得超利润的余地(参照第八章第三节的超剩余价值)。但是工业上的超利润,只要是基于技术上的改良而生的,那就到了那种改良一经普及的时候,超利润是随着消灭的。然而差额地代,只要某种土地对于他种土地仍能依照自然的优越程度,它依然是存在的。由工场产业来的超利润,入于资本家的荷包,至于差额地代,就入于土地所有者的荷包。但若以为地代真是土地的成果,那是非常错误了。我们知道,地代是剩余价值的一部,单是依靠劳动才能实现的东西。[①] 原来在资本家社会,是使得缺乏生产手段的生产者,迫不得已要把那作为剩余价值护得的剩余生产物,交付于剥削者。这种剩余价值,一以利润或资本的利息形态,而构成资本家的收入,一以地代的形态,构成土地所有者的收入。

[①] 一般,就是在资本主义的条件之外,即为交换社会的各员,拿往市场去的生产物,较社会的必要的劳动量体现得较少的时候,那他总是占取了别人的劳动。假如生产 1 讽脱金子的社会的必要劳动,是为 2500 小时。若有一个采金子的人碰到了运气只费去 1000 小时,就能淘洗出 1 讽脱金子,他自己随将这 1 讽脱金子,仍照原来的金价,而与含着 2500 时间的社会的必要的时间之 500 埃徙的织物相交换,于是他在无等量的上面占取了 1500 时间的社会的劳动量。在资本主义的条件之下,这种无等量的过剩物,是基于技术上的优越程度,或耕地的优越程度之能用为例外的劳动生产力的原因,而采取所谓超利润或差额地代的形态的。

马克思把单由劣等地所得的地代,特称为绝对地代。这(绝对地代)虽是向生产价格的追加,却不是向价值的追加。并且这向生产价格追加的一件事,只有生产价格在价值以下时,才有可能,同时,当然也只有资本之有机的构成在平均以下时,才能存在。即是在资本之有机的构成在平均以下的时候,在生产价格是在价值以下,而劣等土地的地代,是生产价格以上的追加,因而已经是在价值上的追加的时候,那向生产价格的追加的事情,是存在的。在劣等地的地代包括于价值范围以内之时,土地所有者的权利,可使他得存留于生产价格和价值之间的差额,全部的或部分的收归自己所有,这种差额同时是由于那具有平均以上的资本之有机的构成的生产各部门之分割才发生的,所以这种差额,又为那土地所有者的权利所保持。然若劣等的地代是价值以上的追加时,农业生产物的价格,就已带着独占的性质了。马克思称这种地代为独占地代。①

差额地代的各种形态之一,是基于场所的地代。生产的场所,越是接近于原料地和消场,那运输上的劳动,就越加很少地体现于商品之中。并且这件事,就是说劳动越加成为生产的东西。假定这里有两个资本家的园艺业,其中一个譬如是住在拉棉斯克(距莫斯科 42 俄里),另一个住在索哥利尼克,彼此都是供给胡瓜于莫斯科的。若果莫斯科,不仅是支付拉棉斯克的胡瓜生产费,还要支付拉棉斯克到莫斯科 42 俄里的运费。那就索哥利尼克与拉棉斯克两方的收获尽管是同样的,而索哥利尼克比较距离远的拉斯棉克,当会引出差额的地代来。就是说;这种地代,是从较利的场所发生的。基于场所的地代,对于都市及都市附近的土地,具有很大的意义。②

第三节　地代各形态的相互关系

为要说明绝对地代与差额地代之间的差异,我们试举一极简单的例。市

---

① 独占的价格,是卖主或买主的集团占有为别的卖主所完全无从企图的特典——例如对于发明的专卖特许、秘密生产并贩卖的例外的权利等等之时,才显现的。独占的价格,可以显然地提高价值的。固然,在价值以上的一切追加,已经就是牺牲那不得不在价值以下出卖的商品。

② 就莫斯科说,在彼得诺夫加的库芝列基马路的角上,一平方"方晒",在 20 世纪初,每年约值 200 卢布。但在莫斯科县以下的郡部都市,如宅地及商馆的租金,每平方"方晒",只在 3 卢布与 63 戈比的上下。

场的画面,在我们所举的例中,是完全明白的。但在实际上,市场的现象却极为复杂。地方的、国家的及世界市场的各种条件,都是影响着谷物的价格的。譬如在库盘的地方产出的谷物,也许为亚尔马比尔、莫斯科、伦敦等各地方所使用。以库盘地方的标准考验出来的最劣等土地,在全俄的标准上,或是在全世界的标准上,决不是最劣等的。如为其他土地的基准的最劣等的土地,究竟在什么地方,要具体的指摘出来,很是困难。再如基于土地所有者所夺取的差额地代的混合物等也是一样,也不能以数学的正确程度表现出来。当土地所有者缔结贷地契约的时候,他总要考虑到(一)平均的收获和(二)平均的价格,而这平均价格恰是一个平均点,该价格每年总是上下于那平均点的周围的。但谷物价格的动摇,与收获的动摇一样,每年是很大的,所以土地所有者在别的处所,总是连肉和皮一齐弄到手的。即有时虽然夺取了地代以及基于平均率的利润的一部,但有时也不能把全部差额地代弄到手里,这是自明之理。就农业生产物说,要由地方市场输送出去,必至因运费而感着困难,要由国家市场输送出去,必因输入税及输出税,而更形困难。在运输和关税那种条件上的一切变化,是能够变更地代的量与其性质的。譬如为了新筑的各铁路或输出谷物,实行的有利的铁路运费政策上之一切变更,以及各国关税政策上之变更等等,都是解放谷物对于地方市场的依赖,而使它成为世界的商品的。此时在输入谷物的各国,绝对地代,一时变为因场所而生的差额地代。举例说来,这里,假定该国谷物的命令的生产价格,是等于 98 戈比,绝对地代是等于 2 戈比。谷物每 1 波特是以 1 卢布出卖的。因为该国的谷物缺乏,谷物的输入就开始了。假定外国的谷物,以运送费的结果,不能低于刚才说的价格,即外国的谷物,每波特也是同样地要卖 1 卢布的时候,那含有运送费的外国谷物的生产价格(1 卢布),就也成为支配的了。纳付于土地所有者的 2 戈比,是代表存在于 1 卢布的支配的生产价格与 98 戈比的地方的生产价格之间的差额的。即是这 2 戈比,变成由场所而生的差额地代了。

马克思把那存在于优等土地和劣等土地的生产物的生产价格之间所构成差额的差额地代,称为第一差额地代,同时也是区别着从同一土地的部分挨次所投下的资本之生产力的比例而发生的第二差额地代的。假定这段地在每这年支出 50 卢布的时候,每年即有 50 波特的收获。在那时候,谷物的成本费,是每波特等于 1 卢布。为要增加收获,对于土地的耕作和改良,还要支出 30 卢布,譬如每年使那土地增加 25 波特的收获的。补充的 25 波特的谷物成本费,每 1 波特等于 30 卢布:25 波特 = 1 卢布 20 戈比。若果资本家单是支出补充的 30 卢布,并不顾虑市场而行动,即,若果市场能够支付那加上了谷物的成本费和平均利润的东西,那补充的谷物的生产价格,就不能不成为支配的东西了。若是平均利润率,假定是等于 10 的时候,那生产价格就会成为支配的。① 而这个生产价格,是等于 1 卢布 20 戈比 + 12 戈比 = 1 卢布 32 戈比的。于是不仅剩余谷物的价格,就是一切谷物的价格,怕都要趋向这个持盾罢。资本家对于最初 50 波特的谷物,每波特支出 1 卢布,而对于这些谷物就不是依照平均利润率而领受 1 卢布 10 戈比,而是领受 1 卢布 32 戈比。这 22 戈比的夺取,是构成第二差额地代的。

若果借地人的资本家,实施了改良,并且有借地期限内因实行改良而竞收效了,于是第二差额地代就与土地所有者无关,而入于借地人之手。

第一差额地代,是由劣等地的生产物统制价格的结果。第二差额地代,是由资本投向劣等地所得的生产物统制价格的结果。如在我们所举的例中,第二差额地代,是孤立的表现着的。但在实际上,差额地代的两要素(第一及第二差额地代),它自身是密切的联络着的东西。

摘要

一、土地所有者因为地借资本家要利用他的土地,就逼到那资本家用地代的形态把企业所得的剩余价值的一部分付给他。

二、若因为地位的丰饶、场所的便利、能力源泉的存在等等,该土地上的各商品的生产价格(加上了生产费和平均利润的),比较支配着市场价格的生产价格还要低时,那利润的过剩,在引起一切土地到一般地代(绝对地代)的追加之差额地代的形态上,是无例外的入于土地所有者之手的。这一切土地,是因为要利用的缘故,才由土地所有者让渡出来的。

---

① 在那里极简单地说明了利润率,因为在农业方面,资本大概是一年一回转的缘故。

　　三、农业生产物的价格,通常是由劣等土地的生产价格所规定。并且要是没有劣等土地的生产物,市场就没有办法。因此,农业方面的绝对地代,就是最劣等的地代。于是,和劣等地相比较,那一切别的土地所发生的利润的过剩,就是代表差额地代的。

第十一章 劳动工银

第一节 价值与劳动力的价格

劳动力的购入,采取着劳动者雇佣的形态;劳动力的价格,采取着所谓对于职务和对于劳动的薪资或工银的形态。但是我们已经知道:若果资本家真个会把劳动者用劳动造出的价值付给他(劳动者),那就各个资本家将不能存在,全体资本家的社会也将不能存在了。

工银,实际上就是劳动力的价格,那是常常的上下于劳动力的价值之周围的。所谓劳动力的价值的话,可以作为维持劳动力的再生产之必要的一切东西的价值,作为维持劳动者的生存之必要手段的价值去理解。但就一切时代、一切国家、一切劳动部门看来,果能够说劳动者的欲望,都是同样的在一定的水准之上吗?决不能够的。生产力的发达,是能够发展劳动者的欲望并使其变形的。因为被市场提出需要的劳动力之质的本体,已首先有了变化的缘故。譬如既没有受过教育,饮食又很粗恶,并且睡眠不足或常不洗澡的劳动者们,是不能显现那为复杂的机械劳动所要求的那些注意、耐久和理解的。资本的方面,无论是有意识的,或无意识的,都不能不把那为资本家方面所利用的机械上的注意,分配其一部分于这个机械附属物的劳动者。在为劳动力所表示的质的要求被变更的范围内,劳动者的欲望,也就随着变更,那是很明白的道理。但是劳动者存在于市场而被人当作使用手段从市场取出的事实是时常变化的,劳动者就随这个变化而变化。在技术的全部过程中,若全然不变更劳动者的使用条件,是不能贯彻到劳动者方面的。资本家的世界,不问是意识的或无意识的,多少都要使劳动者蒙受一些文化的幸福。在近代的条件之下,使劳动者穿着野兽的毛皮、住居狭小的房屋(地价是极昂的!)这一件事,比较给予他们以布帛制成的衣物以及备有电灯电炉的大厦,其价值还觉高昂。劳动者仅仅是一个人的时候,他是能够使自己的欲望水准增高几分的。也可以吸一点烟卷,可以读一点新闻,可以在礼拜日饮一点酒,并且有时看一点戏。到了要为家族备置必要品之时,到了要为将来资本家准备未来劳动者而支付费用之时,在他要离开自己的"人工的"①欲望,就已经是困难了。他与其戒绝自己所酷好的烟卷,宁可舍饭而不食了。这样,劳动者的欲望水平,纵然是迟缓的,却总要趋于增高的方面,像先进的资本家诸国那样,都有便于劳动者贮蓄的贮蓄银行,这也是有原因的。贮蓄银行,是劳动者的"节制和节俭"的保证,是劳动者欲望增高的防御。这种贮蓄银行,能使未婚的劳动者联想到他现在的工银中含有在他的子孙名下之本身的再生产价值的一部分,联想到关于他的将来家庭上的责任。

在另一方面,平均的劳动者的欲望,在生产上因受着劳动者的妻室儿女的牵累,又要趋向于减少的方面(这在"相对的剩余价值之生产"里面,已详述了)。最后还有一层,若劳动者的劳动力再生产所必要的商品之物质的分量,伴着全体生产力的发展而增大,那就这些商品各单位的生产所必要的时间,就要减少。这样,劳动力的价值,在当时的具体条件之下,便依劳动力的再生产所必要的一切价值所决定。

为增高工银而实行的劳动者阶级的斗争,在那斗争是因为希求劳动者的生活水准向上而实行之时,其目的就不在于要把劳动力的价格提高到劳动力的价值以上,而在于提高劳动力的价值本身。可是这种斗争,为谋抵制那太过于把劳动力的价格低降在价值以下事情,更有很多的必要。因为这样低降的情形,实有下列的一系列的原因存在。

劳动力的价格低降到价值以下的原因

(一)产业预备军。在奴隶所有者的剥削上的诸弱点之一,就是必须减养活奴隶(不论有工作与否)的一件事。至于劳动者,比奴隶较为有利,特别是

产业预备军

① 把欲望分为人工的与自然的这件事的本身,实是一种推论。人们对于烤好了的面包和烹调好了的食物的欲望。大概都是人工的。因为在人类没有发现火以前,那些东西,都没有存在。"例如关于食料,衣服,燃料,住宅等自然的欲望,因自国的风土及其他自然的特征怎样,而有种种的不同。在另一方面,那所谓必要欲望的范围以及其充足的方法,又是历史的发展的产物,所以大部分,都关联于一国的文化的水平,就中在本质上,又因自由劳动者阶级,在怎样的条件之下,用怎样的习惯和生活上的要求去形成的一件事所决定的。"(马克思)

在资本家生产的狂热当儿,更是有利。在好市况的时期,企业为劳动力广开门户,无产阶级化的农民和手工业者,很容易离开自己的锄锹和作坊而走到机械的旁边去。在市况不好的时期,却呈现反对现象,能把已出征的劳动者军的一部分移作预备军,这种移动,就劳动者看来,就等于挨饿,如果继续失业,就要饿死,或者变为浮浪的无产阶级(浮浪人、卖淫等等)。可是在资本主义制度之下,所谓产业预备军,却是必要的一个环,没有这一环,那迅速的生产的缩小和扩张,就会不可能了。并且产业预备军,除了这种所谓劳动力预备队的本身任务外,还能给资本家以重大的利益。因为产业预备军保持着劳动力的供给高于需要的水准,把劳动力的价格减低,使它在价值以下发生偏差。

(二)劳动力商品的特殊性——即是这个商品完全不能保存的特殊性。劳动中这
个商品的
特殊性投到市场去的劳动力,也和装在有漏口的桶内的酒一样,高价的液体,不断地泄流而出,有不得不求速卖之势。因为每一秒钟,那个酒的量,就要减少若干的缘故。这样的一件事,使为卖主的劳动者常常陷于不利益的状态,很难把自己的商品,按照真实的价值出卖。

(三)所谓劳动力的再生产,是以劳动者自身的再生产为前提,在他丧失由外部而
来的劳动
者阶级之
再生产劳动能力之后,就用别的劳动能来代替他。若果代替从产业界出去的劳动者(死亡或病弱的结果),而仅仅只能靠着由工银所养育的劳动者的儿童,那么,盲目的不动的市场诸法则,就要迫令资本给劳动者以扶养家族的手段。并深切注意于劳动者的待遇,不致因剥削他太快或课以过度劳动等事实而使他陷于衰弱。即是要迫令资本给劳动者以维持他的劳动力以及他自身(这在本质上是同样的)的再生产之一切必要的东西。换句话说,就是要迫令资本家支付劳动力以真实的价值。可是实际上并不是这样。前面说过,劳动者阶级,因农民和手工业者等之无产阶级化的庇荫,不仅能在内部再生产,并能从外部再生产。因此,资本不仅具有剥削劳动者的可能性,并且具有实行掠夺的剥削的可能性。

从农村涌来的新劳动力之不断的洪流,虽然从堕落一方面来保证全体劳动者阶级,可是,在个别的方面,却增添了使各个无产阶级的家族陷于堕落的威胁。

以上这种情况,便是劳动力的价格,在劳动力的卖主相互间行使自由竞争之时显出低降在价值以下的倾向之最重要的原因。要想缓和这种倾向,就必须限制劳动者相互间的自由竞争。这种限制,是要靠劳动组合去实行的。

第二节　工银的诸形态

在还未十分发达的市场中,买主是特别受欺瞒的。然关于商品"劳动力"的买卖,却常常是卖主受欺瞒的。劳动力的秤,就是劳动日,这劳动日,在一切秤的当中,最是伸缩自如的,我们已经说过,劳动日的长度,是多种多样的。一日的劳动时间数,那可说就是量长度的工具——尺度。可是劳动时间,其强度紧张的程度,或许有种种的差异,正如同一长度的两根棒子,或许有大小不同一样。在用针工作的时候,每 1 秒钟,可以做 100 缝,也可以做 200 缝。又如排字工人,每 1 小时可以排 1000 字,也有 1 秒钟都不休息而仅能排 300 字的。本来,在机械劳动上,速度不是由劳动者所决定,而是机械所决定的①,但无论怎样,工作越是强化,那工作越要注意,或者一个劳动者,越发要管理很多的机械。

各种国家的平均的劳动强度,原非同样。在原则上,劳动者的生活条件越是好,劳动日越是短,他的劳动,就越是加强。可是在各国,却存在有造成价值的劳动基础上横互着的强度本身的平均阶段。在平均阶段以下的劳动强度,便于资本家有损;反之,在平均阶段以上的劳动强度,便可给资本家以超利润。资本家考虑到这件事,所以在购入劳动力的时候,就要在下述两个方面去努力,就是在劳动日的长度和劳动的强度两点去欺瞒卖主。这一层,正和他购买一袋干草时,想择取较大的袋而挤挤满满的装入干草一样。关于资本家要尽量取得较长的劳动日斗争一层,我们已在前面说过了。至关于劳动的强化,在那里,如我们所已经知道的那样,除了严重监督,罚金及解雇以外,就采用色工、赏金、分红等等具有"教育的、奖励的"性质的各种手段。无论烤面包的职工用白面包的形态把糅和了的面粉提供于买主,或是用小型白面包的形态提供给买主,问题的本质,都不致因而有所变更。不管在什么情形,烤面包的人总是卖面包,使用者总是买面包。无论用何种形态支付工银于劳动者,也完全和这一样,工银的本质,并没有变更。工银总常是作为劳动力的价格而存在着,而劳动力一经使用就被消耗的,经过相当期间之后,又渐次回复起来,所以做劳动力的尺度的,只有时间,比什么都有用。

---

① 在许多处所,机械劳动的速度,是合于劳动者工作的平均速度的。

正因为那样,所以工银在本质上,常是凭时间去计算。时间的尺度,即在具有一个个的工银形态的时候,都是一样。譬如劳动者对于每 1 埃徒的呢,领取 10 戈比货币,这件事,完全不是显示劳动者对资本家出卖呢的意义。1 埃徒的呢,在那里,只是因为时间的特种尺度。经验,是证实劳动者每日平均能制造几埃徒的呢。假定它是 15 埃徒,那就在 10 小时劳动日之下,1 埃徒半,是表示 1 小时的。10×15＝150 戈比,这即是一日劳动力的价格,这样的事,在设置了增大劳动生产力的机械之时,表现得最明显。企业家拿机构的机械来代替手机械,他一经设置了这个机械,而单单不改用时间工银,那么,单是使包工工银减少的度数,劳动的生产力就增大了。

可是工银形态,在劳动者有很重大的关系。在资本家所最希望的工银形态,在劳动者却是最不利益的。资本家因为包工能使监督费用减少①,所以认为包工比什么好。在一系列的生产上,采用包工制度,劳动者即能在自己的家中工作。包工与赏金制度,能使各劳动者不得不与共同工作的一切同僚对抗,各自努力地把自己的劳动②,尽量地使之强化,以增大其平均的制品。然而论件数计算的工银,是与这个平均的制品一样,因而论件数计算的工银,结局是减低了。这样的事,就是劳动者专替资本家努力的原因。

✕ ✕ ✕ ✕ ✕

对于额外工作的给予,恰如对于工银的津贴一样。或许有人要把劳动者对于包工时间所领得的,看作为劳动者自己的劳动力的价值,把劳动者对于额外工作所领得的,看作为"烟卷钱"或剩余物的。但那是完全的误解。要知道,烟卷及其他"人工的"欲望的价值,凡是已成了欲望的,都包含在劳动力的价值当中。又工作的最后时间,不管为摄工,为额外工作,一样的要比最初时间,多损耗劳动者的身体机构。机构,是具有着流动手段和固定手段一样的东西。流动手段的损耗,只凭摄取营养与休息,就可恢复,固定手段的损耗,大概非加以大规模的补给,不能有恢复的希望。额外工作,一般的是在最长劳动日的劳动之最后时间,常常要牺牲机构的固定手段。纵令雇主对于额外工作能

---

① 例如制造烧砖那样在工作已毕之后难以查点的工作,属于例外。

② 不是像俄国国营产业那样,劳动者为国家而工作,乃是为资本家而工作。

支给几分高价,例如一倍半的高价。然这种津贴,在削弱了自己精力的劳动者,特别为了赔养身体而备置饮食,或如工场管理人一样,也到海岸修养一月,以冀恢复自己的健康,那便不够开支。

机构中的固定力之损耗,就是看看那精力衰弱、传染病的强大感受性、早衰及死亡等事,也可以说明出来。又额外工作,既成为通常的现象,这在本质上,就变成包工。总之,对于这些工作的工银,无论是算在包工账上而支付,或是算在额外工作账上而支付,那工银总是列入在劳动者的预算中,那是不消说的。当劳动者单靠定额工资,已经不能生存的时候,他为着他的生存,为着一切必要的消费而出卖劳动日,在事实上,必达到不可测的长度的。[①]

第三节 工银额的评价方法

要了解劳动者所得工银的真实大小,不能从他所领受的那紧握在手中而剩下来的货币额去推算,要从他用那些货币在市场上所能领受的消费品之量与质去推算。即令莫斯科的劳动者领受工银 20 卢布,克林佐夫的劳动者领受工银 18 卢布,但后者或许能用自己的货币领受比前者较多的实际的消费品。正因为这样,那由货币量所计算的名目上的工银,和由劳动力再生产的实际手段的量——消费品量所计算的实质上的工银就必须有所区别。劳动力的价格,是具有比较一般的价格增大而落后的倾向的。所以如果劳动者必要的消费品平均腾贵了 10%,那 5% 的工银腾贵,在本质上自然是低落了。当货币价值低落的时候,其名目上的工银,因货币购买力的降低而更为显著。

又,对于工银,更当区别为依契约所订的工银额和扣除罚金后劳动者的实际领受额。时间上的迟缓,因原料粗劣而起的生产物的品质不佳,劳动者服从不周——这一切的事故,都是罚金的原因,资本家对于罚金,每每不是看作促进生产力向上或保持规律的手段,而是视为一个特种的收入项目的(如在奥利霍婆·智维普的迭莫费·莫洛佐夫工场,于 1885 年 1 月罢工时所说明的那

---

① 这种情形以外,额外工作,一面可使现役劳动者军减少,一面可使生产预备军增多。如在各劳动者以 1 人而代替 $1\frac{1}{5}$ 劳动者的时候,10 个劳动者,就可代替 12 个劳动者,因而每 10 个从业劳动者,就可从企业当中驱逐两个劳动者出来。

样,罚金已达于工银的 25%。以后由工场法所规定的罚金最大限度,虽为工银的 5%,但因工场监督不严的结果,并没有好好遵守那个规定的)。

在许多处所,资本家的企业,努力要支给劳动者以依据物质而决定的工银。劳动者在工场内的商店,是凭着信用折簿,购取消费品的(信用这两个字,就正确的意义说,在这里并不存在。实际上,并不是资本家对于劳动者做信用贷出,反是劳动者以自己的劳动力为信用而交给资本家,他对于这个劳动力,是在已消费后,才渐渐领受工银的)。

很通常地,劳动者除那名为事业家的产业资本所剥削以外,还被那名为本已的店主的商业资本所剥削,又往往被那名为小规模高利贷的高利贷资本所剥削。因为劳动者在发给工资日以前,从这个小规模的高利贷,以强盗的利息,暂时借几个卢布使用这是常有的事。又如工场内的小商店,常常由劳动者之义务的赊账而购入商品,使他返还全部于同一的剥削者之手。但是那造成剥削的统一的那种依据物资而决定的工银,却是使剥削更加酷刻的方法。在依据物资支给工银的时候,劳动者选择商品,对于所要的商品的选择,是大受限制的,并且商品的品质,格外恶劣,而价格大部分又是腾贵,资本家一方面为要尽量地减少必要的可变资本①,他方面,为要使劳动者成为工场内小商店的义务的买主,他就尽量地减少工银的支给次数②。

————————————

① 若工银支给期限,不比动本回转的期限为短,那就变成资本家把自己的一切可变资本任凭劳动者以信用去领取了。例如,资本家若为着制造商品,而靠那商品赚钱,不要一个月以上的期间,并且此时的工银,又是在月终作一次支给,那么,这个资本家对于劳动者,一点儿也不是预备,而只是把那靠劳动者造成的商品所换得货币之某部分支给于劳动者罢了。在前世纪的俄国商品是依九个月或一年兑取的票据而出卖的,这时候,因为商品买卖的迟缓,对于劳动者的工银,往往一年只作两次支给。

② 莫斯科县的工厂监督官安楮尔氏,有这样的说明:"劳动者很苦于支给期限,全无一定。工银的支给期限,通常完全没有由劳动者在劳动契约中规定的,那是依经营主的自己的便利,每年作两次(在巴斯哈及罗格斯)、三次、四次或四次以上,把货币支给劳动者。一般劳动者对于他们的血汗工资好像乞讨特别的慈悲一样,须向工厂主苦苦哀求,才能获得。在许多工厂当中,还实施着如次的制度:即货币,不是在一年间(雇佣期限终结之前)完全支给劳动者的。如果劳动者因完纳租税而需要货币,就把货币直接送交郡长或村长。"

在这种制度之下,劳动者只能在工厂内的小商店,凭着信用贷而维持生活,他于一年之中,当然成了这个小商店之给付无力的债务者。

"在年终行决算时,即从他的工银中扣还商店债务,劳动者往往是在一年劳动终结后,自己才得领得总额若干卢布的现金,工厂内的商店,能给工厂主以非常巨大的收入,有许多工厂,已在劳动者的雇佣条件中,订明了劳动者不得从经营主以外取得食用的义务。许多工厂主所赚的钱的大部分是从工厂内的商品的贩卖品而来,不是从工厂的生产而来。"

"在沙"的时代的俄国,曾于 1886 年 6 月 2 日,颁布禁止以物质支给工银和每月支给工银不及二次的法律。但实际上,因工场监督的不严和劳动者原告所受的压迫,这样的法律,常常变成了死条文。

第四节　薪俸生活者的工银(薪俸)

企业家,不仅购买劳动者的劳动力,还要购买那薪俸生活者,即组织者、管理人、簿记员等等的劳动力。这样薪俸生活者,其等级愈高,或所负责任愈多,而资本家若是冷待他们,而视为本身阶级之敌,即于资本家越发不利。固然,下级薪俸生活者,本是在劳动者以上的一个被剥削者。但高级薪俸生活者,即支配人、技师等,他们不但不被剥削,反之,资本家还要以分红的形式或直接的薪俸形式,把从劳动者那里剥削得来的剩余价值一部分,分给他们(那些高级薪俸生活者)。他们虽然戴着所谓劳动力卖主的假面具,而实际上却是资本家的同党。他们常常把自己的贮蓄,投资于他们工作处所的企业,并在许多情形,以这样资本而参加企业,还是他们的义务。除此以外,如我们前面所述,股份公司的许多高级勤务者(支配人、监察人等),是由发起人及其他重要人物,以薪俸、纪念章报酬①等等形式,取得企业利润的一部分于自己之手,而担任那个职务。

摘要

一、劳动工银,是劳动力的价格。

二、在本质上,不依存于表面形态的劳动工银,常是时间的。

三、须区别劳动工银为名目上的劳动工银(以货币表现的)与实际上的劳动工银。实际上的工银的大小,依消费手段的大小所决定,而劳动者是以自己的劳动工银而取得这些消费手段的。

四、劳动力的价格,在其价值的周围,上下动摇着(正确点说,是动摇于其生产费的周围,这生产费,等于劳动力再生产手段的生产价格)。

---

① 是对于参加会议的报酬。纪念章,是为计算会议参加者的人数而给予的。

五、劳动力再生产手段的大小,因所要求的劳动力之质的变更,以及风土和文化上的差别,而在相异的时期、相异的国家、相异的生产部门和相异的工场部门,是不同一的。

六、为增高劳动工银而行的劳动者阶级的斗争,是为阻止劳动力的价格显著的抵降到劳动力的价值以下,或为增高劳动力的价值而斗争的。

第十二章　资本家的蓄积与恐慌

第一节　再　生　产

生产过程，一见就像消灭的过程一样。在这个过程当中，劳动力、原料及补助生产物，完全被体现出来，建筑物及工具，就徐徐被使用而至于耗损。实际上，我们知道，如果生产是消灭生产物，那就是在生产物面消费那些生产物了。人们为生产而消费劳动力、棉花、煤炭和机械，生产就给人们以生产物（例如衣服）。我们要是单从各个生产部门观察，而忘掉与其他部门的关系，那就在我们看来，好像劳动力和生产手段的消耗，就难以恢复了。衣服拿在手中以后，还能再做什么呢？衣服不能代替供消费之用的煤炭而投于暖炉之中，也不能给养饥饿的劳动者（固然可以穿着）。要把织机或纺机去和衣服替换，更是不可能的。可是我们若注意到全体的一切生产方法，问题就全然不同了。我们知道，这个生产方法，第一，是再生产着它自身所消费着的一切东西的。

扩大再生产第二，是再生产着在社会自身方面所消费的一切东西的。生产过程，在那种时候，就以把自身的一切的意义，成为再生产过程而现于我们面前。在这种时候，生产力越是发展，再生产会被扩大的机会也就越是多。即，生产手段与消费手段，在某种期间内，例如在一年内，生产的东西比消费的东西较多的机会就越是多。可是我们就历史上所得到的一系列的事实说来。那构成社会生存基础的生产手段与消费手段贮蓄，不但没有增大，反而是趋于减少，并且渐渐

缩少再生产伴着社会自身归于没落（于是引起所谓前代文化的消灭）。在这样的情形，我们是以那在缩少的基础上的再生产为问题的。此项立在缩少的基础上的再生产，在世界战争中和那战争刚告结束之后的多个交战各国，差不多都试行过。

单纯再生产　　最后，我们可就单纯再生产加以考察。单纯再生产，是从扩大再生产到缩

少的基础上的再生产的转换点,或是那个反对方面(从缩少到扩大)的轻换点,即是没有何等的过剩,只是补充生产的及非生产的消费之再生产。单纯再生产,不把社会推向前,也不把社会推向后,而是把社会放置在停滞的状态的。社会生产力的发展,与生产手段及消费手段之量的增大为紧密地结合,而社会就分配着这些增大的生产手段及消费手段,即是与再生产的扩大为紧密地结合了。

在交换社会中,生产手段与消费品的再生产,采取着价值再生产的形态。因此,那再生产的商品,就有这样的矛盾之点:从生产物的见地观察的扩大再生产,从价值的见地观察就能变为缩少的再生产,反之,从价值的见地观察的缩少的再生产,从生产物的见地观察,就能变为扩大再生产。 价值的再生产

假如这里有烤面包的某职工,他在 1923 年 1 月 1 日,持有他在 1922 年 1 月 1 日所有的同额商品与同量面粉,那么,他在这一年中间,没有贮蓄什么。也没有从以前的贮藏物中耗费什么。这时候,在我们眼中所见着的,好像是单纯再生产的例子。可是由价值的见地看来,却能够表示出差异来。粉的价值,已因丰收的结果,低降到了 20%。这时对于烤面包职工的企业,其价值就趋于减少了、再生产就立在缩少的基础之上了。

资本家的关系,把再生产的价值,分为生产手段的价值(C)劳动力的价值(V)剩余价值(M)的三部分。资本家知道单纯再生产,是把剩余价值完全消费的。扩大再生产,在资本家的条件之下,如果仅消费剩余价值的一部,而把其他一部变为蓄积品时,就有可能。因此,资本家的扩大再生产,是和资本家的蓄积一致的。 资本的再生产

我们拿纺绩工场一年间的生产物看看。假定那生产物等于 1000 万埃徙的印花棉布。各 1 埃徙的价值,为 25 戈比,全部价值为 25 万卢布。在一年间所消费的劳动力为 50 万,所消费的原料及补助材料为 100 万,所耗损的建筑物及机械为 50 万。 蓄积

在这样的条件之下,那一年间的生产物价值,即为如此的区别。

C——1500000

V——500000

M——500000

————————

合计——2500000

339

假如这个企业的资本之有机的组成,与社会的总资本之平均的有机的组成为一致,因而在正常的条件之下,那剥削出来的全剩余价值,在那里存下来。资本家即于这 50 万的剩余价值中,用地代的形态,拿 1 万交给土地所有者,用租税形态拿 9 万完纳于国家,其余 40 万,便构成他的利润。固然,资本家是可以使用这个总数的。但照这样,他一年间的蓄积,就等于零了。

可是如我们前面所述,大规模生产对于小规模生产,且有极巨大的优越性,小规模生产,常常为大规模生产所驱逐。生产集积的过程,迫得资本家去蓄积,并且迫得资本家因此而扩大自己的企业规模。这就是资本家间的实在的竞争。于是不堪这个竞争的弱者,就要为强者所打倒。资本家若果对于自己的企业不能投下追加资本并且还依据旧的规模与方法而继续经营,他就会用高率的成本费,提供商品于市场了。这样地就要受损失,得不到利润了。他仍然没有流动资本,就不能成就那更有进步的企业家的机能了。

如果资本家做了企业家而不愿意受灭亡的运命,他当然只有在自己的利润 40 万中,仅仅的消费一部分,而以其余的一部分,作为扩大生产之用了。因此,那扩大再生产,对于资本家就成为一个特征。

假使资本家间在扩大再生产的条件之下而同时协定要把自己的利润完全消费,那就成了很大的笑话。一年间的生产物,怎样的被区别为 C+V+M,已如我们前面所述。剩余价值,首先是一年间的生产物一部分。制造果子的职工的剩余价值,犹如他的全部生产物一样,当然是具着食用的形态。可是这件事,对于冶金业、造船业以及车辆制造工场的剩余价值,就不适合。那些的剩余价值,也如那些的全部生产物一样,是表现于生产手段的。要是全体资本家都协定把弄到手的一切利润都完全消费,而拒绝扩大生产与投下新资本于生产,那么,生产着生产手段的资本家,必致蒙着损害。所有预备用于扩大生产的生产手段,都因不能实现其计划而搁置下来,随着那些生产手段的剩余价值一部分,也因不能实现其计划而搁置下来。不用说,这些搁置下来的东西,也可以说只能由生产手段转换为消费手段,车辆及机关车要转换游艺的工具,或例外的利用为建筑宫城及别庄等等的建筑材料了。但在实际上,这样的事是不能有的。在剩余价值的大部分具着生产手段的形态时,资本家如转移到单纯再生产,就会不实现多额的剩余价值而搁置下来了。照这样,剩余价值的自然的形态,即使资本家阶级自身不愿蓄积,也会被迫逼而去蓄积的。

第二节 再生产的构造

马克思对于再生产的问题,有极详明的分析。他把全部社会的生产,区别为二分部分;一是生产手段的生产,二是消费手段的生产。①

在第一部分,一年间生产物的一切部分(C、V 和 M),具着生产手段的形态(图 1)。

在第二部分,一年间生产物的一切部分(C、V 和 M),具着消费手段的形态(图 2)。

这两部分,在单纯再生产之下,怎样分配自己的生产物呢?

先从第一部分说起。

1C,是为放进在一年间生产物中的生产手段之代价,而存留于第一部分之内的(图 3)。

1V,代表着劳动者生活手段的价值,因而是代表消费手段的价值,是那些劳动者,必须与那消费手段相交换的。所以 1V 必须和劳动者所需的消费手段相交换而转移于第二部分(图 4)。

1M,也和 1V 同样。在这里,是以单纯再生产为问题的,所以资本家②就把 1M 完全消费,这样,1M,必须和剥削者所需的消费手段相交换,而转移于第二部分(图 5)。

然则第二部分究竟用自己的生产物那一部分交给第一部分呢?

---

① 在这里成为问题的,只是关于生产构造的区别,不是把产业依部门而为具体的区别,这是要注意的。例如榨油工厂,专为把那生产物的油使用于食品而生产时,属于第二部分。专为使用于制造品而生产时,就属于第一部分。高贵官吏,把那专为粉饰官舍屋顶而制造的油,事先使用一点,调葱而食,那却不是绝对无益的事,可以置之不问。

② 收取地代的土地所有者和征集租税的国家,都加入在内。

图1

第一部分

图2

第一生产年度终局
一年间的生产物
在第一部分那C、V和M具
有生产手段的形态

在第二部分，那C、V和M
具有消费手段的形态

图一　单纯再生产的构造

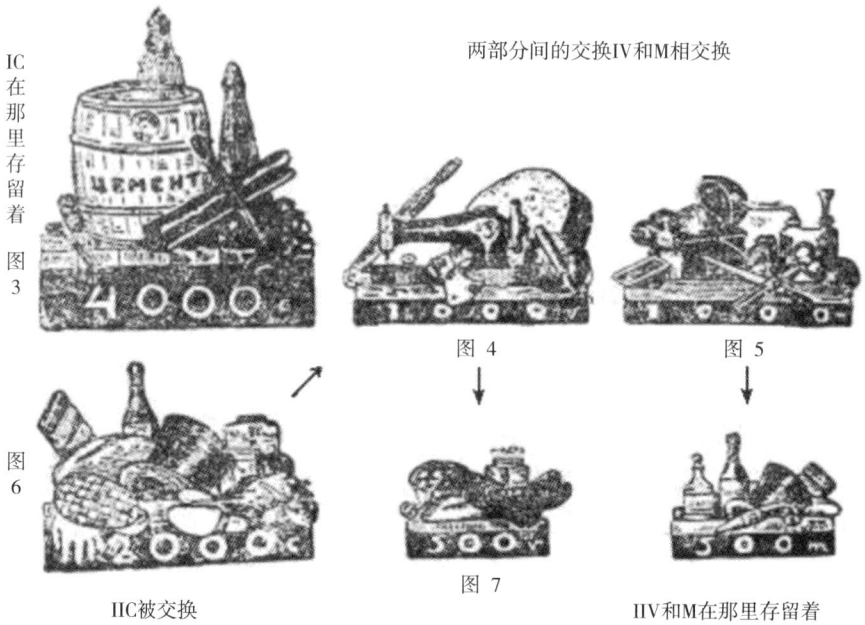

IC
在
那
里
存
留
着

图3

图6

图7

图4

图5

两部分间的交换IV和M相交换

IIC被交换

IIV和M在那里存留着

图二　单纯再生产的构造

第一部分 IC 在那里存留着

第二生产年度开始资本各部分使用别的配列

代替自身的V和II，这第一部分，是劳动者和资本家弄到手的消费手段

图 8

图 9

第二部分

图 10

图 11

IIV和II在那里存留着

图三　单纯再生产的构造

这个，不能是第二部分中劳动者所必要的 IIV，也不能是为着单纯再生产的条件，属于第二部分中资本家全部所必要的 IIM。这只有 IIC，才能够交给第一部分。IIC，虽具有消费手段的形态，但那是依其价值而填补那放进在生产物中的生产手段的。

这样，第二部分，就把自己的 C 转移于第一部分。

代替这转移部分的是什么？

那是由第一部分转移到第二部分的 IV+IM。

因此，单纯再生产，在资本家的条件之下，只有在依着价值而为 IV+IM＝C 的时候才有可能，那是毫无可疑的。

如果 IV+IM，比 IIC 为大，单纯再生产的均衡，就要遇着破坏，第一部分的资本家，即不得不转移到蓄积与扩大再生产。因为那些资本家，能够消费自己的全部剩余价值的那样多的消费手段，在社会的支配之下是不存在的。

所以，蓄积，在第一部分与第二部分的相互关系是

IV+IM>（大于）IIC

的时候才有可能，并且必须在这个时候。

这时候，生产手段的生产扩大，只有劳动者所需的追加的消费手段现实存

在之时是可能的。至于劳动者所需的消费手段之追加的生产，在那时要求追加的生产手段的。

马克思在《资本论》第二卷中，像这样的说明着单纯再生产的构造。

I. 4000C+1000V+1000M=6000

II.　2000C+500V+500M=3000

―――――――――

合计――9000

1. － V+－M　=2000

2. ＝C=2000

－ V+－M=C

扩大再生产的最初构造

I. 4000C+1000V+1000M=6000

II. 1500C+750V+750M=3000

―――――――――

合计――9000

－V+－M＞=C

第三节　社会关系的再生产

资本家的再生产之定式，反映着社会的财富之再生产的过程，即是社会存在之一切物质基础的再生产。

可是这个反映，是很矛盾的。第一，像前面所说，扩大再生产，从社会的财富之物质基础的见解说来，可以是单纯的，再从价值的见解说来，又能是缩少的。反之，从那个反对方面说来，也是这样。第二，社会的财富生产扩大的贮蓄，是采取各个资本家的蓄积的形态以及他们的利润的一部分的形态。资本家虽取得利润，却不知道利润之社会的意义，犹如儿童在春天取去白杨树叶，而不知道取去树叶，即减弱了树木全体的生活与成长一样。

在一年间生产物中所表示的资本的区别，即旧的价值（C）与新创造的价值（V+M），我们应当特别注意。生产手段的价值（C），是返还于资本的。这件事,就是向我们说明那生产者与生产手段分离的那种剥削的主要条件的。整个的新创造的价值(V+M),本是由交换社会之一员的劳动者的劳动所创造。但是那资本主义的法则,那劳动力买卖的法则,却把这新创造的整个价值,区别为劳动力价值中的报酬价值(V)与剩余价值(M)两个部分。一切价值的三个部分C、V及M,都以生产物或靠它赚来的货币的形态,再归到资本家的手中。资本家,只要在竞争战的当中,如不能被自己的伴侣——资本家所噬杀,又可从生产过程中,再成为资本家而出现。至于劳动者,就像有名的寓言中的狐狸一样,他走入生产过程时,两手空空的未拿何物而入,他退出生产过程时,也是一样的两手空空,未拿何物而去。生产过程,再届到再生产,这个寓言,再从头开始。

资本家在残酷对于他并没有利益的处所,他决不会残酷,他是愿意把V返还于劳动者的。自然,这个返还,不是无代价的返还,乃是愿意与劳动力交换的返还。马克思曾经这样说:"在正当的蓄积进行中所形成的追加资本,主要的就是作为利用新的发明和发见,总括一句,即是利用一切产业上改良的工具而有效的东西。但是旧的资本,也有时达到自己的一新时期。在那个时期,这旧来的资本,就转变颜色,转生在能以少量劳动而运转多量机械及原料的那个完成了的技术的形态之下……

"因此,一方面,在蓄积进行中所形成的追加资本,就比例于自己的大小,而吸引仅少的劳动者;另一方面,以周期的新组织而被再生产的旧资本,越发要把向来使用着的劳动者驱逐出去。"

这样,移到了较为扩大的基础之上的再生产,即不能吸引劳动者阶级全体的成长"自然的成长与他阶级的无产阶级化"。随着生产的扩大,劳动预备军也被扩大起来。因而对于这预备军对于劳动工银的压迫也被增大,同时,劳动力的价格与价值的相差,也增大起来。于是阶级的矛盾,就益趋于尖锐化。

生产的集积,驱使巨大的无产者大众,集中于大规模的企业之下(无产阶级的集积)。随着技术的发展,必要劳动时间的减少,相对的剩余价值的生产就增大起来,同时对于劳动者的剥削率,也增大起来,劳动者阶级对于社会生产物的分配额也就急剧的降低下去。我们知道,劳动力的买卖,分割了社会,

普罗列达利亚的集积

把社会分割为两部分——劳动之极与资本之极。① 在劳动之极出现的,是劳动者大众,他们本着阶级的精神,日益亲密结合起来,同时又受那日益增大的剥削与失业所压迫。在资本之极一方面,具着矛盾的资本形态之社会的财富,因为产业、商业、信用等的股份公司化与独占化,就变成了 10 亿大资本家间的轧轹的目的物。劳动与资本之间的矛盾既已增大,同时技术与经济形态间以及生产力与生产关系间的矛盾,也随着增大起来。

这样看来,资本的扩大再生产,同时就是资本主义矛盾的扩大再生产。

第四节　原始的蓄积

在资本家的方面,资本是由未经消费的利润构成的。如果资本家对于一年间所得的 40 万卢布的利润,仅以 5 万卢布消费于生活,那剩下的 35 万卢布,就能化为资本,就能添入于资本而成为资本。

照那样说,资本是从利润得来的。但是利润又从什么得来呢？利润又是从资本得来的。在那里当是显现着蛊惑的循环的。然则最初的资本是从什么地方来的呢？

不用说,资本家等是要把他们的资本之原始的出现,归之于受劳动与节俭两事,说是他们"寝不甘寐,食不甘旨"所致呢。

这种说法,果然是事实吗？究竟是夸张自己善行的资本家的话正当呢？

---

① 马克思特别的区别着资本的集积与资本的集中。

"各个的资本,是生产手段的或大或小的集积,是适应这个集积的大小而命令或大或小的劳动者军的。任何蓄积,都成为新的蓄积的手段。蓄积,一方能使成为资本而作用的财富量增大,一方又使握在各个资本家手中的财富的集积增大……同时,尽着新的独立资本的机能的这个资本,复与旧来的资本分离。关于这事,那资本家家族内的财产分析,就中演了重要的任务。随着资本蓄积的增大,而资本家的数量,多少也有点增加。

"关于所谓社会的总资本被分割为这样多数的个别的资本的一件事……这些个别资本的相互牵引,就生出反对作用。这件事,早已不是与蓄积同意义的生产手段之单纯的集积,也不是单纯的劳动支配,边是表示那已形成的资本被集积而那些个别的独立资本被扬弃,表示资本家被资本家所收夺,而多数小资本被少数大资本所转化。正因为那一方面,资本离开了多数人之手,所以他方面,资本就在一人的手中膨大起来。这就是在严密的意义上必须与蓄积和集积相区别的集中。"

在最新的马克思主义文献中,所谓资本的集中,是解释为股份公司化与加达尔化的。

还是所谓"依于孜孜勤劳,难得石造之邸宅"的俄国谚语正当呢?

还有一个问题。这就是资本家的生产,原以从生产手段所有分开而完全自由的劳动者为必要的问题。然则这样"自由的人们"的集团,究从何处得来的呢?

又在那些自由的人们,已被闭锁了独立的生产之路,且令他们除贩卖劳动力外什么都没有者,抑又为谁?

资本家对于这一问题,必然马上给以如次的答复说:无产阶级,是自己失掉了的。他们以前饮酒,懒惰,无论什么事情都不想做,把自己所有的一点财产,都为饮酒而浪费净尽。所以他们之中,出现了所谓贫乏人的种类……

既是这样,那些受劳动的人们(资本家)及其子孙,在许久以前,就是懒惰着,那些懒惰者的子孙,在许久以前,已是流着血汗而工作,而何以那个旧穴不仅不被塞住,反而日益趋于扩大呢?

近代产业资本的隆盛,是随着18世纪后半期的作业机,即纺机、机械的织机之出现而同时开始的。

因此,纺绩业,在长时间内,是主要的决定的产业部门,其他一切产业部门,都以这个部门为基础。到了19世纪后半期之初,而重要的地位,就移于重工业了。

作业机,对于早先已被适用并且只是期望必要的适用之蒸气发动机,给予了重大的刺激。西欧各国,因很早的技术所造成的其他巨大的进步之赐,即因罗盘针与火药之赐,蓄积了一些资本,机械的生产,就使这些资本丰富起来。火药与罗盘针,对于欧罗巴,并不如掠夺的可能性那样,增大了生产的可能性。火药与罗盘针,是能使人们远涉重洋而航海的。哥伦布横截大西洋而向西方,达哥玛——先往南方,后回喜望峰——沿印度洋而向东洋。他们两人的目的,都是一样。即是探求海路,要走到达印度的宝库去取得真珠、金子、香料——胡椒、肉桂、生姜及肉豆蔻——以及当时用金子的重量估价的商品。

为探求一个印度,却发现了两处的宝库。达哥玛到达了现在的印度,哥伦布就在航往印度的中途,遇到了美洲。

在住居极久的土著人与欧洲人冲突的期间,那些土著人已受了重大的牺牲。第15、16世纪的西欧技术,在现在看来,本是极幼稚的,但是无论如何,比较当时美洲及印度洋诸岛的技术,却已发达到了不可测的高度。弓矢与原始的小舟,已证明了对于枪炮与船舶的斗争之无力,于是在殖民地的蛮横斗争就开始了。

哥伦布把新征服的领土,分配于自己的战友之间,土著人变成了奴隶。在这些新领主之下,土著人究竟过了些怎样的生活,这可由美洲土人很流行的以实行自杀为报复自己的加害者的手段一事证明出来。经济学者宗巴特,引用着一段趣味深长的故事,说一个领主若是和自己的奴隶(即印度人)一同在网中寝于露天之下,就可使他们奴隶停止自杀。这是奴隶恐在阴间与领主会面,而断绝了自己的吊颈自杀念头。

凡在殖民地有价值的东西,都被吸取殆尽而输送于欧洲了。

最初,欧洲人对于殖民地一切生产物当中,特别重视香料与金子,可是就资本主义看来,那奴隶的黑人和棉花,却是殖民地最重要的生产物了。没有棉花,纺绩业是不能兴旺的。由于这纺绩业的兴旺,那产业资本主义的一般的兴旺就开始了。又没有奴隶,在最初,即已不能采取棉花。

各种国家(尼得兰、英国、法国、丹麦、俄国)所创设的商业公司,只限于那些公司贩卖着商品之时,才是商业的。然商品领受的方法,虽能便利的加以名称,可是只有一层,就是没有拿出来钱去购买。马克思曾有如次的说明:

"美洲金银矿的发见,土著人的剿灭、土著人的奴隶化并埋没其生存于此等矿山中、东印度的征服及劫掠的开始、非洲之被转变为商业的黑人狩猎物——,这一切的事情,都是在资本主义时代的曙光上具有特征的东西……

"荷兰人想在爪哇得着可使用的奴隶,而在塞列别斯岛实行了的人类劫掠制度之特征的事实,实在是无以复加。为达到这一目的,就训练了特殊的人类盗贼。盗贼、翻译者,和贩卖业者,是这种商业的主要的交易者,土著的王侯,就是那商业的主要的贩卖者。被盗来的青年们,在养成到可以送上奴隶船以前,就拘禁在塞列别斯岛的秘密监狱之内。在政府的一个报告中,有如次的说话:'在玛甘沙一个都市,充满着秘密监狱,其最堪惊骇的一事,是横被无理的强从自己的家庭分开,而加上了锁链的那些为贪欲与暴虐而牺牲的可怜的人们,挤挤满满的装在里面。……'

"殖民制度,促进了贸易与航海的温室的成熟。'独占公司'是资本集积的有力的杠杆。殖民地对于正在萌芽着的工场手工业,保证了贩卖市场,并依市场的独占，又确保了强力的蓄积。在欧洲的领土以外，由劫掠、奴隶化、强盗杀人等事而公然得到的财宝，就流入于母国而被转化为资本……"

在原始蓄积的另外一个源泉，便有国家的信用。马克思关于这一点就这样说："国家的信用制度，即国债制度的起源，在中世纪就已出现于琴诺牙和威尼斯，到了工场手工业时代，这种制度，就征服了全欧。公债是原始蓄积最有力的杠杆之一。这种公债，好像把魔术杖一挥一样，能予不生产的货币以生产力，使把转化为资本。而资本在这个时候，不是像产业上的投资或私的高利贷业一样，要置身在不可分的艰辛和危险当中。并且这些债权者对于国家，实质上并没有给予何种东西。因为他们贷给国家的金额，已变为很能容易转移的公债证书，而此项公债书所记载的金额，完全和同额的现金一样，在他们的手中仍有作用。

"随着国债的出现，国际信用制度也成立了。这一制度，也往往包藏着这一国国民或那一国国民的原始蓄积中的一个源泉。例如，伴着威尼斯的劫掠制度所表现的各种卑劣行为，就构成了荷兰资本家的财富的这种隐藏着的一个基础，而威尼斯在自己的衰亡时代，曾贷出了巨额的货币于荷兰。荷兰对于英国的关系，也是一样。在 18 世纪初，荷兰的工场手工业，已远逊于人，已不是优越的工商国了。于是从 1701 年至 1776 年之间，便以巨额的资本贷与于他国，特别是贷与于优势的竞争者英国，为他的主要营业之一……

"在工场手工业时代，随着资本家的生产发达，而欧洲的舆论，已把廉耻心与良心的最后残余的部分，完全丧失殆尽。欧洲诸国民，完全不知羞的自诩其有益于资本蓄积手段的一切丑行……

"从来仅在非洲与英领西印度间所行的奴隶买卖，以后也在非洲与西班牙领非洲间同样行使的特权，是英国依乌托列西得媾和……从西班牙人强取的，对于这一事实，便宣传为英国的政策之胜利。英国在 1743 年前，对于西班牙①领非洲，取得了每年应供给 4800 个黑人的权利……

"利物浦的繁荣，是以奴隶贸易为基础。奴隶贸易，是利物浦原始蓄积的方法。"各国本来具有自己的原始蓄积的方法。在俄国，原始蓄积的源泉中，有酒类的专卖权税。在中国，是巨大的国家职权……

---

① 此处疑掉字。——编者注

马克思关于原始的蓄积,有这样的结论:"资本的出世,自头顶到足尖,一切毛孔当中.都滴着血与秽物。"

第五节　劳动力卖主的基础怎样造成的呢

与原始蓄积过程并行的,是农民大众的无产阶级化。农民不仅脱离了农奴的羁绊,并且还离开了土地。伺候贵族的侍从,都已被投到劳动市场而成为集团了。马克思有如次的说话:

"因封建侍从的解散和急发的暴力的土地剥夺而失掉了自己地位的人们——这些自由的无产阶级,本是由刚才所说的那样迅速过程造出的,但无论如何,他们都不能以同一迅速的程度,为新兴工场手工业的产业所吸收。另一方面,这些忽然从那成为旧习惯的生活轨道而被投出的人们,要立刻就来适应新制度的训练,也是不可能的。他们有几分由于癖性而大概却为环境所迫,被转化而成为集团的乞丐、盗贼、浮浪者等。因此,从 15 世纪末叶起,通过 16 世纪全期,所有欧洲各国,都制定了一种惩治流氓的残酷法律。成为现在劳动者阶级人们的祖先,他们因不得已的成了流氓和被拯恤的穷民,都曾受过惩罚。立法是在当时已不存在的旧生活条件之下,以所谓继续劳动与否,系于他们自身意志的那种假定,把他们视为'自甘暴弃的'犯罪者处治的。"

1530 年的英国法律,据马克思说,有如次的情形:"无劳动能力的老年乞丐,准予乞食。身体强健的流氓,须受鞭挞和监禁的惩罚。对于他们,是系之于载货的马车后部,鞭挞至流血后,即解回原籍或最边居住了三年的地方,务须出具'应当劳动'的誓约。如有因再犯流氓罪而被捕,就再受鞭挞,割去耳朵一支。三次犯罪,就视为重罪犯人及社会的公敌,处以死刑。"

马克思又接着说:"因此,那被用强力而剥夺了土地,更被驱逐而变为流氓的农村住民,就依极奇怪的酷刻的法律,用鞭挞、烙印、拷问等刑罚,以灌输必要的训练于雇佣劳动的制度。"

前资本主义时代的农民经济,是自然的经济。

与其出卖纤维购买制成的衣服,宁肯使用亚麻和毛织物,农民是这样选定了的。他们除铁和盐外,什么东西都不要买,凡是必要的东西,都是要由自己造出。劳动者就不是这样。他们为交换社会的真实的一分子，他们是把所有的一切，否，所有的唯一劳动力出卖的。在他们不得不领取并且是能够领取的一切，也是要由购买而来。因此，农民的无产阶级化，在资本主义方面，那不仅造出了劳动力的卖主，还造出了视为补充贵族的那个商品的新买主。而在这种贵族经济中，从许久以前，即已浸润着货币关系。农民的无产阶级化，完全与殖民地的奴隶化造出了外国市场一样，扩大了内国市场。

与农民的无产阶级化相并行，而手工业的同盟组合，都已崩溃了。工场手工业，已把职工变成了劳动者。

18世纪作业机的发达，已使英国资本主义的一切前提条件，一一出现，这些就是资本，劳动力和市场。资本主义，是在达到了必要的规模以后，仍旧的把所谓资本的蓄积、生产者无产阶级化、后进国民奴隶化等相同的事情，依着与从前相异的纯资本家的方法继续进行。资本主义是从摄取营养分以营养的卵中胎儿，而转变为独立的生产过程。资本主义是在日益扩大的规模之下，再生产自己存在的基础——资本和劳动力，并再生产资本主义完全成熟前之必然的内在的种种矛盾。

第六节　市　场

社会的生产过程，无论如何的分歧，都是统一着的。这个生产的统一，在交换社会，就显为纯粹的市场的表现。一个商品的实现，是与其他许多的商品实现，紧密的结合着。资本家想在劳动大众中，觅到长靴和花布的买主，即须劳动者觅到购买自己劳动力的买主。反之，制造长靴和花布的劳动者，要想无障碍的再卖自己的劳动力，即须资本家觅到他们以前制成了的生产物的买主。自然，两个商品的市场关系，不一定是这样简单明了的，或者两个商品的中间，要经几百次循环，才得结合，也不可知。总之，这个结合，实为不可避免的结合。市场的一切扩大或缩小，犹如在水面簸动的波一样，那是要成为广大的波而波及于种种产业部门的。（连续的市场关系）

假定陆军部因为陆军军人需要100万埃徙的花布，每1埃徙花布的买价是1卢布。又假定那个承包人工场主等，就每1埃徙花布当中，赚得5戈比的利益(如果他们以所有的资本,一年为三次回转,就构成每年15%的切实的利润率)。那么,他们所赚得的利益,就全部说,当时5万卢布。然则他们把其余的95万卢布,怎样办法? 他们是以这个金额,再做购买劳动力、原料、补助材料、机械及建筑物修缮材料等等的买主而出现的。因而实现的波,又从花布而转化于绒毛、煤炭、机械、烧砖等。我们以为这个波,还是狭小的。承包人等,把100万卢布拿在手中,为什么只做95万卢布的买主而出现? 实际上当然不是这样。在赚到了5万卢布的资本家们,必以一部分自己的消费而耗用的,即是显现为消费手段的买主,又必以其余一部分为资本家的蓄积,即是显现为追加的生产手段和劳动力的买主。因而资本家们,既然不是财货的保管者,他们即不得不以做卖主而活动的全金额,拿来做买主而活动。因此,那100万卢布,就从陆军部交到纺绩业者等之手,再从他们那里,一方转到畜牧业者(就绒毛说)、煤炭业者、冶金业者等等之手,他方转到屠户、果子制造业者、酒坊、绢和天鹅绒的生产者等等之手。这些的各个卖主,都不得不挨次的又做买主。所以这个波,到了本身的范围无限狭小时,就越发的波及于远方,并且是广泛的横流。

反之假定一组商品——即令是与前相同的500埃徙的花布——因某种原因,在制成以后,以不能实现而搁置下来。那么,那市场缩小之否定的波,又从花布开始。花布以不能实现而搁置的事实,就影响到绒毛、煤炭、染料、劳动者和资本家消费手段等等的实现停止。这些商品不能实现的事实,就挨次影响到其他商品的实现停止,而如此的延续至于无限。无论如何,商品的背后,都是排立着期待实现的其他商品之无限的号次,无限的行列,一商品的阻滞,就影响到全列的运动停止。

信用关系　　再就信用关系说。我们已经知道,价值是能依纯粹的信用方法,而通过一系列的阶段——原料供给者、工场主、批发商人、零卖商人(有时还有一系列的中间商人或投机业者存在)——的。因这一系列的信用而发生的票据,可以留存在直接收受票据的人的皮夹之中,也可以持往银行折息。零卖商人对于批发商人所发出的票据,批发商人,即以之作为支付工场主之用,而工场主复转给于原料供给者。就是这样的挨次辗转流通的。因此,那票据所循的过程,乃是循着与商品所循之过程相反的过程。可是无论如何,信用的全连锁,实是系之于最后得着商品的人,在我们现在所述的例中,就是系于零卖商人的那个商品的实现。如果商品不能由他卖出,或者因价格下落的结果,蒙着损失而卖出,就发生支付困难的影响,再由一阶段而波及于他阶段。这样的支付困难,便使信用随着减少,而信用减少,又影响于两方面。一因信用减少的关系,不能购入生产手段,影响到生产的停止,一因信用减少的关系,不能贩卖商品,就影响到销路的停止。这样,生产的缩小,首先就使劳动力卖主的购买力低减,其次又使资本家的购买力低减。

以上的各种生产部门间的这些关系,因交换上本身的矛盾性,不是把资本家经济安定的巩固程度增大,反而是要把那个程度减少。基于这样事情,使我们想起了建造茅屋村落的各个房宅间所存在的关系。这些各种生产部门,虽然个别工作,个别建造,但是一经着火,就全村之一炬。

第七节　恐　慌

如上面所述,各个产业部门,是那样地互相关联着。某商品的销路闭塞,必然引起其他商品的销路,同归于闭塞。为了开通商品销路的闭塞,第一成为必要的,就是各个产业部门的中间,须有极正确的均衡存在。这样的均衡,就一般地说来,只有计划的组织之下,行使社会的生产时,才有可能。然在交换 不均衡
关系混乱之时,所有的生产,只是依着与长期均衡搅乱相关联的不良的结果所统制。可是还不止于此,消费者虽以生产物为必要,而市场的商品,却不能满足消费者的需要。又商品虽以购买者为必要,而劳动者大众的购买力,却由生产的发展所削减。本来,资本家在实际上,因把农民大众无产阶级化,不但获得了劳动力的卖主,并且获得了资本家的商品的买主。所有食着自己所播的谷物,衣着自己所造的缟布之农民的自然经济,已经崩溃,农民尽都渐次变为在市场购买一切消费品的劳动者了。① 然而这样的市场扩大,不久却遇着了

---

① 正确的说来,农村的阶级分化,一方面是造出农业劳动者、半农民劳动者的贫农及到工场去的劳动者,他方是造出富农。如列宁所说,农村的阶级分化过程,使资本家的市场,为双重的扩大。富农已成为购买生产手段(农业工具与机械,耕种用的家畜)及由砂糖至留声机的奢侈品的买主。贫农的消费,虽比他在本身崩溃而离开自然经济以前的较少,然须购买的物品却较多,因他都是依购买的物品而生活的缘故。

难以征服的障碍。这就是所谓耗费于购买劳动力的一部分资本,受了限制,换句话说,就是限制了可变资本。随着机械把劳动者从企业中逐出,而社会总资本有机的组成趋于增大,即可变部分相对地减少,相当于不变资本与剩余价值的其他部分趋于增大(相对的 V 趋于减少,C+M 趋于增大),所有劳动者阶级的购买力是依 V 的大小而计量的。

不待说,劳动者的消费,比生产的范围较迟,这件事,是能由消费手段的生产本身,伴着资本有机的组成,移于第二位的地位那件事可以补救几分的。生产手段的生产,正在开始演着重大的任务。但是无论如何,这种补救,却难以预防恐慌。因为生产的运河,不管怎样的延长,总是要有消费形态的那个出口才行。

无论怎样必须出卖生产物的一件事,即必须出卖生产物于能够支出这全部生产物价值的人们一件事,在仅能支付生产物价值一部分于生产者之时,是与劳动力的购买相矛盾的。而这生产物价值的一部分,恰恰相当于劳动力的价值。因此,为卖主的劳动者,便被抑压到第二位的地位。

随着技术和信用的发达,在新企业当中,投下(放下)资本一件事,就日益容易,而提出资本一件事就日益困难。对于建筑物、机械等等的费用(固定资本),在长期继续的企业,为额较大,并且是已被预定了的。固然,各该资本家,或者出卖建筑物、机械等等,或者把它们股份化,本容易从企业当中提出自己所投下的资本的。可是根本问题,并未因此而变更。那个资本,单是变为他项的资本而分派出去了。不过企业,在既经创设了以后,即不得不运转,不得不把山积的商品运送到市场。在市况良好的时候,新的企业,急速地被创设出来,股份公司的发起人,竭尽全力而活动。于是新企业的创设的本身,就造成了对于建筑材料、机械、劳动者等的需要。需要的波,有了远大的进展,那一系列产业部门的销路,就活泼起来,生产也就趋于广汎的展开。在某种产业部门所惹起的局部恐慌,自然是急速的归于消灭。可是好市况的本身,是自己隐着本身消灭的诸原因的。当新企业或新造设的旧企业以全部速力开始工作的时候,市场已充塞了山积的商品,而对于这些巨额的商品,又没有具有支付能力的消费者存在。过剩生产,在最初时期,是带着秘密的性质的,中间的商人们,还是继续的购入,商品还能由一职业层而流通到他职业层。但从流通界分派到消费界(生产的,或字面上的消费界)时,这个商品,就要停滞下来,而停滞的波,必由一部门而波及他部门。但不论是怎样,而在以急速的资本周转为习惯的企业,还是能够把自己的流动资本,减少到最小限度的(因为资本越是急速的周转,那流通资本就越发减少其必要。因此,为了扩张作业而把流通资本的一部变成固定资本的事,仍有可能)。于是一切企业,同在无意之中陷于周转不灵。从前的商品,既是不能卖掉,自然就没有东西可以支给劳动者,并且无论怎样也不能购买原料了。于是无论如何,都要把商品卖出的那样一般的倾向,就引起灾变的价格下落。① 在这样的价格下落之时,为要继续以前规模的生产,就只有贱卖商品而得来的完全不充足的金额了。

在那种时候,一切企业,都要乞援于信用机关。可是这个信用机关的源泉,在平稳的时候,本能充分的滋润着商工业,但到一般的时候,就要涸竭起来。存款者都从银行要求自己的存款,一切企业,都渴望着现金,都渴望着把商品与债权变成货币。然而这样的希望,却完全不能够实现。因为通常一国的存款总额,高于那个国家所有的货币总额几倍的缘故。②

于是恐慌突发,破产由例外变为常事。一系列的企业,停止工作,把劳动者抛弃于街头。其他比较兴旺的企业,也不过是一星期工作半星期。劳动者的购买力减少,益使市场的情势,成为恶化,而长期的市场停滞,即便到来(坏市况)。

不用说,最弱小的企业,必然基于恐慌的原因而灭亡。因为这些企业,一则没有几多存余的流动手段,二则因组织不良和劳动生产力不充分的结果,不能适应坏市况时候的低廉价格。至于具有丰富的生产手段的企业,便在恐慌之后,为着适应低廉的价格,而利用一切最新的技术上的改良。技术上的各种改良,自以投下新的资本为必要,而这些新的投资,就兴起了市场扩大之波。

好市况又徐徐地到来了,前面所述的故事,又从头开始……

----

① 在商品与商品直接交换的条件之下,交换的一般的不利益的事是不会有的。所谓商品的交换不利益,就是表示他商品的交换有利益。至驱使货币圈于交换当中的时代,当然是另一问题。于是在这个圈子周围的混乱,或许是一般的。

② 同一的1000卢布,可以几度的为存款对象物。例如甲以存款形式把1000元存到银行,银行即以此款借贷于乙,乙又以此款购买丙的商品,丙复二次的把此款作为存款而存到银行,银行复借给于丁,是如此的顺次往返的。

世界规模上的资本家的生产,是在上面所述的周期萎缩或收缩中,过着提心吊胆的日子。每一次的萎缩经过,必然是惹起生产手段和生产者的无为灭亡的运命,阶级的矛盾,便日益趋于尖锐化。

摘要

一、生产过程,同时就是再生产过程。

二、再生产,能有扩大与缩少。单纯再生产,是由缩少再生产到扩大再生产的转换点。

三、在交换社会,再生产具有所谓价值再生产的矛盾性。

四、资本家的社会所再生产的价值,可区分为不变资本,可变资本及剩余价值(C+V+M)。

五、扩大再生产。在资本家的社会,采取资本家的蓄积形态。即资本家贮藏剩余价值一部,而把它转化为资本。

六、在资本家本身,蓄积是绝对的。因为资本家在相互斗争当中的胜利,通常是归于具有巨额资本的资本家的缘故。小规模的企业为大规模的企业所打倒的结果,生产及伴着生产的资本和劳动力,都集积起来。

七、如果把一切产业,区分为生产手段的生产(I),与消费手段的生产(II)两个部门,在单纯再生产之下,IIC,必然的相等于$I(V+M)$而在扩大再生产之下,IIC,必然的比$I(V+M)$为小。

八、资本的再生产,同时就是资本家的社会关系之再生产,又是社会的矛盾之再生产。资本的扩大再生产,也就是社会的矛盾扩大再生产。

九、在一切产业部门之间,有依着信用关系而强力化的连锁的市场关系。因之某产业部门的市场的扩大和缩少,也要影响于其他的产业部门。

十、世界经济过程,在资本主义之下,是表示着隆盛期(好市况)与沉滞期(坏市况)的交替。从好市况转变到坏市况的时候,具有灾变的恐怖性质。

十一、世界的恐慌发生诸原因,就是生产的不均衡、劳动大众购买力的范围不及大量生产的范围,以及隆盛期内把流动资本变为固定资产。在生产范围与市场限制量的矛盾尖锐化的时候,销路的恐慌,因各产业部门间所存的连锁的关系和世界经济组织上的统一,而带着世界的性质,急速地由一产业部门波及于他产业部门,并由一国波及于他国。

十二、在恐慌的时候,规模最小,最无存续能力的企业,便遭倒闭。因此,恐慌就为资本集积的诸原因之一。规模最大,最有存续能力的企业,凭着提高自己的技术的水准,而适应坏市况时代的低廉价格。因之投下新的不变资本,成为必要。而新的资本之投下,便影响于市场扩大。坏市况渐次为好市况所代替,一切又从头开始前进。

第十三章　资本主义的成熟与崩溃

第一节　金融资本

资本主义的成熟形态,其特别的特征如次:

一、股份的资本形态之优越。股份企业,固然有无理的取得创办利润和掠夺的支配力这两件事,但比个人企业实在较为巩固,较有存续能力。这种情形,可由下面的事实说明出来。第一,股份公司,比个人企业家容易获取追加资本。因为它要追加资本的时候,可以发行补充股票和债券。第二,股份公司,在长期内没有利润时,还能继续营业。如果因为股票没有收益,致使股东破产,那在股东方面虽然扫兴,却于企业本身没有关系。没有利润而能完成继续营业的机能,这在企业方面是很重要的事情,正和不要湿气浸润而能长期生存的那件事,在干燥地带的植物方面是很重要的一样。股份公司这样"处于干燥中而不枯槁",在价格下落市况恶劣的时代,是极重要的事情。这种时候,股份公司,既一面翘足而望好市况到来;一面却能把自己的商品,按照成本费的价格出卖。

二、独占的结合。新迪加、托辣斯、康塞尔,代替各自行动的企业而出现了。

产业的加迭尔化,这是在资本主义本身所造出的情况恶劣的条件之下,存续资本主义而使之适应的一个形态。资本家的经济,靠着结合而探求那从自己的矛盾中产生的救主。一切无政府状态及对立竞争,都被转变为这一结合体和那一结合体的竞争。在大规模的结合体支配市场的期间,他们是一面企图统制需要与供给,一面试行完成有计划的生产的。

三、商工业资本与信用资本的结合。在商工业与银行的极奇妙的结合当中,不能够区别何处为商工业资本的终点,何处为信用资本的起点。在某种场所,是工场、大经营、铁道、轮船航路、矿山及矿坑等的企业结合;在别的场所,便是有力的产业康塞尔本身,创设着那财政的支配自己企业的银行。此外,那以获得其他企业的股票为目的而发生的特别公司,便是代表那介在信用业与产业的企业之间的中间形态的东西。

产业资本和信用资本这样结合了的东西,叫作金融资本。

可是以上的一切变化,都是关于形式的,并没有触着资本主义的本质。

资本主义的真髓——生产手段的私有财产制,被视为神圣不可侵犯的东西而存在着。若从资本家的见地看来,樵夫对于自己的斧头的权力,和德国大富豪斯清列对于煤坑、铁道、冶金工场等的权力,是同一制度的现象。

克虏伯在告自己的钢铁工场劳动者一文中,说道:

"无论何物,无论何种事变,都不能使我对于任何事件,勉强的违反自己的意志而让步。工场的经营,当和从前一样,以始终如一所施的爱情,依照我的规则来管理工场。劳动者们,若和从前一样,把自己看作是企业构成中的一分子,保持向来那表现的诚实,那我考察明白以后,当把上面所说的办法,按照预定的去干……和在自己的土地上一样,我是想以主人的资格,留在自己的家中的……"

私有财产本身,就是矛盾的。它想把不能分割的东西,勉强的去分割。社会的财富再生产的机构,只是一个。然而私有财产制,却把这个机构中的各个轮盘的螺旋,分给形形色色的机械师之手。而那些机械师中的各个人,便和别的机械师分离而且和别的机械师相对抗的行动着。生产的范围愈增大,技术适用的可能性愈扩张,私有财产的矛盾,便愈益表现为尖锐化,并且技术与生产关系之间所存的冲突,也愈益激烈起来。

最初的时期,促成资本的非个人性质的股份化,到了金融资本时代,便给予完全相反的结果。

"朕即国家",法国皇帝路易十四这么说过。"我们是拥有 1 亿居民的合众国的经营主",奉着洛克费拉及摩尔根为领袖的美国 93 个大资本家,也可以这么说。这些妄以为自己就是社会生活一切泉源之所有者的几十个人们,不但没有被收容于疯人病院,而且实际上,还管理着那一切的财富,不过他们

金融资本

不是为社会的利益而管理的,只是为本身利益而管理着罢了。

股份的资本形态,就表面上看来,似乎不是细分生产,而是求着财产的细分(在股东之间)。然实际上不是这样。股份的形态,第一,是因少数人攫取了巨额创业利润的关系,造成财产的集积的东西;第二,股份化的结果,使各个的资本单位的力量,达于几倍的增大。要对于股份企业发挥权力,只须握有30%或40%的股票就够了。如果股份公司甲,握有乙公司股票的很显著的百分数,那么,巨大的股东甲,对于甲乙两公司,都抓住权力了。多数的股份公司,依靠自己的相互关系而造着很长的连锁("母"公司,"女"公司,"孙"公司等等)。因此,大资本家,便能和那比自己优越数倍的资本相竞争。资本家阶级对于社会的威力,一变而为少数大富豪的权力(德国的产业"斯清列化",美国的产业"摩尔根化")。完全是拥护资本家阶级利益之工具的"民主主义"政府,竟成了工业王掌中的顺从工具。阶级的腐败,反映于政府的腐败。容易收买的"国家的执政者"和官吏,都从大富豪怀中,收受贿赂来饱贪私囊,对于资本家的一切效劳,在所不辞。在文化方面,不仅资产阶级的出版物,被金钱左右着,就是资产阶级科学也是一样。美国的富豪,以那样巨额的金钱维持大学,并不是徒供无益之牺牲的,乃是想对于那些供职大学的学者,获得指导权的。如果此等学者有不利于大资本家的结论,便马上要求他们柔顺地持一种沉默态度。倘敢不听这种要求,便放赶出校外。教授罗士、郝瓦特、安利纽斯及一系列的其他学者的运命,就完全和这里所说的一样。

第二节　金融资本时代的资本家社会的根本法则

在产业独占的条件之下,交换社会的根本法则——劳动价值法则,是以什么形式继续的表现着的呢?

这个问题,是极其复杂的问题。这便是因为成熟的资本主义的经济关系,非常的纷乱繁杂之故。直到现在,对于这个问题,还没有成就一个能够给以明白答案的研究工作。所以在这里,我想仅止于从事那具着一般性质的一种很简单的解释。独占的价格,果然完全是自己随意的价格吗?

独占的商号,是在具体条件之下而活动的商号,追求着所谓最大利益的目的。无论什么商号,都努力于尽可能地获得较多的利润额。那么,最高的价格,果能时常给予最大的利润额吗? 决不是这样的。商工业所获得的利润额,等于一商品单位的平均利润,和卖去的商品单位数相乘而得之数。假如每支铅笔,都给工场以 1 戈比的利润,那么,工场所获得的利润额,便是和卖出去的铅笔数相同的戈比数。

生产费,在企业组织不便利的时候,并不是和生产规模的增大那样而以同一比例增大的。管理费和建筑物耗损费等,当精制了的原料量增大时,不过增大至某限度而止。原料和燃料等,越是大量的购进,价钱便越发低廉。在某种程度的销路能够保持时,那一企业,便能和制造原料的企业相结合。反之,销路的减少,若予企业以商品堆积和机械停止的威胁。其结果,那企业纵然在高率价格的当儿,也许陷于蒙着损失而运转的境地。生产的范围越是比较的扩大,那生产在技术方面,便越发能够从事完全的设备。

这里,试把铅笔的价格、销路、及成本费,拟具一个表式看看。

铅笔的价格(戈比)	销路(管)	成本费(戈比)	利润总额(卢布)
12	8000	10	160
11	10000	9	200
10	16000	8.5	240
9	20000	8	200
8	25000	7.5	125

据上表看来,最合宜的价格,当为 10 戈比。独占的企业,当竞争之时,在价格会低降至 8 戈比以下时,就保持着这个 10 戈比的价格。

照这样,独占的价格形成,当具两个原因:一为劳动生产力,一为独占的压力。那一部门的劳动越是生产的,价格便越发抵减;那一部门的独占压力越强,换言之,它因为独占的优越性,越能予自己的买主以较强的压迫,价格便会越发增高。① 先把第一个原因探出看看吧。我们所谓劳动生产力越大,价格

---

① 加迭尔,又压迫生产手段的卖主等,使他们不得不以低廉的价格而贩卖生产手段。这样的压迫,即使成本费减少,因而使独占价格也减少。因此,对于买主的压迫,是和价格形成相关联,在某种程度上,和对于卖主的压迫相适合的。

便越发低减的这一点，是指的价格为劳动价值所统制的意义（参看第六章之摘要）。第二个原因（对于买主的独占压迫），便是把价格提高在那一部门及其他部门的劳动生产力之相互关系所支配的价格以上，即是把价格提高在劳动价值以上的事情。为什么呢？不用说，那是因为别的比较弱小的部门，还未经加迭尔化，或者独占的压力还微弱，遂至如是的。这些较为弱小的部门，都把自己的生产物，在价值以下贩卖着。就一般的看来，价格的总额，是要和价值总额一致的。①

这里，那种和利润率均衡倾向的法则相背反的情形，便当映入眼中来，实际上，未经加迭尔化的产业诸部门，都以竞争的价格去贩卖商品；反之，正在加迭尔化的产业诸部门，是以最合宜的好价格——独占的价格贩卖商品的。因此，已经加迭尔化的产业诸部门，便获得了追加利润。然而这却只是外观上的背反。究竟为什么能获得追加利润呢？我们若注意于纯粹资本主义的条件，换言之，若把社会的非加迭尔化的诸要素（农民、独立手工业者等）除外去看，就可知道产业的中间，加迭尔化的部分，格外的牺牲那没有加迭尔化的部分而获得追加利润的事情。前者对于后者，在向他们购买生产手段时，在贩卖生产物于他们时，均施行着剥削——即两重的剥削。在竞争的条件之下，利润率靠什么而均衡呢？这就是要靠把资本从利益真较少的部门，转移到利益较多的部门的事实而被均衡的。在产业独占的条件之下，这个路径便很困难。假使"非协定者"，对于巩固的加迭尔化的生产部门而行竞争，它必然的归于失败。

可是还有达到利润率均衡的其他路径，这便是将来加迭尔化的路径。购买时和贩卖时的不利益，使站在竞争原则之上继续运转着的诸部门，不得已要加迭尔化。② 这样，那利润率均衡倾向的法则，一方在加迭尔化过程的强化与扩大化当中，一方在消费合作的发达当中，找出自己的表现。我们试想象这种过程在各种部门内告了终结，并且一切力量在斗争上达于平等（实际，这样的

————————

① 金子，虽也能同样的在独占的条件之下生产，但问题却不因此而有变异。假如有力的产业部门，把自己的商品和金子交换时，没有获得多余的价值，那么，金子和弱小部门的商品交换时，便能获得多余的价值。

② 不待说，与这并行的，当是进到企业的结合。遇着玻璃瓶托辣斯的独占价格之麦酒酿造人，自己得创设玻璃工厂。烟草托辣斯，不满意烟草种植人所提出的价格，烟草种植人，得自己创设烟草工厂。这与其他"非协定者"比较，他是具有不得被人夺取他的原料那种特权的。

平等是不可能的,不过可以说有到这样平等的倾向)的事实看一看吧。我们就可知道一切价格,当处在基于同一的"独占的压迫"之部的。于是各个产业部门要牺牲别的产业部门而自己获得剩余价值的事情,也早已不可能了。以上所说的两个原因中的第二个原因(独占的压迫)的势力,就保持着均衡,价格再直接为劳动生产力的条件——劳动价值所统制。

于是,新的不平衡,又暴露出来。这便是种种组织的构造不同的各部门之利润率的不平均。许多人们都有把劳动组合,当作是劳动力的卖主的加迭尔看的倾向。但是劳动力,完全不能够保存,劳动力的生产,完全不能够随意停止,结果,劳动力卖主的加迭尔,便不得不比别的加迭尔远为微弱。"独占的压力",在这里,自是特别微弱。而劳动力的价格,便会在价值以下了。

因此,那一部门的资本的大部分,越是使用于购买劳动力方面,越要获得较多的利润。① 可是这时候,恐怕企业的结合,要使利润均等了。于是具有高度资本构造的部门,赖这种结合可以并吞低资本构造的其他部门。于是那专买劳动力并且专买消费手段于劳动力卖主的单一加迭尔化,便是这一过程之终局的结果。然则资本主义,实际上,果能存续到这样的成熟程度吗? 关于这一点,当在后面去说明。

第三节　帝国主义

我们已想象的把现在资本主义运动的线,延长到那线的想象的终末了。而这个线,是集中于包括一切产业部门的唯一的加迭尔的。当绘画房屋时,我们因为要正确的绘画起见,一样的是想象的把这个绘画的线,延长到一切线的集合点之地平线上面。可是这样的事,完全不是表示所绘的房屋,实际上能够延长到地平线上面的。

今日以前曾经存在过的生产关系组织中的无论哪一个,都未能达到那完

---

① 这样的事情,必然要使技术的进步迟滞。那必须在独占的市场购买机械以代替劳动力一事,已不会怎样惹起人们注意了。

另一方面,成为买主的劳动者,赖消费合作社而能使自己的结合性与消费手段卖主的结合性,为充分的对比。

全的横亘于一切方面的成熟状态。该组织的内部矛盾,使该制度在终局的成熟以前,归于破碎。资本主义本身,也是一样。一部分尚未成熟,一部分已在腐烂。一方那种小规模生产还未消灭,未能变成真正无产阶级的低级农民,还能保存。他方则资本主义,已经衰微,已被分解,已经制造着异常有力的爆发的瓦斯。[①] 至于生产范围与限制的市场之广度间所存的矛盾,已是正在趋于极度的尖锐化,而商品的实现,便越发感受着困难。这时候,它只有一条出路。这条出路,便是殖民地与半殖民地。机能资本,把在母国不能觅出销路的商品,都向着这些殖民地和半殖民地输出。又因利润率低下和加迭尔化的结果而在母国不能运转的资本,也被向着这些地方输出。资本的输出方法,一部是以借款形式,借给于半后进国的政府,一部是投资于商工业和银行。可是这样一来,后者与前者的中间,便树立了血族的关系,资本是和接木一样,从组织发达的国家而移植到后进诸国的。

因移植在新地盘之上的资本主义,已经发出强有力的新芽,本国的资本,在殖民地的地方资本中,愈益碰着可怕的竞争者。机械制造工场,是与贩卖完全精制品及半制造品的企业一样,热心地探求外国市场。可是一方输出普通商品,一方输出机械,其间所存的差异,犹如输出绢与输出蚕种之间所存的差异一样。那输出于殖民地的所有机械,即可促成殖民地对于本国,减少经济的隶属关系。

在金融资本与产业独占的时代,殖民地问题,已趋于异常的尖锐化。对于殖民地的商品和资本的输出,这就是被展达于极度的资本主义之唯一的出路,这是企图脱免利润率低下的资本之唯一的逃避所。

然而殖民地,却不是代表无限制的广度。非洲大陆,在19世纪被探险而且征服后,这个地球当中,早已没有无主的殖民地地盘存留着。此等殖民地的地盘,犹如冰箱一样,能够拔取资本主义矛盾的灼热空气且使之冷却,却恰恰

在资本主义需要这个殖民地的冰箱最迫切时,而归于消灭了。世界已为资本主义列强间所分割,在赃物分配妥当以后,只有凭着强力夺取邻国所领有的一

---

① 一般的资本主义,可以看作如电光一样的速度的过程。产业资本在150年的期间,其变更世界的速度,较之以前1000年的期间还快。

切领土,才能获得这一切领土。正因为这样,武力在金融资本与产业独占的时代,就成为具有决定的重要性之经济的要因。资本家的国家,唯有靠武力,才可防卫自己的领土,才可获得新领土。甲国与乙国的通商条约,果能于甲国的资本家有利吗? 乙国果能靠保护国税①从外国的竞争中去保护内国市场吗? 这都以一国的武力如何为断。

剥削,常常是不能离开战争的,剥削者为了保护和扩大剥削的分野,常常是把剥削者输送到战场。尤其金融资本时代,是国民经济之真实的军事复活时代。军事的产业诸部门(制造武器、暴烈物、弹丸,以及建造军舰、飞行船、飞行机的诸部门)具有特殊的意义。几百万的劳动者和农民,是常常的武装着。为了维持军队,便不惜消费巨大的金额。无论在何种产业部门,技术方面,都不能像军事产业有那样伟大的发展。然而那是毫不足怪的,因为产业方面,只是关于有利益的新事业,才被实施(参照本书第八章第四节),而军事产业方面,那关于破坏与毁灭之增大劳动生产力的一切新方法,都被毫不犹豫的适用之故。武装的方法,军舰的建造等,全是日新月异的变换者,昨日视为最新的技术的,到今日已完全成为陈腐无用了……

军事产业过于的发展之过于增大,已从战争之威胁的结果,变为战争的原因之一。我们在前面,曾就重产业一般好战性的原因说明过。关于军事产业的好战性,还能进一层的明白理解。一切军事上的活动,都是对于军事产业,给予莫大利益的,这个军事产业,并且常常拿出金钱,勾通一切国家机关与出版物,企图煽动所有军事的火焰而发起火来。

金融资本的时代,是世界经济的胎儿临产时代。完全统一了的世界经济之技术上的前提,早已出现于表面了。但是统一了的世界经济之组织,因交换矛盾的结果,在交换社会,可说是不可能的事情。加迭尔化的过程,既然没有达到它的终局(单一的加迭尔),那就不能使恐慌的可能性减少,反而使之增大。因为恐慌的各种原因,还在很巩固的规模上面存留着。而且实际方面,在金融资本时代,世界的恐慌之间的间隔,不是增大着而是缩小着的。

军国主义

金融资本与世界经济

① 例如日俄战争时,俄国因有外患的弱点,使它不得已要承认那于德国为有利于俄国为破产的通商条约。

所谓世界经济的统一,其所表现的,不过是世界战争的危机的充满,不过是战争时的各国家之一切障壁的缺乏,一旦战争爆发,那是必然地要蔓延于全世界的。

金融资本的时代,憧憬着世界霸权的一事,已成了一般的目的。那不能把国家经济变为世界经济之有机的一部分的事情,就是引起那以世界经济隶属于国家经济的企图的。强大的诸国家,实行其掠夺世界(帝国主义)的政策,并且都是各为本身而把那个政策完成着。极小的几个国家,便结合于强大的同盟国,以图幸存。帝国主义,是金融资本与产业独占时代的一个重要的特征,所以把这个全时代,名为帝国主义的时代。

据列宁的定义说,所谓帝国主义,便是那确立独占与金融资本的支配、视资本输出着着重要意义、由国际托辣斯开始分割世界、并由最强的资本家各国把地球上的全领土分割净尽——的一种发展阶级的资本主义。

帝国主义时代,一系列的产业恐慌,须靠世界战争的一种祸灾之爆发,才能终止。这样的世界战争,曾在1914年爆发过。

第四节　资本主义的崩坏

这次世界战争,其本身的破坏力,比从法国大革命时代起直到这次世界大战发动为止的一切战争的破坏力之总和,尤为强大。1913年之末,欧洲已有4亿100万的人口,若在正轨的条约之下,此项人口,到1919年中叶,应该增至4亿2400万人。然实际上,这时候仅有3亿8900万人。这样的损失,只要留意于战场的死者与因伤致死的不下千万人的一事,便不足惊异了。可是从1793年到1905年之间的一切战争,所有战死者的总数,还不过400余万人。技术所到达的进步和充分适当的破坏工作,已经彻底的施行,被破坏了的铁路线,多半崩圮,森林多被砍伐殆尽,耕地多被掘作战濠,并在此等战濠之下,建筑了水泥造成的市街。若用金钱的数字形容出来,那么,这次战争的消费,实为3780亿卢布,竟比从1793年到1905年之间的一切战争所消耗的总和,还要超过9倍之多。

资本主义已难堪了。在战争中所展开的破坏力,是受的资本主义之赐,却比资本主义本身还强有力。战争尚未终结以前,世界资本主义的连锁,和其他一切的连锁一样,其最微弱的锁环中之一——俄国,已经脱落了,俄国劳动者阶级,已经自己握着权力而退出一系列的交战国了。

产业恐慌,固然是破坏生产本身的一切破产力,可是往往能从资本家经济的机构中扫清蓄积的尘埃,展开新的隆盛时期的端绪。世界战争的祸灾,已打毁了这个机构,然而那却不能说破坏了的一切物质的价值,没有复兴的可能性。在近代的技术之下,这样破坏了的一切,是可于数年中复兴起来。世界战争所造出的状态,虽不是人类的穷迫无路的状态,然而却是资本主义的穷迫无路的状态。

世界的资本主义国家,总想对于俄国劳动者阶级的权力,实行其粉碎的企图。但是联合国的诸国,终未得手,终难驱使自己的劳动大众,向劳动者与农民的共和国进攻。所以它们在白色将军们以及波兰贵族们和苏俄斗争的期内,为援助他们起见,只是胡乱的浪费了莫大的手段。他们想把苏俄和全世界隔绝的企图,其对于资本家诸国的经济所给予的打击,比给予苏俄的打击还要重大。英国没有苏俄的谷物、森林、亚麻、大麻、皮革等,是不行的,那正和苏俄没有英国或美国的机械也是不行的一样。资本主义,在与生产关系的新形态斗争的当中,已不能不承认自己的无力。这个新形态,就是代替资本主义而出现的。

资本主义,对于巨额战费赔偿的问题(赔偿问题)之解决,已完全暴露其无力了。浪费了的金钱,无论何人,不得不支付出去。现实资本的一定单位卢布,不问它是在何处借得的债款,或是变成了火药之烟,都是继续以拟制资本形态或国债形态而存在着的。对于这,既须支付利息,并且早晚还要偿还。不问战败国的金贷业等自己愿意与否,他对于那用祖国的本位制所发行而在彼等手中的债券,不得不同意其事实上的废弃。例如德国,因马克下落的关系,现在或许只要几元美金,便可把自己从前在军事借款和铁路借款上所负的一切债务,以及战争终止时所集积的抵押证书(1500亿马克)支付净尽。战胜国则不同,他们那些国家的巨额内外国债,都是仍旧的保持着。法、意、比等国,既向英国借款,又同英国一起向美国借款。在1921年的中期,联合国诸国相互负债的数字如下。

各国对于美国的借款（单位:百万金卢布）

英	9262
法	7228
意	3318
坎拿大	1394
比	964
俄	530
墨西哥	370
波兰	272
日本	216
捷克斯拉夫	182
智利	178
合计	23914

各国对于英国的借款（单位:百万金卢布）

俄	5814
法	5570
意	4768
比	944
	90
塞尔维亚	221
以上各同盟国	17407
澳洲	900
新锡兰	296
埃拿大	138
南非洲	55
以上各殖民地	1389
合计	18796

各国对于法国的借款（单位:百万金卢布）

俄	2129
比	1127
南斯拉夫	575

罗马尼亚	410
波兰	400
希腊	340
捷克斯拉夫	104
合计	4885

这些债务支付的源泉,仅能靠有德国的赔偿金之支付。对于现在的奥国,为使他将来有支付可能性起见,联合国诸国,目下还不得不借给款项以支持他的现状。

基于《凡尔赛条约》,已从德国没收了爱尔萨斯·罗伦,煤炭丰富的沙尔地域,煤铁丰富的上部西里细亚大部分,东部普鲁士一部分。所没收的德地一切殖民地(约300万平方基罗米突),已分配于联合国诸国家之间了。此外,德国自己的商船、很多的车辆、机关车及其他铁造联用的材料,都被迫令让渡了,每月多量的煤炭业和化学工业的生产物,都被迫令交付了。联合国没收了上述的一切以后,还要求德国每年支付巨额款项(20亿的金钱和德国输出的一切商品价值26%,并且支付总额,还须渐次增加),作为利息与偿还赔款的支付。此项赔款总额,扣算起来为1320亿金马克,联合国诸国,是不能从这个总额当中,减少分文的。这因为他们本身的费用,其价额过高的缘故(联合国诸国的军事费,已达2520亿卢布)。在真正疲惫破碎的德国,无论怎样,都不能支这样的总额。所以德国资本家等,虽明知有社会主义者参加政府,仍要以租税的一切重担,坚持的负在劳动者大众的肩上。法国基于德国无力支付的原因,占领德国重工业中心地的罗尔地域……曾企图为消极的敌对(停止罗尔地方工业的作业,以对抗法国)。德国为紧张消极的敌对起见,已消费了巨额的金钱,可是那些消费了的金钱,主要的是进了资本家的腰包。这个敌对的企图,终归失败,德国的经济,已从根本上动摇起来,国民大众,因而尝着未曾有的贫穷与饥饿。于是德国陷入于绝境,而其追求者,也随同它陷入了绝境。

同时,战胜国的中间,为着获得太平洋上的霸权,正酝酿着新的冲突,殖民地反抗外国及本国资本家权力的勤劳大众运动,已有突飞的发展。美国大总统威尔逊,在《凡尔赛条约》缔结前所宣言的军备全部废止,已为强力的武装、军船、航空机关的建造所代替。从前都称德国为军国主义的唯一罪人,现在虽然这个军国主义强国的德国,已不存在(德国无保持 10 万人以上的陆军之权利),但是军国主义,却在日益趋于强大。资本主义本身的矛盾越尖锐化,越发成为好战的,并且越发促成本身终局的破灭。

第五节　苏俄、国家资本主义、共产主义

如果把资本主义的事实仔细考察一下,很容易推想如何形态的生产关系,必然地要变成资本主义。资本的集积,是和生产的集积,无产阶级的集积,携手同来的。技术的进步,不过使失业者军与贫乏的劳动者军,日渐增多罢了。无产阶级的结合,伴着他们对于剥削者的切齿的憎恶而趋于强大,并且还加强了他们的自觉和组织上的训练。同时,生产依存于资本家的个人企业热和发议权的事情,便渐渐趋于减少;活动而喜欢企业的阶级,往往受为寄生虫的金贷业者。我们已经知道,资本主义,在其成熟的时代,即由生产力发展的发动机而变为它的发展的制动机。为着继续保存衰微了的经济制度,专靠勤劳者的汗,已经不够,所以还需要他们在帝国主义战争中流成的血海。

在资本主义遭着穷迫无路的那个时机,无产阶级,不得不把妨害生产发展的障碍物资本主义,从生产界剔拔出来,并且不得不把经济组织体拿在自己的掌中。俄国的无产阶级,已是这样,在最近的将来,因赔偿问题而临到绝境的德国无产阶级,想必也要这样。

无产阶级,把生产手段拿在自己的掌中,只把它保持到共产主义的行程,即是保持到无剥削之单一的全世界的计划经济的行程。共产主义,不知道市场及货币,也不知道商品。这是巨大的单一合作社,一切社员,除幼儿与病人外,都参与生产,并且一切社员,无例外的以同等权利而参与消费。所有生产与消费之间的间隔,均已消灭无存,社会因集团的生产而集团的消费,又因集团的消费而集团的生产,即是生产与消费,合流于统一的再生产过程中。

唯有生产的原动力不是利润的欲望,而是生产本身的利害关系那种无阶级的共产主义社会条件之下,始能见着现代一切技术上的可能性完全存在。这时的生产过程,既已实现了所到达的一切技术上的可能性,必然的又另外开拓新的可能性,而此等新的可能性之程度与意义,实非今日所能想象到的。

共产主义

可是从资本主义制度脱出的国家,在劳动者阶级掌握经济的政治的权力
时机与共产主义的完全实现之间,必有一个长期的过渡期存在,那是毫无疑 过渡期
的。共产主义,是世界经济的组织形态,并且那种组织形态,唯有在一切地方
的资本家权力全部推翻时,才能完全的实现。可是以前资本家诸国的劳动者
阶级之胜利,在世界的社会革命第一期,已碰着了一个大障碍。劳动者阶级的
上层——一切熟练劳动者、制作人等,和劳动组合贵族一样,都是比较的得着
优裕的生活。资本家等,在那时候,是能以在本国和殖民地对于广泛的劳动者
大众所剥削的余润,赐给于劳动者阶级的上层的。现在对于此等上层,早已没
有余润颁下了。他们至此,所以也梦想着共产主义的,倒没有什么不可思议之
处,不过他们是并不着急的。劳动组合的机关,只适于合法的运动,适合于为
5 戈比或 10 戈比的斗争,所以要转移到革命的轨道,就异常的困难。在这里,
那个制止劳动者大众革命运动的社会妥协主义,便应时出现。这个社会妥协
主义者,在劳动者大众的激烈的阶级斗争时,即变做资本家的从仆,变做劳动
者阶级的最危险的敌人。

唯其是这样,所以革命的火灾,最初的第一次,便在落后的国家——俄国
烧起来。反抗封建阶级的资产阶级革命,是从欧洲的西部进行到东部(英,
法,德,俄),反抗资产阶级的劳动者阶级革命,将从东方进行到西方,大概次
于俄国而尾随其后的,按照顺序,或许轮到德国。因为这个尾后,舍社会主义
革命外,再没有别的出路的缘故。原料丰富的俄国与技术高度发展的德国,若
能在脱离资本家的羁绊后团结一致,就可成就未曾有的强力的经济统一。资
本家,至少在欧洲,要为无产阶级政权的国家所包围。劳动者阶级的权力愈是
沿着地球表面为广汛的普及,那资本主义的生活能力,就愈益陷于困难,而革
命也就愈益急速的由一国而蔓延到他国。革命途程的方向,是不能正确的预
见的,打破本国经济生活之一切基础的殖民地和半殖民地的东方革命,无疑的
是演着重大的任务。

总之,无论如何,某种程度的过渡期,是不可避免的。而这个过渡期,不仅
为无产阶级政权国与各资本主义的斗争期间,并且为这些国家的共存期间。
这样勉强的与资本家诸国共存的结果——并且与此等资本家诸国的保持经济
关系的必要——无产阶级的革命,即不能在自己的经济中,把交换的各要素一

次废绝。这个过渡期,不仅是国际的规模上的资本主义对于社会主义斗争的期间,并且是无产阶级握着政权的国家内部的资本主义对于共产主义的斗争期间。在这个过渡期中的共产主义,不但要被扩大,而且还会深刻化。这个过渡期,能完成资本主义所未完成的生产集积,而引导农民及小规模生产者大众到共产主义的建设。

现在的苏俄,便是循着这个道程而前进的。苏俄无产阶级掌握政权的最初三年是"战时共产主义"时代,其没收资产阶级的财产及集中产业到苏俄国家,是依下列情形而进行的。第一,使阶级之敌完全抛弃经济生活的支配权力,并须没收他们能够使用于反抗革命的一切物质的材料。第二,施行一切战线的战争,须把国家的各种物质,集中在劳动政府的掌中。①

战时共产主义

新经济政策

粉碎了资产阶级的军事敌对行动以后,而新经济政策的时代开幕,这是一面采用交换经济本身的方法(手段),一面变更交换经济的时代。

集中到劳农政府手中的大产业与运输,复转移到经济交易,即是转移到买卖的原则。在第二位的产业部门,所有小企业,便租借于个人。若于苏俄利害关系有必要时,便以利权租借于外国的资本家。这即是在那一面以生产物的一部分归入国家,一面限于若干年后以企业全部移到国家的一种条件之下,给予以创设企业的权利。

与农村结合

对于中农经营及手工业,就竭力为种种的支持(与农村结合)。因为在战时的破坏,尚未能终局的复兴时,在国家的电气化、产业完全集积以及向着农业的最便利的形式而转移等问题,尚未解决时,所有九千万农民的生产物,对于苏俄共和国联盟的经济,实具有决定的意义。战时所颁布的分配制度②,久已废止,代此而施行的,即为市场的合法化(商业的自由)。但是这与那个为交换社会之真髓的市场,已经完全异趣。在这里,已是行着由一生产阶段到他阶段的国营产业生产物的运动,而与真实的商品运动并行。这种国营产业生产物的运动,不过是在所谓商品运动的形式之下,戴着一种假面具的。如果国营铁道从国营煤矿购买煤炭,或是国营煤矿从国营机械建造工场购买机械,就

---

① 产业的国有化,军国家的军国主义化是一致的。

② 这个制度,在被压迫于所谓战时的条件之下的一般资产阶级国家,曾采用过。

只须把买卖为条件的理解了。在为买主和卖主,同为国家的缘故。固然,国营生产物,在这种处所,是条件的采取商品形态,但是那生产物买主为个人时,便成真实的商品。国家不仅出现于市场而为生产者,并且出现于市场而为商人。国营企业,在与个人企业家竞争的过程中,在资本家从前不可离的支配的场所——市场中,便从事征服这个资本家的事情。国营企业之托辣斯,新堤加的结合(参看本书第三章第二节),以及国营股份公司,同样的表现为条件的所有者。在这些机关管理下的生产手段与生产物,被看作和资本家一样。这些机关的行动得失,即由其平均利益与损失而判断。凡是转移在劳动者阶级手中的生产手段之一切结合物,都是具着所谓国家资本的形式。

　　国家资本主义,是在资产阶级诸国中所能见着的。这种国家资本主义,在两个时候表现出来,一是在保持纯粹国营运输业、产业及混合型的股份公司(此等公司的股票一部分,为政府所有)之时,一是在国家限制若干的个人企业自由,使此等企业实行国家的必要的生产纲领之时。世界战争期内,国家资本主义,曾行于资产阶级诸国。那时候,重要的产业部门,多已军国主义化,其他的产业部门,所有生产的问题和生产物分配的问题(世界战争中,有"沙"的俄国军事产业委员会),就受着国家某种程度的计划的干涉。可是西欧国家资本主义的意义和新经济政策之间,却有下列的不同之点。在西欧,是剥削者阶级,即在自身阶级机关的国家名下之生产手段的所有者阶级管理着产业;在苏俄,运输与大规模产业,都放在无产阶级的手中。由这种意义看来,西欧国家资本主义,是以巩固资本家的生产力方法为目的,而新经济政策的目的,却在废绝资本主义。所以苏俄的经济,正在逐渐地增大其计划的基础。国家对于产业的补助,不是以所谓短期和长期借贷的形式,投到容易获得最大利润的产业部门,乃是着眼于共产主义建设之必需发展的部门(燃料、金属、电力)。①产业各部门的生产计划,先交特别计划委员会(国家计划委员会)审议,再由劳动保护评议会核准。因此,那在资产阶级经济所不能实现的某程度的生产均衡,在苏俄已经达到了。外国贸易,全部集中于国家之手,国家统制输出输入,即依此而统制国家的经济生活。

国家资本
主义

――――――――――

　　①　对于工业、运输、农之渐进的使用电力计划,正在切实研究,并正在坚决的实行。

　　在俄国产业增大的疾患中之一,现在有所谓剪刀存在。这剪刀是什么?
就是比较战前的关系,而农业生产物价格与工业生产价格当中所存在的悬隔。
剪刀的悬隔,至1923年之末,已成就可惊的扩大。工业品的价格,依于如次的
主要原因(还有建筑物和机械的不修缮以及熟练的劳动力不足),固然比之农
产物的价格,只要增高60%的光景,可是也会腾贵至2倍3倍过。由工业方面
所发生的剪刀原因,即是巨额的浪费一事(不利益的支出)。而国营企业,一
半是因增大自己的固定资本与流动资本的企图,一半是因行政机关与商业机
关的不驯,结果,就促成了自己的商品价格之腾贵。在这里,信用的高腾(高
率的利息),却有重大的影响。而信用高腾的原因,便是由于俄国的二重本位
制之不完善所致。由农业方面所发生的剪刀原因,一半是农产物向外国输出
(因在国内保持高率的谷物价格的结果),尚未充分的圆满进行,一半是俄国
的农民经营不振,不能适应市场的要求,并且不能把利益甚少的植物生产物转
移为很有利的生产物,或把植物生产物依畜牧业的补助而变换为乳与肉的生
产物。国营产业的商品,在国家主要买主的农民无力购买时,便因剪刀的结果
而陷于销路的困难。但是依据这种情形,可以说明经济的计划基础之意义。
即是依着物价之有计划的统制,以及商业机关和营业管理机关的纯单化,已企
图把剪刀压缩了。现在(1924年初)所达到的结果,是很可满足这希望的。

　　如上所说,苏俄的经济,是依市场的关系而实行市场的关系的废止。在国
家运输和燃料经济已经恢复,业已达到战前的生产力,以及冶金术已是正常的
复兴的现在,可以肯定地说:苏俄的生产额,在最近数年间,必然的要达到战前
的水准,否,必然的要达到于其上。以后到了电气化的最重要事业完成时,苏
俄的生产规模。一定会达到有计划的基础结局能战胜市场的自然成长性的那
种规模。

摘要

　　一、为竞争战的结果之产业的集积,从19世纪最后25年起,又依加迭尔
化(企业的加迭尔、新提加及托辣斯之结合)方法的集积而补充。

　　二、股份的资本形态与信用机关(银行)的影响,特别的助长加迭尔化。
而此等信用机关,在那时候,又与大规模的康塞尔结合。

三、信用资本,在产业加迭尔化的期间,渐次与商工业资本相结合,致形成单一的金融资本。

四、产业的加迭尔化及信用资本之与商工业资本的结合,不唯不能使资本家社会的矛盾缓和,反而使之尖锐化。

五、各个企业的竞争,为巨大的托辣斯及康塞尔相互间的竞争所代替。

六、为股份公司创设初期的特色之资本的非个人性质,已为少数大资本家对于世界经济生活的霸权所代替。

七、与资本的威力增大并行的,为失业与劳动者大众的贫乏增大。

八、国内市场的限度与大量生产的规模之间所存在的矛盾,使商品和资本的输出,成了资本家国家本身的极重大问题。

九、为了获得殖民地及半殖民地的斗争的尖锐化,便以巨大的武装为必要,已使资本家诸国经济,变成了军国主义的。

十、确立独占与金融资本的支配,资本输出具着重要的意义,由国际托辣斯开始世界分割,并由最强的资本家诸国把地球上的全部领土分割殆尽,这个资本主义的发展阶段,叫作帝国主义的阶段。

十一、在帝国主义时代,全世界的战争之危机是在成熟着。这时候,无剥削的经济之有意识的组织,已成熟到某程度。即一方,是生产集积的组织化,他方是无产阶级的组织化。因此,全世界的战争危机,由劳动者阶级为谋经济的改革而实行的公开斗争来完结。

十二、社会主义革命,在废绝交换,生产的无政府状态及社会的阶级差别。无产阶级的资本家经济,即为组织的社会主义经济所代替。

十三、资本主义崩坏与社会主义完成之间,必有相当的过渡期。在这一过渡期的中间,握着政权的劳动者阶级,按照所谓革命的方法,把资本家的经济,转变为社会主义的经济。

责任编辑:李之美

图书在版编目(CIP)数据

李达全集.第六卷/汪信砚 主编. —北京:人民出版社,2016.12
ISBN 978－7－01－016858－6

Ⅰ.①李… Ⅱ.①汪… Ⅲ.①李达(1890—1966)－全集 Ⅳ.①C52

中国版本图书馆 CIP 数据核字(2016)第 250738 号

李达全集

LIDA QUANJI

第六卷

汪信砚　主编

人民大出版社 出版发行

(100706　北京市东城区隆福寺街 99 号)

北京新华印刷有限公司印刷　新华书店经销

2016 年 12 月第 1 版　2016 年 12 月北京第 1 次印刷
开本:710 毫米×1000 毫米 1/16　印张:24
字数:390 千字

ISBN 978－7－01－016858－6　定价:129.00 元

邮购地址 100706　北京市东城区隆福寺街 99 号
人民东方图书销售中心　电话 (010)65250042　65289539